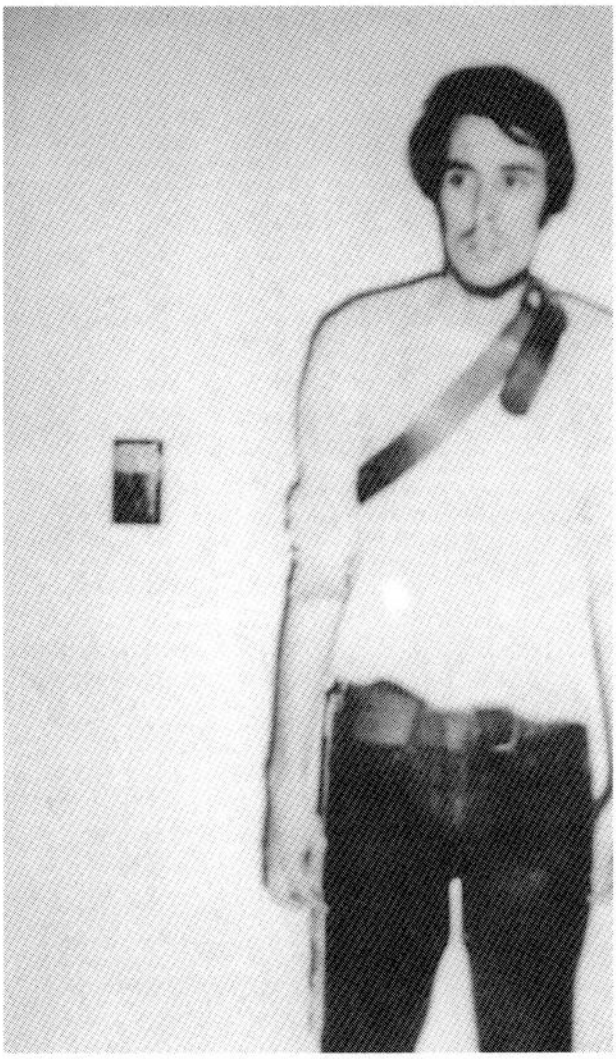

チェイスは「自分の体の血が粉になるのを防ぐ」ために被害者の血液と臓器をミキサーにかけ、それを飲んだ。彼が使っていた三台のミキサーのうちの一つ。

七人を殺害した罪で逮捕された当時のサクラメントの「吸血殺人鬼」リチャード・トレントン・チェイス。

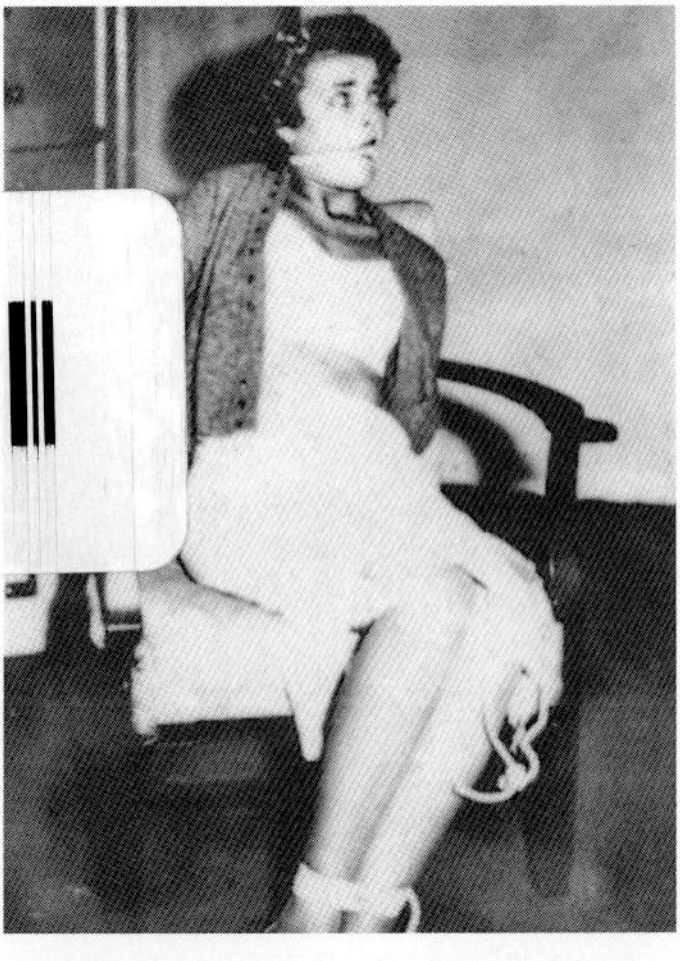

おびえる被害者の写真。ある殺人犯は被害者を殺す前にその写真を撮り、それを被害者の記念品のコレクションに加えて、あとで殺人の空想をするときに使った。

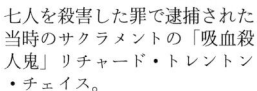

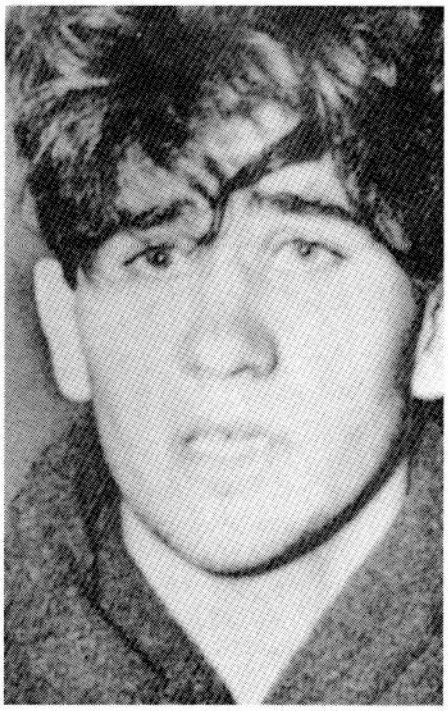

上）ウィリアム・ハイレンズによるセックス殺人の被害者の家の壁に書かれたメッセージ。ハイレンズがおさえがたい衝動にかられて殺人を犯し、そのことに罪悪感を持っていたことがわかる。
右）スザンヌ・デグナン殺害により逮捕された当時の、苦しげな様子のハイレンズ。

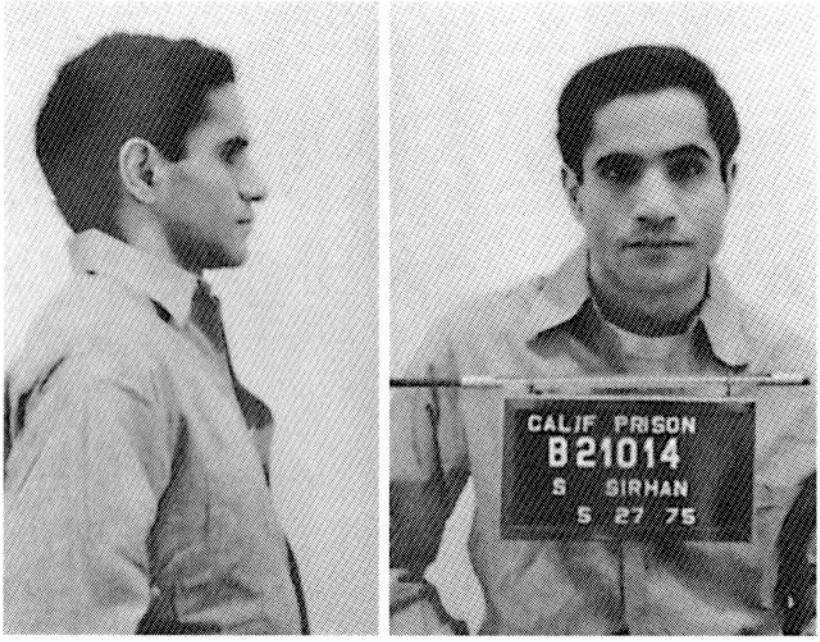

ロバート・ケネディを暗殺した犯人、サーハン・サーハン。

14歳のころのチャールズ・マンソン。

ヒッピー集団のリーダーだったチャールズ・マドックス・マンソンの逮捕時の写真。

死刑執行数時間前の連続殺人犯テッド・バンディ。

マンソン・ファミリーのメンバー、「テックス」ことチャールズ・ワトソン。

テッド・バンディの毒牙にかかった若い女性たち。彼の好みが特定の年齢と容姿の女性にかたよっていたことがわかる。

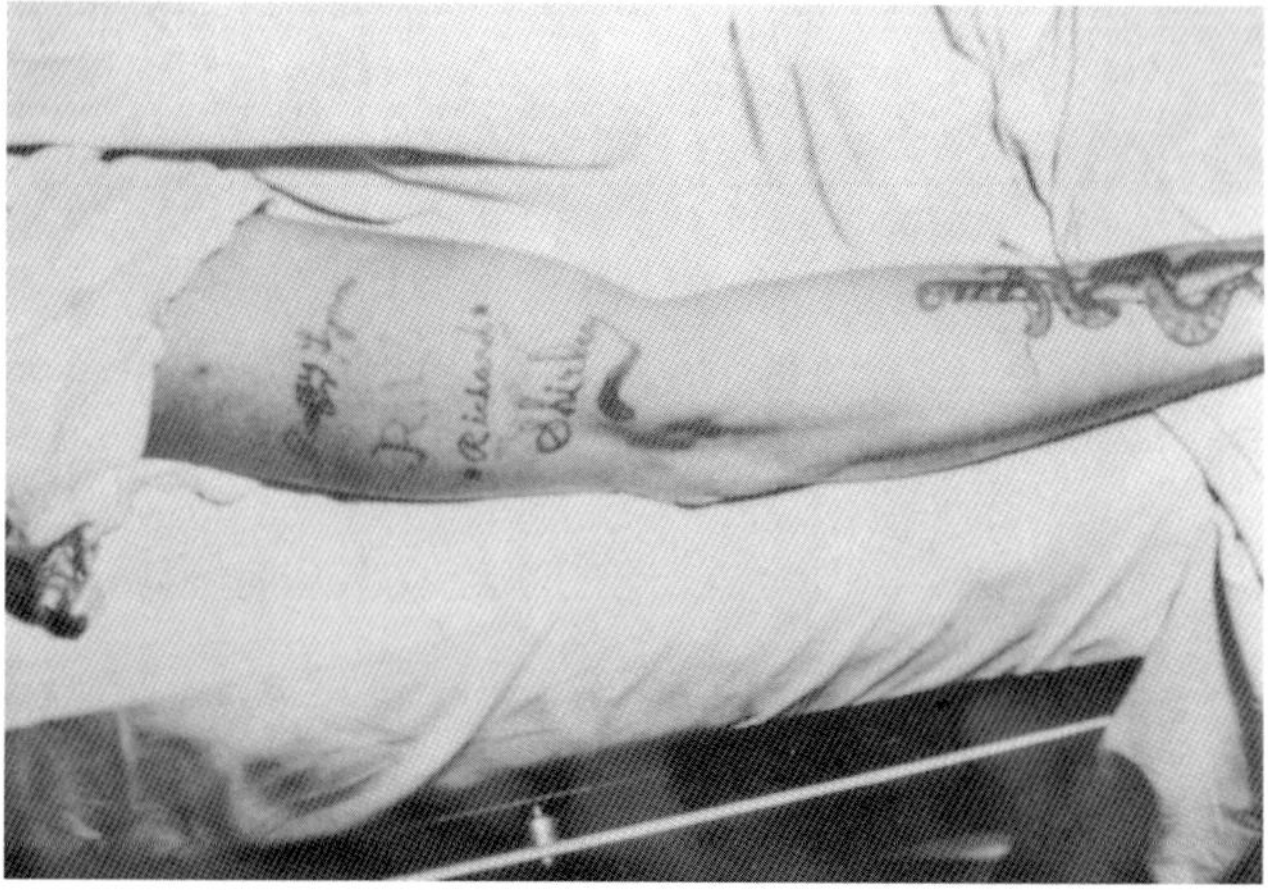

1966年にシカゴで八人の女性を殺害したリチャード・スペックの腕の入れ墨。これが手がかりとなって彼は逮捕された。

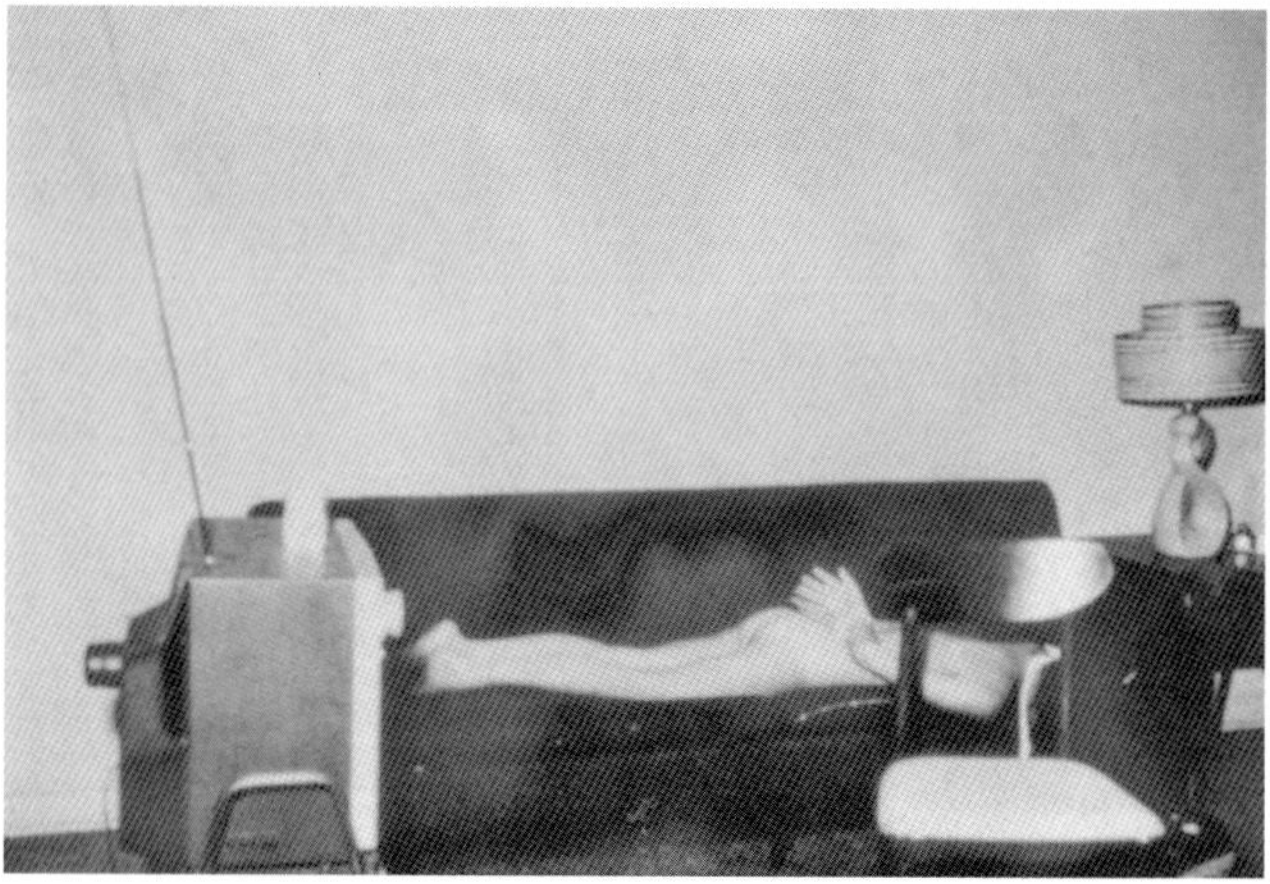

シカゴの「大量殺人犯」リチャード・スペックの被害者。

フロリダ州の保安官助手によって法廷から連れ出される連続殺人の容疑者ジェラルド・シェイファー。この写真で唯一落ち着いているように見える人物が容疑者であることに注目。

オレゴン州セーレムの連続殺人犯ジェローム・ブルードス。オレゴン州刑務所の独房にて。

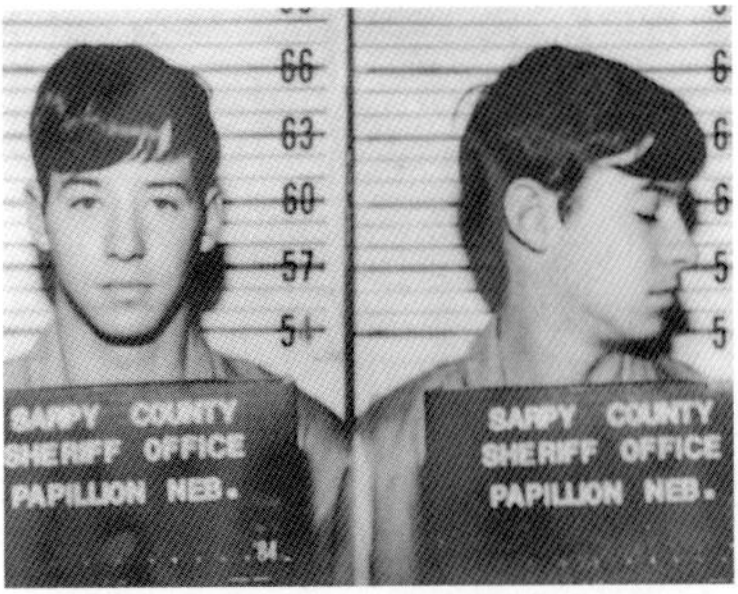

ネブラスカ州オマハの近くで二人の少年を殺害して逮捕された当時の連続少年殺人犯ジョン・ジャウバート。

セックス殺人の罪により逮捕されたリチャード・ローレンス・マーケット。

カリフォルニア州サンタ・クルーズ近辺で14人を殺した連続殺人犯ハーバート・M・マリン。

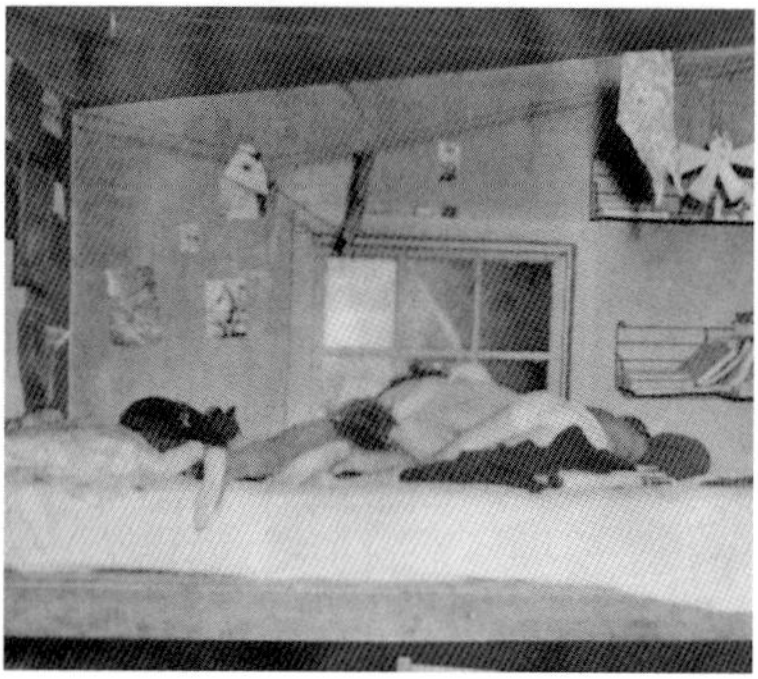

精神異常者であるマリンに殺された被害者の遺体。

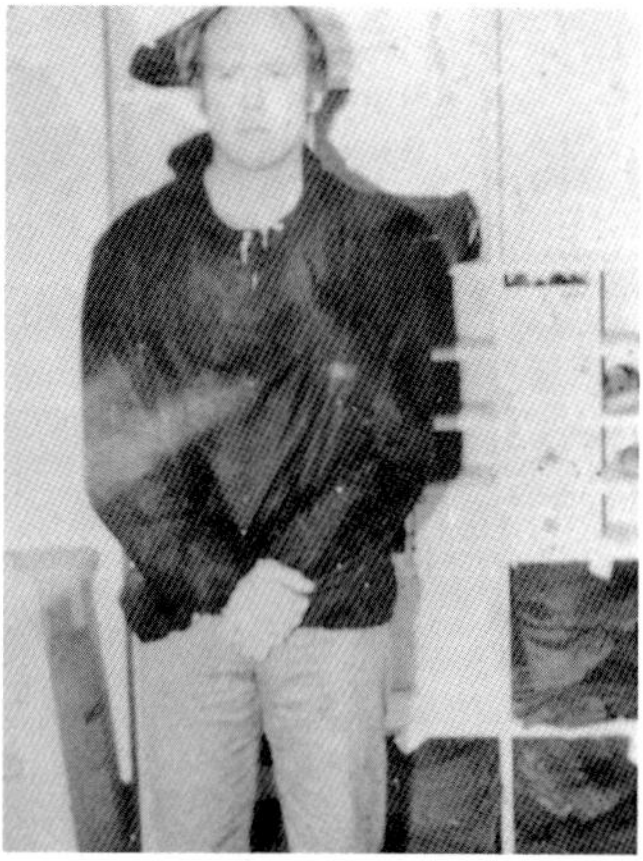

右）オレゴン州シルヴァートンの近くで二人の女性をめった切りにし、そのうち一人の内臓を抜いて殺害した罪で逮捕された当時のデュエイン・サンプルズ。
下）サンプルズが被害者を殺害し、内臓を引き出すのに使った鋭利な魚おろし用のナイフ。

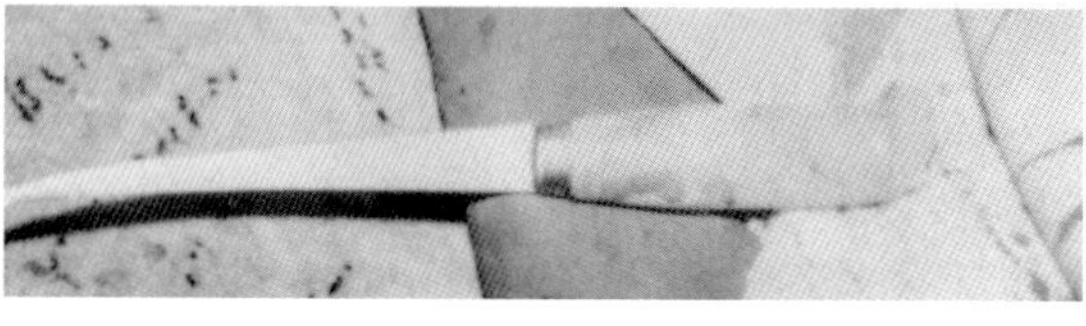

左）ジョン・ウェイン・ゲイシーの逮捕時の写真。ゲイシーはシカゴ周辺で33人の若い男性を殺害したが、これは彼が最初の殺人を犯す三年前にイリノイ州ノースブルックで撮影されたもの。
右）FBIの特別捜査官だったころの著者レスラー（左）と連続殺人犯エドモンド・ケンパー。

ゲイシーが持っていたポルノ雑誌のコレクション。彼の家を捜索中に警察が見つけた。

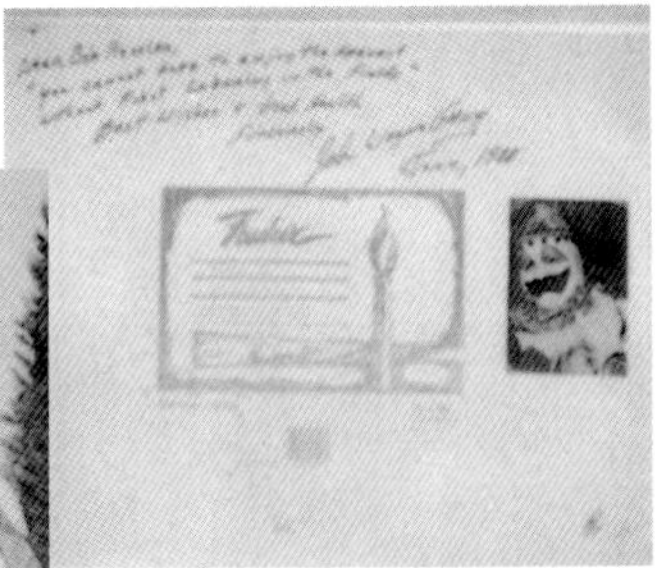

左）ゲイシーが刑務所で描いて著者に贈った道化師の絵。
右）道化師の絵の裏に書かれたメッセージ。

右）ワシントンＤＣで数人の女性を殺害した罪で逮捕された当時のモンティ・リセル。
下）ヴァージニア州アレクサンドリアの自宅近くで発見されたリセルの被害者の遺体。

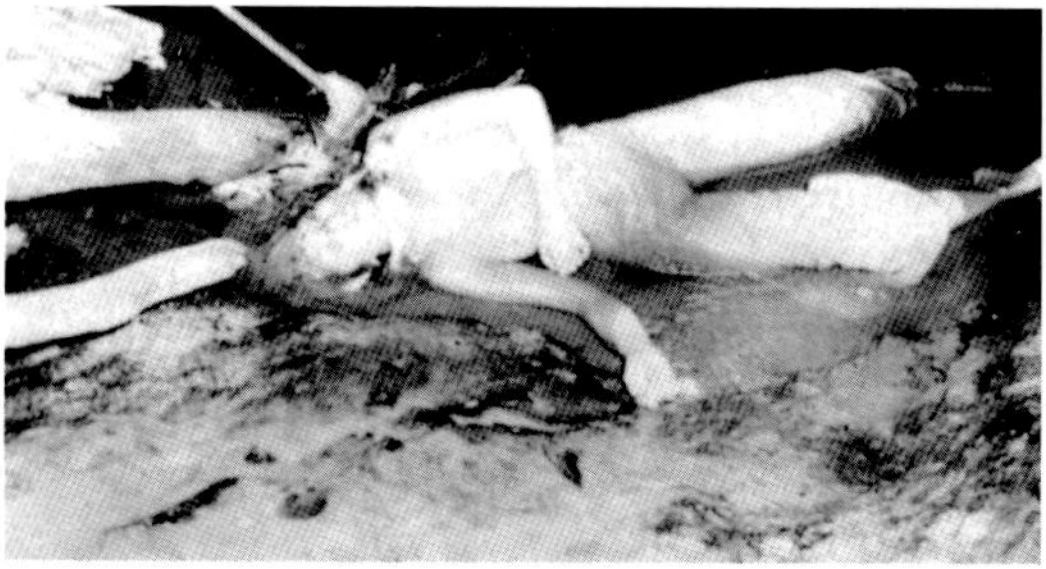

怪物の顔。自白した連続殺人犯ジェフリー・ダーマー。

ハヤカワ文庫NF
〈NF244〉

FBI心理分析官

異常殺人者たちの素顔に迫る衝撃の手記

ロバート・K・レスラー&トム・シャットマン
相原真理子訳

早川書房

4685

WHOEVER FIGHTS MONSTERS

by

Robert K. Ressler and Tom Shachtman

Translated by
Mariko Aihara
Published 2000 in Japan by
HAYAKAWA PUBLISHING, INC.
This book is published in Japan by
arrangement with
ST. MARTIN'S PRESS INC.
through TUTTLE - MORI AGENCY, INC., TOKYO.

怪物と闘う者は、その過程で自分自身も怪物になることがないよう、気をつけねばならない。深淵をのぞきこむとき、その深淵もこちらを見つめているのだ。

――フリードリッヒ・ニーチェ
『ツァラトゥストラはかく語りき』

日本語文庫版に寄せて

クール・ダウンのためのストレッチ運動が終わったら、熱いシャワーをさっと浴びて、それからビデオ屋に向かう。……私は「ボディ・ダブル」をもう一度観たくなって、そのビデオを借り直す。女が頭にドリルで穴を開けられて死ぬシーンを見ながらマスターベーションする暇がないのはわかっている。コートニーと七時半に〈カフェ・ルクセンブルグ〉で待ち合わせしているのだ。

これは精神病質の殺人者であるチャールズ・マンソンの手記からの引用ではない。三十人以上の女性を殺した連続殺人犯《シリアル・キラー》テッド・バンディや、三十三人の少年を殺したジョン・ウェイン・ゲイシーのものでもない。これはブレット・イーストン・エリスの一九九一年の小説『アメリカン・サイコ』のなかで発せられたせりふなのである。同名映画の原作にもなったこの小説には、ハンサムで裕福で、仕事にも成功しているニューヨークのビジネスマン、パトリック・ベイトマンの半生が描かれている。ベイトマンは自分の暴力的な幻想を満たすために、獲物を探して夜な夜な通りをうろつきまわる。エリスのこの作品はまったくのフィクションであり、連続殺人犯の行動様式にしても動機にしてもおよそ非現実的なのだが、アメリカの一般大衆は、架空の怪物が抱えた心の深奥を垣間見て、おおいに魅了されたのである。

憲兵、ＦＢＩの心理分析官、私立犯罪学者として、私は四十年ものあいだ、連続殺人犯やセックス殺人犯の生態の研究に心血を注いできた。だから『アメリカン・サイコ』のようなフィクションのなかで連続殺人犯の姿が誤って伝えられるたびに、苦笑せざるをえない。私は数百人の連続殺人犯、セックス殺人犯を研究し、彼らの多くと個別に面談を行なってきた。また心理学的プロファイルを作成して、警察がこのような怪物たちを逮捕するのを助けてきた。ＦＢＩを退職した後も、私は司法行動学研究所（ＦＢＳ）を設立し、血なまぐさい欲望に憑かれて獲物を探し求める怪物たちを追いつづけている。

本書『ＦＢＩ心理分析官』は私の自伝的著作であり、アメリカの名だたる殺人者たちの犯罪と人生について正しい見方を提供するものである。被害者の屍肉をむさぼり血を飲んだ殺人犯の素顔に迫る章もあれば、三十三人の少年をあやめて自宅の地下に埋めたジョン・ウェイン・ゲイシーのような、幼少者を襲う殺人犯にも触れている。また、死体でしか性的な欲求を満たせない死体愛好者《ネクロフィイリア》についても述べ、登場する殺人犯たちの被害者数はのべ数百人にものぼる。本書で示した情報のすべては、私自身の手による調査、研究、インタヴュー、そしてプロファイリングに基づくものである。本書と比較すれば、衝撃的な書であるはずの『アメリカン・サイコ』など実にかわいいもので、ユーモラスな読み物にすぎない。同書で扱っている素材など、われわれの現代社会に潜む怪物たちの真の姿からはまったくかけ離れているのだから。

ＦＢＩのプロファイラーとしての私の職務が、身体的および精神的危険と無縁だったわけではなかった。凶悪な犯罪者たち（多くが連続殺人犯だった）にインタヴューするために、私は合衆国じゅうの刑務所をめぐり歩かねばならなかったが、刑務所の警備は必ずしも信頼のおけるものであったわけではない。あるとき私は、身長二メートル六センチ、体重百三十五キロもある巨漢、エドマンド・ケンパーと面談した。ケンパーは自分の祖父母と母親を殺害したほか、八人の女性を殺して性的暴行を加え、また被害者全員の首を切断した。私は本書の中で、この巨大な殺人鬼と対面した際に、彼が私を殺し胴体から頭をねじ切ってやると言ったことを明らかにした。この恐るべきシチュエーションからの生還によって、暴力的な経歴のある殺人犯との面談にはもっと注意を払うべきであることを、私は痛感した。

連続殺人犯といえばジョン・ウェイン・ゲイシーも忘れがたい。彼は判明しているだけでも三十三人の少年を殺害していた。警察とともに事件を捜査した私は、彼の住居の床下から遺体を発掘する現場にも実際に居合わせた。この殺人犯との面談を重ねた結果、私は彼が私と同じシカゴ市内の近所で育ったことを知った。私も彼も同じ通りで遊び、同じ公園、同じ映画館に通っていたのだ。いよいよゲイシーが死刑に処せられるというとき、彼は私に刑の執行に立ち会ってくれるよう求めた。そんな気が滅入るような思いはさすがにしたくなかったので丁重に断ったのだが、そのとき彼は私にこう言ったのであった。「あんたが俺の処刑を見にこないっていうなら、処刑のあとで俺のほうからあんたに会いにいってやるよ」この言葉には私もぎょっとした。しかし、ゲイシーの処刑から数カ月後の一九九四年五月十日、テキサス州ヒューストンのホテルで深い眠りから覚めた私は、さらに肝を冷やしたのである。ゲイシーが約束を守ったのだ。これは私にとって忘れられない体験となった。

もう一人、私に貴重な経験をさせてくれた連続殺人犯といえば、ミルウォーキーで十七人の若者を殺害したジェフリー・ダーマーである。彼は被害者の頭部にドリルで穴を開けた。そこから酸を注ぎ込み、脳を破壊して、性的暴行や暴力に抵抗する意志を持たないゾンビを創造しようとしたのである。

読者は本書の中に、殺人鬼を想像で描いただけのフィクションからは得られないリアリティを見いだすことになるだろう。私の人生をいろどった凶悪犯たちの犯罪の数々は、読みづらいかもしれないが、フィクションよりも面白く、根拠も確かなものである。リアリティに満ちたさらに多くの知識をのぞむ読者には、もう一冊の私の著書『FBI心理分析官2』をおすすめする。こちらでは連続殺人犯との面談の模様を掲載し、これまで私がプロファイリングした、日本、イギリス、南アフリカでの事件についてもページを割いている。

ロバート・K・レスラー

目次

ＦＢＩ心理分析官

異常殺人者たちの素顔に迫る衝撃の手記

1　吸血殺人鬼

ラス・ヴォーパゲルは、ＦＢＩの中では伝説的存在だった。百九十センチを越す長身に体重百二十キロ。ミルウォーキー市警殺人課の元刑事で法学の学位を持ち、性犯罪と爆弾処理の専門家だ。ＦＢＩの行動科学課の調整係《コーディネーター》としてサクラメント地方局に勤務し、西海岸一帯で、地元の警察に性犯罪について教えていた。

一九七八年一月二十三日、月曜日の夜、サクラメントの北にある小さな警察署からラスのもとに電話があった。恐ろしい殺人事件が発生したというのだ。被害者がすさまじい暴力を加えられているという点で、これは並の殺人とは違っていた。一月二十三日の夕方六時ごろ、クリーニング屋のトラック運転手を務めるデイヴィッド・ウォリン（24）が仕事のあと、郊外にある小さな借家に戻ると、妊娠三カ月の妻テリー（22）が寝室で、腹を裂かれて死んでいた。彼は悲鳴をあげて隣人の家に駆けこみ、隣人が警察に連絡した。ウォリンは動揺が激しく、警察が到着しても話をすることができなかった。最初に彼の家に入った保安官助手も、同様にショックを受けた。惨殺された死体を見たために、その後何カ月も悪夢にうなされた、と保安官助手はのちに語っている。

死体を見た警察はただちにラスに助けを求め、ラスはクワンティコにあるＦＢＩ訓練アカデミーにいる私に連絡してきた。私は殺人のことを聞いて心を痛めたが、同時にいたく興味をそそられた。というのも、この事件では心理学的プロファイリング（犯人像割り出し）の技術を使って、犯行後すぐに犯人を捕まえるチャンスがあるのではないかと思ったからだ。ふつう行動科学課が事件についての連絡を受けたときには、すでに時間がたって手がかりが失われている場合が多い。だがこのサクラメントの事件は、まだ起こったばかりだった。

翌日の新聞によると、テリー・ウォリンはごみを外に出そうとしているときに、居間で襲われたらしいということだった。玄関から寝室までもみあったあとがあり、薬莢が二個見つかっていた。被害者はプルオーバー型のブラウスにスラックスを身につけていたが、ブラウスとブラジャーとスラックスは引きはがされ、腹が切り裂かれていた。現場の検証にあたった警官は、殺害の動機は不明で、何も盗られていないところから強盗の犯行とは考えにくいと語った。

ラスの話では、事件は実際にはこれよりはるかに凄惨なものだったが、市民に無用な恐怖を与えないために、警察は事件の詳細について発表するのを差し控えたのだという。情報の一部の公開を避けたことには、別の理由もあった。犯人以外には知らないような事実があったほうが、のちに容疑者の尋問をするさいに都合がいいからだ。一般の人が知らされなかったディテールは次のようなものだった。被害者は胸からへそまでナイフで切り裂かれ、その傷口から腸の一部がはみだしていた。いくつかの臓器は体腔から取り出され、切り刻まれていた。体の器官のあるものはなくなっていた。左の乳房に刺し傷があり、刺したあと傷口の中でナイフの切っ先を動かしたものと思われた。被害者の口には動物の排泄物が詰めこまれていた。さらに、犯人が被害者の血液をヨーグルトの空き容器に入れ、それを飲んだ形跡があった。

地元の警察にとってこの事件はおぞましいと同時に不可解であり、ラス・ヴォーパゲルも危機感にかられた。これまでの性犯罪の例から考えて、早急に手を打つ必要があることがあきらかだったからだ。それは私もすぐに感じた。テリー・ウォリンを殺害した犯人は、再びだれかを襲う可能性がきわめて強い。犯行現場のすさまじい暴力のあとを見ると、それはほぼ確実だと思われた。このような犯人は、一度の殺人では決して満足しない。この先いくつもの殺人を犯す危険がある。私は翌週の月曜に西海岸にあるＦＢＩの地方訓練機関で講義をする予定だったので、その前の金曜に出かけて、ラスとともにこの犯罪を分析することにした。これは実際に現場でプロファイリングを行なう初めての機会だったので、私はいささか興奮した。当時、犯罪者のプロファイリングはまだ比較的新しい学問（あるいは技術）だった。これは犯罪現場や被害者、その他の証拠を詳しく分析することによって、犯人像を割り出す方法である。予備的なプロファイリングの結果、私はこの恐ろしい犯罪の犯人は次のような人物ではないかと考えた。

白人男子。年齢二十五歳から二十七歳。栄養不良でやせている。住まいは汚れ放題で散らかっており、犯行の証拠となるものが家の中で見つかる。精神病の既往症あり。麻薬を使用したことがある。同性とも異性ともつきあわず、一人で行動する。一人暮らしをしており、自分の家で過ごすことが多い。職はなく、何らかのかたちの廃疾給付金を受けていることも考えられる。もしだれかと一緒に住んでいるとすれば両親だが、その可能性は低い。軍隊の経験はない。ハイスクールまたは大学を中退している。おそらく一つ、あるいは複数の妄想性《パラノイド》の精神病にかかっている。

私がこのようなはっきりした犯人像を描いたことには、十分な理由があった。プロファイリングの技術はまだ生まれたばかりだったが、これまでに何件もの殺人事件を調べた結果、セックス殺人の犯人は一般的には男で、加害者と被害者は同じ人種である場合が多いことがわかっていた（現場で性行為が行なわれたという形跡はなかったが、この事件はあきらかにセックス殺人のカテゴリーに属する）。セックス殺人の犯人の大半は、二十代と三十代の白人男子である。この単純な事実により、最初に犯人を特定しようとするときに、人口のかなりの部分を除外することができる。この事件は白人の居住地域で起こっているので、犯人が白人の男である可能性はますます高いと思われた。

当時行動科学課では、殺人犯は二つのタイプに分類できるという考えが生まれていた。ある程度筋道の通った行動を示すタイプと、通常の基準から見てまるで論理的でない行動をとるタイプだ。つまり「秩序型」と「無秩序型」の犯罪者だ。この事件の犯人はこのどちらにあてはまるかを、次に考えた。現場写真と警察の事件記録を見たかぎりでは、これは「秩序型」の犯人による犯行とは思えなかった。つまり、犯人は被害者のあとをつけ、秩序だったやりかたで犯行を行ない、自分の身元に関する手がかりを残さないように気をつけるというタイプではない。現場写真から推測すると、犯人は「無秩序型」で、重い精神病を患っていることはあきらかだった。テリー・ウォリンの体を切り刻んだ男は、一夜にしてこれほどひどい状態になったわけではない。このような動機なき殺人を犯すまでに病気が進行するには、八年から十年はかかる。妄想型分裂病は思春期に発病することが多い。平均的な発病年齢の十五歳に十年を加えると、犯人は二十代半ばということになる。私は二つの理由から、おそらくそれより上ではないと考えた。セックス殺人の犯人はほとんどが三十五歳以下であることが一つ。二つめは、もし犯人が二十代後半より上だったら病気が進行していて、これまでにすでに未解決の奇妙な殺人事件がいくつか起こっているはずだからだ。しかしこれほど凄惨な殺人がこの近くで発生しているという報告はなかった。こうした殺人事件がほかにないということは、犯人にとってこれが初めての殺人であることを示唆していた。犯人の外観についての推測は、彼が妄想型分裂病であるという仮定と、心理学についての私の知識から導き出したものだ。

たとえば、犯人がやせているという推測は、ドイツのエルンスト・クレッチマー博士と、コロンビア大学のウィリアム・シェルドン博士による、人間の体型の研究にもとづいている。この二人はどちらも、人間の体型と気質には高い相関関係があると考えていた。クレッチマーによると、やせ型の男性は、内向型の精神分裂病になる傾向があるという。シェルドンも同様な分類をしており、彼の分類法にしたがうと、犯人は外胚葉型、つまりクレッチマーの言うやせ型だと思われた。現代の心理学では、こうした体型による分類はもはや認められていない。だが私の経験では、この説があてはまる場合が非常に多い。少なくとも、精神病の連続殺人犯の体型を推測するさいには、これが役に立つ。

そんなわけで、犯人はやせて骨ばった男だろうと考えた。これは理屈に合っている。内向型の分裂病患者はきちんと食事をとらない。栄養のことはまったく考えず、平気で食事を抜く。自分の外見についても無関心で、清潔さや身だしなみといったことにはまるで注意を払わない。こんな人物と一緒に暮らしたいと思う人はいないだろうから、犯人は独身に違いない。さらに同じ理由から、彼の住居は混沌とした状態だろうと判断した。軍隊にいた経験はないと考えたのは、これほど病状の進んだ人間を軍隊が新兵として入隊させるはずがないからだ。また、大学を続けることもできなかっただろう。ただし完全におかしくなる前に、ハイスクールは卒業しているかもしれない。もし職についているとしたら、公園で紙くずを拾うといった、ごく簡単なものだろう。廃疾給付金によって生活している世捨て人のような人間というのが、犯人像に一番近いのではないかと思われた。

プロファイル（犯人像素描）には加えなかったが、もし犯人が車を持っていたとしたら、それも住居と同じく汚れ放題で、後部座席にはファーストフードの包み紙が捨ててあり、全体にさびだらけという状態だろうと推測した。また、犯人はたぶん被害者の家に近いところに住んでいるだろう。車を運転してどこかへ行き、このような驚くべき犯行をやってのけてまた家まで帰ってくるような、秩序だった行動をとることはできないと思われるからだ。たぶん犯行現場へは歩いて往復したのだろう。おそらく犯人はここ一年ほどの間にどこかの精神障害者収容施設を出て、しだいに暴力的な傾向を強めていったのだろう。

ラスはこのプロファイルを地域内のいくつかの警察署に持って行き、警察はこれにもとづいて容疑者を捜しはじめた。何十人もの警官が家々を訪ねたり、電話で話を聞いたりした。この事件に対するマスコミの関心は高く、だれが、何のためにこの若い女性を殺したのかという二つの疑問がその焦点となっていた。

次の四十八時間に、さらに詳しい情報が得られた。犯行が行なわれた月曜の朝、テリー・ウォリンは自宅から歩いて行ける距離にあるショッピングセンターで、小切手を現金に換えていた。犯人はそれを見て、家へ帰る彼女のあとをつけたのではないかという臆測がなされていた。テリーの母親が午後一時半に娘の家に電話したが、だれも出なかったという事実もわかった。検死官の話では、テリーはその時間にはすでに殺害されていたという。検死官はまた、刺し傷の一部は生きている間につけられたものだという見解を示したが、これは一般の人には知らされなかった。事件を担当している捜査官は報道機関を通じて、犯人は返り血を浴びている可能性があるので、血のついたシャツを着ている男を見かけた人は、特別な番号に電話するようにと呼びかけた。

木曜日になって、再び恐ろしい殺人事件のニュースがサクラメントの北部地域を揺り動かした。午後十二時半ごろ、テリー・ウォリンの殺害現場から一マイル足らずの郊外の住宅で、三人の死体が隣人によって発見されたのだ。死んでいたのはイーヴリン・マイロス(36)と彼女の息子ジェイソン(6)、それに友人のダニエル・J・メレディス(52)だった。さらに、一歳十カ月になるマイロスの甥の、マイクル・フェリエラがいなくなっており、犯人に誘拐されたものと思われた。被害者は全員銃で撃たれており、イーヴリン・マイロスはテリー・ウォリンと同じように、刃物で切られていた。犯人が乗って逃げたと思われるメレディスの赤いステーションワゴンは、犯行現場からさほど遠くないところに乗り捨ててあった。今回も、殺人の動機らしきものは見当たらなかった。家の中のものは何も盗られていなかった。イーヴリン・マイロスは三人の子供の母親で、離婚していた。子供の一人は前夫と暮らしており、もう一人は犯行があったときには学校へ行っていた。

地区の保安官は、「二十八年この仕事をやっているが、こんなにグロテスクで無意味な殺人は初めてだ」と新聞記者に語った。イーヴリン・マイロスは近所の人のためにベビーシッターをしていたので、子供たちやその母親の多くは彼女をよく知っていた。彼女の六歳の息子と一緒に学校へ通っていた子供も大勢いた。この母子がなぜ殺されたのか、だれにもわからなかった。被害者は撃たれているということだったが、銃声を聞いた人はいなかった。

人々は不安にかられた。警察はこの殺人事件のために住民がパニックに陥るのを極力防ごうとした。だが事件についての情報がもれるのを抑えきれず、人々は厳重に戸締まりをして、窓のブラインドをおろすようになった。車やステーションワゴンや小型トラックに荷物を積みこんで、この地域から逃げ出す人もいた。

ラス・ヴォーパゲルは、第二の事件のことを知るとすぐに電話してきた。当然ながら二人とも危機感にかられた。だが私たちはプロとして、ぞっとする気持ちを抑え、謎を解かなければならない。それも早急にだ。犯罪現場を分析する立場の者から見ると、この第二の殺人は新しい重要な情報を提供し、犯人についての私たちの推測が正しいことを裏付けるものだった。第二の事件の殺害現場では——今回もしばらくの間、事件のこうした詳細にについては公表されなかった——男性と男の子は撃たれていたが、それ以外には危害を加えられておらず、メレディスの車のキーと札入れが盗まれていただけだった。だがイーヴリン・マイロスは、最初の事件の被害者よりさらにひどい暴力を受けていた。彼女の死体は全裸で、ベッドの片側に横たわっていた。頭を撃ち抜かれており、腹部は二カ所、十字形に切り裂かれ、傷口から腸の一部がとびだしていた。内臓は切り刻まれ、顔と性器をふくめ全身に無数の刺し傷があった。直腸からはかなりの量の精液が検出された。預かっている子供をいつも入れておくベビーサークルの中には、血でぐっしょり濡れた枕と、使用済みの弾があった。バスタブには赤い色の水と脳の一部と糞便が入っていた。前回と同じように、ここでも犯人が血を飲んだ形跡があった。さらに重要なのは、盗まれたステーションワゴンがさほど遠くないところで発見されたことだ。ドアは開けっ放しで、キーはさしたままになっていた。赤ん坊は発見されなかったが、ベビーサークルの中に残された血液の量から判断して、生きている可能性は少ないと警察は見ていた。

こうした新たな情報にもとづいて、数日前に作成したプロファイルに手を加えた。第二の事件では性的な要素がよりはっきりし、犠牲者の数もふえ、暴力もエスカレートしてきている。犯人は重い精神病にかかっている若い男で、犯行現場まで歩いて行き、車を乗り捨てたところから歩いて帰ったのだろうと、私は以前にも増して確信していた。こうしたことを考慮に入れてプロファイルを手直しした結果、「独身で、ステーションワゴンが乗り捨てられていた場所から一・五マイルから二マイル以内のところに、一人で住んでいる」という犯人像が浮かび上がった。犯人は正気を失っているため、何かを隠そうというような気はなく、おそらくステーションワゴンを自分の家のそばにとめたのだろう。服装や外見がだらしなく、住居も乱雑をきわめているという予測も、再び強調した。

さらに、犯人は殺人を犯す前に、この地域でフェティシズム（拝物愛。性愛の相手の身体の一部や身につけている物品など、その象徴となるすべての物や状態に対する性愛）的窃盗を働いているだろう、とラスに話した。フェティシズム的窃盗では、商品価値のある装身具などではなく、女性の衣類が盗みの対象になる。犯人は自体愛（いかなる外的な対象にもかかわることなく、自己自身の身体のみによって満足を得るような衝動）の目的でこうしたものを盗む場合が多い。

この新たなプロファイルを手に、六十五名を越える警察の要員が、ステーションワゴンが発見された場所から半マイル以内の地域を徹底的に捜索しはじめた。乗り捨てられた車のすぐそばにあるカントリークラブで、犬が射殺されて内臓を抜かれたという通報が警察に入り、捜索範囲はさらにせばめられた。

赤いステーションワゴンを近所で見たという目撃者が二人見つかったが、二人とも催眠下でも、車を運転していたのが白人の男性だったということしか思い出せなかった。だがその後、二十代後半の女性から、それまでで一番有望と思える情報が入った。テリー・ウォリン殺害の一、二時間前、犯行現場の近くにあるショッピングセンターで、この女性がハイスクールのときに同級だった男性に会ったという。彼女はかつてのクラスメートががりがりにやせ、見るからにだらしない格好をしているのに驚いた。血のついたトレーナーを着て、口のまわりには黄色いかすがこびりつき、目は落ちくぼんでいた。男が女性の車のドアハンドルを引っぱって会話を続けようとしたので、彼女はそのまま走り去った。この女性は、血のついたシャツを着ている男を見かけたら通報するようにという警察の呼びかけに応えて、名乗り出たのだ。男はリチャード・トレントン・チェイスという名前で、一九六八年に同じハイスクールを卒業している、と彼女は警察に語った。

リチャード・トレントン・チェイスは、乗り捨てられたステーションワゴンから一ブロック足らずのところに住んでいることを警察は突きとめた。カントリークラブから北へ一マイル、ショッピングセンターから東へ一マイルの場所だ。チェイスのアパートのそばに何人かの警官が張り込み、彼が出てくるのを待った。この時点では、彼は五、六人の容疑者の中の一人にすぎなかった。部屋に電話してもチェイスは出ず、夕方になると警官たちは彼をおびきだす作戦を試みることにした。犯人は二二口径のリボルバーを持っており、平気で人を殺すことがわかっていたので、ことは慎重に進められた。まず一人が電話をかけるふりをしてこの公営住宅の管理人のアパートへ行き、もう一人がチェイスのアパートの前から立ち去るように見せかけた。数分後、箱を小脇に抱えたチェイスが戸口に現われ、自分のトラックに向かって走りだした。

警官たちはあとを追って、彼につかみかかった。もみあっているうちに、チェイスのショルダーホルスターから二二口径銃がとびだした。警官につかまれながら、彼はズボンの尻ポケットの中のものを隠そうとした。それはメレディスの札入れだった。チェイスが抱えていた箱には、血のついたぼろきれが詰まっていた。アパートのそばにとめてあったチェイスのトラックは古く、傷んでおり、古新聞やビールの空き缶、牛乳のパック、ぼろきれなどが落ちていた。トラックの中には、鍵のかかった工具箱と長さ三十センチの肉切り包丁のほか、血液らしきものが付着したゴムのブーツがあった。散らかり放題のアパートからは、動物の首輪が数個と血のついたミキサーが三台、それに最初の事件を報じた新聞記事が見つかった。部屋中に散乱した汚れた衣類の中には、血のついたものもあった。冷蔵庫には人体の一部がのった皿がいくつかあり、人間の脳組織の入った容器もあった。キッチンの引き出しにあった数本のナイフは、ウォリン家から持ち去られたものであることが判明した。壁にかかっていたカレンダーの、二件の殺人事件が起こった一月末の日付の上には、「今日」という文字が書かれていた。そして一九七八年の十二月末までに、同じ印がさらに四十四個ついていた。もしチェイスがつかまらなかったら、この先四十四件の殺人が起きていたのだろうか？　ありがたいことに、それは永久にわからない。

殺人犯がつかまり、警察は安堵の胸をなでおろした。家やトラックから数々の証拠が見つかったことや、本人の特徴がプロファイルと一致していることから、チェイスが犯人であることは間違いなかった。だれもがＦＢＩに感謝し、プロファイルを高く評価した。このプロファイルが犯人を捕らえたのだと言う人もいたが、むろんこれは事実ではない。殺人犯をつかまえるのはつねに警官だ。彼らは忍耐と市民の協力と、いくらかの幸運によって、それを成し遂げるのだ。

ラス・ヴォーパゲルとともに作成したプロファイルに、チェイスの特徴がみごとに一致していたことを私がうれしく思った理由は、二つある。まず第一は、それによって凶暴な殺人犯をとらえる手助けができたことだ。すぐにつかまっていなければ、彼は間違いなく殺人をくり返していただろう。第二の理由は、犯人がプロファイルに一致したことによって、犯行現場の分析のしかたや犯人が残した特徴の見分け方などについて、多くの情報を得ることができたからだ。つまりこれにより、行動科学課で仕事をするわれわれは、プロファイリングの技術（当時はまだ科学というレベルに達していなかった）をさらに磨くことができたのだ。

チェイスが逮捕されてから、私はこの異様な若者についてあきらかにされる情報を、逐一追った。逮捕直後に、前年の十二月に今回の二つの事件の現場の近くで起こって未解決のままになっていた殺人事件もチェイスの犯行であることが判明した。テリー・ウォリンが最初の被害者だろうという私の推測は、間違っていたのだ。実際には、彼女は二人目の被害者だった。一九七七年の十二月二十八日、アンブローズ・グリフィンと妻がスーパーマーケットから帰って、食料品を車から家へ運んでいた。そこへチェイスがトラックで通りかかり、銃を二発発射した。一発がグリフィンの胸に当たり、彼は死亡した。他の二件の殺人事件のあと、チェイスの二二口径銃を調べたところ、グリフィンを撃った弾もこれから発射されたことがわかった。

以前この界隈で女性の衣類が何度か盗まれたことがあったが、チェイスはその犯人の特徴とも一致しており、おそらく数多くの犬や猫をさらったのも彼だろうと思われた。チェイスのアパートで発見された犬の首輪や革ひもが、付近の行方不明になった犬のものであることがわかったのだ。これらの犬や猫は、チェイスにしかわからない奇妙な理由のために殺されたのだろう。彼は犬や猫の血を飲んだのかもしれないが、それを確かめるすべはない。

コンピュータによる調査により、一九七七年半ばにタホー湖のそばで、インディアン指定保留地の管理官が不審な男を見とがめて逮捕するという一件があったことがわかった。男は血みどろの服を着て、トラックの中に銃と、血液の入ったバケツを隠し持っていた。その男がチェイスだった。そのときは血液が牛のものだとわかったため、彼は釈放された。チェイスは罰金を払い、服についた血は狩りでつかまえたウサギのものだと説明した。

新聞記者や裁判所の執行官がチェイスの知人に話を聞き、これまでの記録を掘り起こした結果、彼の悲惨な経歴があきらかになった。チェイスは一九五〇年に、中流の家庭の息子として生まれた。素直でやさしい子供だったが、十二歳のころ、両親が家で争うようになってから問題が起きはじめたらしい。母親は、浮気をしているとか、自分を毒殺しようとしている、麻薬をやっているなどと言って、父親をなじった。父親はのちに、こうした言いがかりや言い争う声は、チェイスに聞こえていたに違いないと語っている。その後一家を面接した心理学者や精神科医は、ミセス・チェイスが精神病患者の母親によく見られるタイプで、「きわめて攻撃的で……人に敵意を抱いており……挑発的」だと判断した。両親のいさかいは十年間続き、その後二人は離婚して父親は再婚した。

チェイスは平均的な知能を持ち——IQ九十五前後——一九六〇年代半ばには、ごくふつうのハイスクールの学生だった。ガールフレンドはいたが、いずれも彼が肉体関係を持とうとしてうまくいかず、別れている。親しい友達はおらず、家族以外に持続的な関係のある人はいなかった。のちにチェイスを診察した精神科医や心理学者は、彼が精神に異常をきたしはじめたのはハイスクールの二年のときからだと推測している。このころから彼は「反抗的になり、何の野心もなく、部屋はいつも散らかっていた。マリファナを吸い、大酒を飲んでいた」という。一九六五年に、彼はマリファナの所持により逮捕され、地域の掃除を罰として科された。

こうした事実が新聞に載ると、チェイスの犯行を麻薬のせいだとする意見が出てきた。しかし私は同意しなかった。麻薬はチェイスの精神病を悪化させる要因にはなったかもしれないが、殺人の真の原因ではない。連続殺人事件では麻薬が関与している場合が多いが、それが引き金になっていることはめったにない、というのがわれわれの結論だ。真の原因はもっと根深く、複雑である。

病気の進行にもかかわらずチェイスはなんとかハイスクールを卒業し、一九六九年には数カ月間、職についていた。二日以上同じ仕事を続けられたのは、後にも先にもこのときだけだった。その後二年制大学へ行ったが、勉強についていけず、大学でのつきあいも負担になって退学した。一九七二年には飲酒運転でつかまったが、そのことがショックだったらしく、それからはまったく酒を飲まなくなったという。だが、生活はしだいにすさんでいった。一九七三年には銃を不法に所持し、逮捕に抵抗したかどで警察に連行された。パーティーで女の子の胸をさわろうとしてつまみだされ、戻ったところを男たちに取り押さえられたが、そのときズボンのウエストにはさんであった二二口径銃が飛び出したのだ。結局罪状は非行に引き下げられ、彼は五十ドルの罰金を払って釈放された。チェイスは一つの職にとどまっていることができず、父親と母親の家を行ったり来たりして、二人に養われていた。

一九七六年に、彼はウサギの血を自分の血管に注射しようとして、療養所《ナーシングホーム》に送られた。

チェイスの生活を管理する後見人が裁判所によって指名され、それ以後、両親には彼を扶養する義務はなくなった。そのころすでに、個人ではチェイスの面倒を見きれない状態になっていたのだ。ナーシングホームの看護婦によると、チェイスは「恐ろしい」患者だったという。やぶの中でつかまえた小鳥の頭を食いちぎり、顔やシャツを血だらけにしているところを何度か見つかっている。彼は小動物を殺してその血を味わったことを、日記に書いている。彼はスタッフの間ではドラキュラとして知られるようになった。

チェイスの不気味な行動には理由があった。彼は自分が毒を盛られて血液が粉になってしまうため、死なないように別の血液を補充しなくてはならないと思いこんでいたのだ。しかし薬によってある程度容態が安定しているように見えたため、精神科医は彼を退院させることにした。「チェイスを退院させると知ったとき、私たちはこぞって反対したのですが、聞き入れられませんでした」と、ナーシングホームの看護人はのちに語っている。

チェイスは一九七七年に退院し、その後はおもに母親が面倒を見ることになった。母親は彼のためにアパートを借り、彼はのちにこのアパートで逮捕されることになる。チェイスは母親と一緒にいることもあったが、ほとんどのときはアパートで一人で過ごしていた。彼は廃疾給付金によって生活し、外来で通院していた。生活費の一部は父親が負担した。父親は息子と一緒に過ごす時間をつくり、週末に旅行に連れて行ったり、プレゼントを買ってやったりした。退院後のこの時期にチェイスに会った人たちの話では、彼は完全に過去に生きているようだったという。ハイスクール時代の出来事を現在のことのように話し、その後の約十年間のことについては一言も言わなかった。だが、空飛ぶ円盤やUFO、彼のハイスクール時代に活動していて今も彼をつけねらっているというナチの犯罪シンジケートなどについては話した。アパートが散らかっていることを母親にとがめられると、彼女がアパートに入ることを禁じた。タホー湖での一件のあと、父親が彼の身柄を引き取りに行くと、チェイスはこれは単なる事故で、狩猟中の災難を地元の警察が誤解したのだと説明した。

タホー湖の出来事があったのは、一九七七年の八月だ。そのときから最初の殺人を犯すまでのチェイスの行動を見ると、病気が悪化し、犯罪行為がしだいにエスカレートしていくさまがはっきりわかる。九月に母親と口論したあと、チェイスは彼女が飼っていた猫を殺した。十月には二度にわたって、動物愛護協会から犬を買っている。十月二十日にはトラック用に二ドル分のガソリンを盗んだ。警官にそのことを尋問されると、落ち着いて容疑を否定し、そのまま走り去った。十一月半ばには、ラブラドルレトリーバーの子犬を売りたいという新聞広告を見て飼い主の家に現われ、うまく交渉して一匹の値段で二匹の子犬を持ち帰った。十一月末、チェイスは通りにいた犬を持ち去り、飼い主が迷い犬の広告を新聞に出すと、その家へからかいの電話をかけた。その付近で、他の犬や猫が行方不明になったという報告が何件か警察に届いている。

十二月七日に、チェイスは銃砲店で二二口径のリボルバーを購入した。購入にあたって、精神病院に入院した経験の有無を問う書類に記入しなければならなかったが、彼は入院経験はないと断言した。銃を受け取ることができるのは十二月十八日だったが、それまでの間に彼はトラックの再登録など、ある程度論理的な思考を要する手続きを行なっている。彼はロサンゼルスの連続絞殺犯についての新聞記事を保存し、犬をあげますという広告を丸で囲んでいた。

銃を手に入れ、弾丸を何箱か買うと、チェイスはそれを使いはじめた。最初に、ある家の窓のない壁に向けて一発撃った。その一、二日後に、ポーレンスキという一家の住む家のキッチンの窓越しに一発撃ち、弾は流しの上にかがんで立っていたミセス・ポーレンスキの髪をかすめた。それからまもなく、彼はアンブローズ・グリフィンに向けて二発撃ち、そのうちの一発がグリフィンを殺した。ミセス・ポーレンスキとグリフィンに向けられた弾は、当てずっぽうに発射されたものではなかった。のちの分析によると、走っている車から撃つ場合、よほど慎重にねらわないと付近にたくさんある木を避けて、相手の胸に命中させるのは難しいことがわかった。ミセス・ポーレンスキが死なずにすんだのは、非常に運がよかったのだ。

テリー・ウォリンを殺害した一九七八年一月二十三日のチェイスの行動を、警察は逐一あきらかにしている。その日、チェイスは近所の家に侵入しようとしたが、キッチンの窓のところでその家の女性と顔を合わせたため、そこを離れた。そして、その家の中庭にじっと座っていた。女性は警察に連絡したが、彼は警察が来る前に立ち去った。そのすぐあと、チェイスが別の家に侵入しているのをある家の住人が見つけた。その男性は逃げるチェイスを追いかけたが途中で見失った。押し入られた家では貴重品が何点か盗られており、子供のベッドに脱糞してあったほか、引き出しの中の衣類に放尿してあった。これは、フェティシズム的窃盗でよく見られる行為だ。一時間後、チェイスはショッピングセンターの駐車場でハイスクール時代の同級生の女性に会った。

血のついたシャツを着て口のまわりに黄色いかすをつけたチェイスは、その女性がかつて知っていた男の子とはまるで違っていた。彼女は最初チェイスがだれかわからなかった。チェイスは、彼女の昔のボーイフレンドでチェイスの友人だった男の子が事故で死んだとき、きみも一緒にバイクに乗っていたのか、と彼女に尋ねた。女性はいいえと答え、あなたはだれ、と聞いた。チェイスは名を名乗った。そのあと彼は女性の車のところまでついてきて、助手席に乗ろうとした。女性はドアをロックして、急いで走り去った。数分後、彼はショッピングセンターのそばの家のポーチを横切り、家の人にとがめられると、近道をしているだけだと答えた。そしてその家の敷地を出て、ほぼ隣接しているテリー・ウォリンの家へ侵入したのだ。

一九七八年の半ばには、行方不明になっていた子供の遺体も、チェイスが最後に住んでいたところの近くで発見された。刑務所では、彼は話すことを拒否した。だが翌年、ある精神科医がチェイスの信頼を得て、彼と話をするようになった。つかまらなければまだ殺人を続けていたかという精神科医の問いに対し、チェイスは次のような驚くべき答えを返している。

一番はじめに殺した人は、偶然みたいなものだな。車が故障しちまってね。どっかよそへ行きたかったんだけどトランスミッションがいかれちゃったもんで。アパートを捜さなきゃならなかったんだ。クリスマスにおふくろが家に入れてくれなくてさ。前はクリスマスにはいつも呼んでくれたんだ。それで一緒に食事して、おふくろやおばあちゃんや妹と話をした。でも、あの年は家に入れてくれなかった。それで俺は車から銃を撃って、だれかを殺した。二回目のときは、あいつらがいっぱい金を儲けてたんで面白くなかったんだ。俺は見張られてたんで、あの女の人を撃った——それで血をとった。別の家へ行って中へ入ったら、家族がみんないた。だから家族全員を撃った。そこでだれかに見られた。若い女に会ったんだ。彼女が警察に電話したけど、警察のやつらは俺を見つけられなかった。カート・シルヴァのガールフレンドだ。カートはバイクの事故で死んだんだ。ほかにもそれで死んだ友達が何人かいるけどね。カートはシンジケートに殺されたんじゃないかと思う。マフィアの一味で、ヤクを売ってたんだよ、きっと。ガールフレンドはカートのことをおぼえてた。それで、情報を引きだそうとしたんだけど、彼女、わたしは別の人と結婚していますって言って、話をしてくれないんだ。そのシンジケートは、おふくろを通じて俺に毒を盛って、金を儲けてるんだ。やつらがだれか俺は知ってる。詳しいことがわかったら、裁判に持ちこめると思う。それでいろいろ探ろうとしてるんだ。

チェイスの裁判は一九七九年の初頭に始まった。五月六日に、サクラメント・ビー紙の記者が、法廷でのチェイスをこのように描写している。「被告には生気というものが感じられない。髪はつやがなくだらんとしており、目はどんよりして落ちくぼんでいる。肌は土気色で、骨ばった体には余分な肉がまったくない。あと数週間で二十九歳になるリチャード・トレントン・チェイスは、この四カ月半というもの、肩を丸めて椅子に座り、目の前の書類をいじったり、法廷の蛍光灯をぼんやり見つめて過ごしてきた」

チェイスが裁判にかけられたのは、検察側が最近施行されたカリフォルニアの州法にもとづいて、彼を死刑にするよう積極的に働きかけたからだ。弁護側はチェイスが精神病患者で、裁判を受ける能力がないと主張した。だが検察側は、犯行時に彼は「抜け目のない認識力」を示しており、したがって犯行に対して責任があるとみなされるべきという見解をとった。彼は六件の第一級謀殺で罪に問われた。テリー・ウォリン、マイロス家にいた三人、行方不明になっていた子供、そしてアンブローズ・グリフィンの殺害である。陪審員は二、三時間協議しただけで、求刑どおり彼に死刑を宣告した。チェイスはサン・クエンティン刑務所の死刑囚監房で、電気椅子による処刑を待つことになった。

私はこの判決には賛成できなかった。リチャード・チェイスはあきらかに精神異常であり、電気椅子へ送られるのではなく、精神障害者の治療施設で残りの一生を送るべきだった。

一九七九年にチェイスがサン・クエンティンの死刑囚監房に収容されていたとき、私はFBIの刑務所連絡係と一緒に彼に会いに行った。それはじつに奇妙な経験だった。刑務所へ一歩足を踏み入れてから面会室に入るまで、いくつものドアが私たちの後ろで音を立てて閉まった。刑務所にはそれまでに何度も行ったことがあったが、これほど圧迫感と恐怖感をおぼえたのは初めてだった。

死刑囚監房に入ると、気味の悪い物音やうめき声、人間のものとは思えないような恐ろしげな声が聞こえてきた。部屋で待っていると、チェイスが廊下をやってくるのが聞こえた。足かせをはめられており、歩くたびにそれがカチャカチャ鳴るのだ。彼は足かせのほかに手錠もはめられていた。

私はチェイスの外見にもショックを受けた。やせこけて黒い髪は伸びほうだいで、見るからに異様な風体だ。一番不気味なのは目だった。「ジョーズ」に出てくるサメの目のようだった。ひとみがなく、黒い穴があるだけなのだ。面会が終わってからも、あの邪悪な目を忘れることはできなかった。彼は攻撃的なところはまったくなく、ただおとなしく座っていた。手にはプラスチックのコップを持っていたが、最初はそれについて話さなかった。

チェイスはすでに有罪が確定して死刑を待つばかりだったので、殺人犯との最初の面接でいつもやるように、相手の機嫌をとる必要はなかった。ふつうは自分が信頼できる人物であり、何でも話せる相手だということを向こうに印象づけるためにいろいろ気をつかうのだ。チェイスの異常な精神状態にもかかわらず、彼と私は比較的スムーズに話ができた。

チェイスは殺人を犯したことは認めたが、それは自分の命を守るためだったと主張した。犯行当時彼は死にかけており、生きるために必要な血液をとるために人を殺したというのだ。こうした事情にもとづいて上訴するつもりだ、と彼は言った。チェイスによると、彼の命は「石鹼箱の毒」によって危険にさらされているということだった。

石鹼箱の毒とはどんなものか知らないと言うと、彼は説明してくれた。だれもが石鹼箱を持っている。石鹼を持ち上げてみて下が乾いていれば問題ない。だがぬるぬるしていたら、その人は石鹼箱の毒にやられているのだ。その毒はどんな害を与えるのかと聞くと、体内の血液を粉に変えてしまう、と彼は答えた。その粉が体をむしばみ、エネルギーを枯渇させて力を失わせるというのだ。

チェイスの説明を、読者はばかばかしい、あるいは気味が悪いと思われるかもしれない。しかしそのときの私は、それに対して適切な反応を示す必要があった。驚いたりぞっとしたりせず、その説明を殺人の理由として受け入れるのだ。大事なのは相手の幻想に対して意見を述べることは控え、相手が話を続けるように促すことだ。そこで私は彼の説明を黙って聞き、それに反論はしなかった。

チェイスが、自分はユダヤ人だと言いだしたときも——それが事実ではないことはわかっていた——同じように対応した。彼はユダヤ教の象徴のダビデの星が額についているために、ずっとナチに迫害されてきたと言ってそれを私に見せた。それに対して、「そんなのはうそっぱちだ」とか、逆に「それはすごい。私もそんなのがついてるといいんだが」などと言うのはまずい。そのあとの会話がうまくいかなくなってしまう。私は、眼鏡を持ってこなかったし部屋が暗いのでそのあざがよく見えないが、それがあることは信じる、とだけ彼に言った。チェイスは話を続け、ナチは地球の上を絶えず飛んでいるUFOと結びついていて、そのUFOからテレパシーで、血液を補充するために人を殺せという指令がきたのだと言った。「そんなわけなんですよ、レスラーさん。あの殺人は正当防衛だったってことがこれではっきりしたでしょう」というのが、チェイスの結論だった。

この面談で私が得た最も重要な情報は、どうやって被害者を選んだのかという問いに対するチェイスの答えかもしれない。彼はだれかを殺せという声を聞いて、通りを歩きながらそのあたりの家のドアの取っ手をまわしてみたのだという。ドアの鍵が閉まっていたら中には入らず、開いていたら入った。鍵が閉まっていても中に入りたかったら、鍵をこわせばいいじゃないかと言うと、彼はこう答えた。「いや、鍵がかかってるってことは、入るなってことなんですよ」恐ろしい犯罪の被害者にならずにすんだ人と、チェイスの手にかかって悲惨な死をとげた人との差は、こんなささいなことから生じていたのだ。

最後に、チェイスが手に持っている小さなコップのことを尋ねた。これは刑務所の連中が自分に毒を盛っていることの証拠だ、とチェイスは言った。彼がさしだしたコップを見ると、中に黄色いどろどろしたものが入っていた。それはパック入りのマカロニ・チーズの残りであることがあとでわかった。それを持って帰って、クワンティコのＦＢＩ研究所で分析してほしいと彼は言った。その贈り物を拒否することはできなかった。

行動科学課では、「秩序型」の殺人犯ときわだった対照をなす「無秩序型」殺人犯の特徴をまとめていたが、チェイスとの面談はこれが正しいことを立証するのに役立った。チェイスは無秩序型の犯人のタイプにあてはまっていたばかりか、それまでに私たちが遭遇したどの犯罪者よりも、その特徴を顕著に備えていた。その意味で、彼は典型的な例だったと言える。

当時チェイスを診察した刑務所の心理療法士や精神科医らは、死刑をめぐる騒ぎがおさまったあと、チェイスをカリフォルニア州ヴァカヴィルの刑務所に移すよう提案した。この刑務所はカリフォルニア医療施設として知られており、精神病の犯罪者を収容している。チェイスは「精神異常者で無能力者であり、回復の見込みがない」のだから、そこへ入れるべきという判断だ。私もこの意見に賛成だった。このころチェイスは、上訴するためにワシントンDCへ行く必要があるという内容の手紙を、私のもとによこしていた。いまやUFOが航空機事故や、イランが米国に対して使用しているような対空ミサイルにかかわっていることを、FBIはきっと知りたいだろう、と彼は書いていた。「FBIはレーダーで簡単にUFOを見つけて、UFOが僕を追っていることや、夜空の星になっていることを突きとめられるでしょう。星は、何らかの方法でコントロールされた融合反応を起こす機械によって光るしくみです」

チェイスからの手紙はこれが最後になった。一九八〇年のクリスマスの直後、チェイスはヴァカヴィルの独房で死んでいるのが発見された。幻覚を抑えるために投与されていた抗鬱《うつ》薬をためておいて、それを一度に飲んだのだ。彼の死を自殺だと言う人もいる。だがそうではなく、チェイスは幻聴を抑えようとして大量の薬を飲み、誤って死んだのだと考える人もいる。チェイスの耳に聞こえた声は彼を殺人へと駆り立て、死ぬまで彼を苦しめたのだった。

2　怪物と闘う者

残忍な殺人鬼がシカゴの町を徘徊しており、私はいたく興味をそそられていた。一九四六年のことで、私は九歳だった。その年の夏に、既婚の中年婦人がアパートで殺されるという事件が起こり、それについての記事を新聞で読んでいた。それは単一の事件のように思われたが、十二月に入って、海軍の元婦人部隊員がホテル式アパートで殺されるという事件が起きた。犯人は被害者の口紅を使って、「頼むからまただれかを殺さないうちに私をつかまえてくれ。自分を抑えられないんだ」と、鏡に書いていた。現場に残された証拠から、この二つの殺人は関連している可能性があると警察は考えた。だがその証拠はあまりに凄惨で、新聞には載せられないということだった。それがどんなものか、私には見当もつかなかった。

年が明けてすぐに、また事件が起きた。これは前の二つの殺人とは一見無関係のように思えた。スザンヌ・デグナンという六歳の女の子が自宅の部屋から連れ去られて殺されたのだ。切断された死体の一部が、あちこちの下水道で発見された。シカゴの住民はみな、この残忍な殺人事件に震えあがった。親たちは、子供の身の安全を心配した。幼い女の子を殺して切り刻むとは、いったいどんなやつだろう？　怪物なのか、人間なのか？　九歳の私には、そんな恐ろしい犯罪を犯すのがどんな人間か想像もできなかった。だがスザンヌを殺した犯人をつかまえるところを空想することはできた。おそらく私はこの事件におびえ、空想することでその恐怖に対処しようとしたのだろう。だが、恐怖感より好奇心のほうが強かったのも事実だ。

一九四六年の夏、私は友達三人と一緒に秘密探偵社を結成した。ガレージの中に事務所を置き、帽子と丈の長いコートという「探偵」の格好をしてバス停のそばに隠れ、尾行すべき容疑者が現われるのを待った。私たちは、当時国民的ヒーローとみなされていたFBI捜査官か、サム・スペードになったつもりだった。近所のお父さんやお兄さんがブリーフケースやランチボックスを持ってバスからおりてくると、それがスザンヌ殺しの容疑者だと仮定して、家まであとをつける。そして交代で家のまわりに張り込み、観察したことをメモしてあとでそれを見せあうのだ。長いコートを着こんだこの妙な子供たちは、いったい何をしているのだろうとみんな不思議に思ったに違いない。真相はだれにもわからなかったはずだ。

先の殺人事件の犯人、ウィリアム・ハイレンズはその夏つかまった。彼がスザンヌと二人の女性を殺したことは、私にとって驚異だった。殺害の理由は、窃盗を働いているところを見つかったというものだった。窃盗は「性的な性格のもの」と新聞には書かれていたが、その時代の道徳的慣習にしたがって、それ以上の説明はなかった。性について何も知らなかった私は、その部分については無視した。後年、私は性的な窃盗、つまりフェティシズム的窃盗についてふつうの人よりはるかに詳しく知ることになる。だが当時は、ハイレンズのことで一番印象に残ったのは、彼が私とたいして変わらない年齢だったことだ。彼はまだ十七歳で、シカゴ大学の学生だった。ハイレンズは犯行のあと、寮の部屋へ戻ってふだんと変わりなくふるまうだけの冷静さを持ち合わせていた。彼が逮捕されたのはほとんど偶然だった。ある家に押し入ろうとして失敗し、逃げるところを、つかまえてくれと頼まれた勤務時間外の警官が追いかけた。二人はもみあい、ハイレンズは二度にわたって銃を発射しようとしたが、二度とも不発に終わった。そこへ別の警官が駆けつけ、植木鉢でハイレンズの頭を殴りつけてようやく彼をつかまえた。寮の部屋からは、フェティシズム的窃盗と殺人の記念の品がいくつも発見された。タイム誌はハイレンズの事件を、「世紀の犯罪」と呼び、事件のことを知るため、また裁判を傍聴するために全国から押しかけた記者の数の多さに驚嘆した。ハイレンズがつかまると、私たちはバス停を見張って危険な殺人犯ハイレンズが現われるのを待ち、彼のあとをつけて隠れ家を突きとめるゲームをして遊んだ。

空想のゲームと秘密探偵社はその夏に消滅したが、私はその後もハイレンズや彼と同じような犯罪者に興味を持ち続けた。したがってのちに私が、犯罪者をつかまえ彼らについて知るという仕事を自分のライフワークとするようになったのは、ごく自然な成り行きだったと言えよう。

私はごく平凡な成績でハイスクールを卒業し、シカゴのコミュニティーカレッジに二年間通ったあと、陸軍に入隊した。そして結婚して、沖縄に配属された。海外にいる間に、ミシガン州立大学に犯罪学と警察の管理運営についての講座があることを知り、申し込んだところ入学を許可された。そこで二年間の軍隊勤務を終えたあと、大学で学びはじめた。学部の課程を終了して大学院に進んだが、一学期を終えてから再び軍隊に戻った。

軍隊では、ドイツのアシャッフェンブルクの憲兵小隊の指揮官に任命された。この町の人口は約四万五千人で、駐屯部隊には八千人ほどの兵士がいたので、私は実質上、小さな町の警察本部長のような役目をはたすことになった。殺人、強盗、放火など、警察本部長が扱うありとあらゆる犯罪をここで経験した。そして四年後、私は再び自分にとって興味のある任務を与えられた。シカゴ郊外のフォート・シェリダンにある犯罪捜査隊（CID）の指揮官である。これは、周辺の五つの州における軍事司法の管轄区で犯罪捜査を行なう部隊だ。フォート・シェリダンでの任務は、FBIの地方局を運営するのに似ていた。

隊員はみな私服を着て、免状とバッジと三八口径の銃を携帯し、しばしば地元の警察やFBIと一緒に捜査を行なった。フォート・シェリダンでの任務が終了すると、私は除隊して法執行機関での仕事を捜すつもりだった。ところが、私が大学院に一学期間在籍していたことを知った軍の上層部が、願ってもない申し出をしてくれた。大学院に戻って警察の管理運営学の勉強を続ければ、修士課程を終了するまでの学費を軍が負担し、しかもその間、給料を払ってくれるというのだ。ただし、大学院を終えてから二年間、軍隊に戻るという条件つきだ。

修士号を取得してから一年間、タイで憲兵隊の指揮官を務め、さらに一年間副指揮官としてフォート・シェリダンに勤務した。そのころには少佐になっており、このまま軍隊にとどまって軍人を一生の仕事にするか、他の職業を選ぶかを真剣に考えねばならなくなった。そのころFBIにいる友人に、局へ来るよう誘われた。FBIが行なっているような捜査にはかねがね興味を持っていたので、入局を志願したところ、許可された。軍の上官には引き留められ、CIDでの昇進も約束されたが、私はFBIの特別捜査官になれることがうれしく、そうした誘いには耳を貸さなかった。

十六週間のトレーニングのあと、私はシカゴ、ニューオーリンズ、クリーヴランドにあるFBIの地方局で、特別捜査官として数年間仕事をした。一九七〇年代初めのこの時期に、局はヴァージニア州クワンティコにＦＢＩナショナルアカデミーを新設した。法執行関係者のための世界で最もすぐれた訓練施設であるこのアカデミーはＦＢＩの初代長官Ｊ・エドガー・フーヴァーの置きみやげとでも言うべきもので、彼の提唱によって設立された。一九七四年に、私はクリーヴランド局からこちらへ移った。当時クワンティコには行動科学課が設置されたばかりで、ハワード・ティーテンとパット・マレイニーという二人の捜査官によって運営されていた。警察官の教育指導の合間に、二人は凶悪犯罪を分析し、容疑者の外観や行動を推測して、その「プロファイル」を作成していた。私にプロファイリングの手ほどきをしてくれたのがこの二人で、彼らが引退したあと、私が主任プロファイラー（犯人像分析官）の座についた。

プロファイリングの技術を学ぶのは、凶悪犯の精神構造を理解しようとするプロセスの一部である。私は異常心理や犯罪心理の講義を通じて、これについての理解も深めようとしていた。金銭とはまったく関係ない犯罪を犯す者は、金銭的利益が動機の犯罪者とは違っている。殺人犯、レイプ犯、子供をねらう痴漢などは、金を手に入れることではなく、精神的な満足を得るのが目的だ。それは異常ではあるが、場合によっては理解できる感情だ。こうした犯人はこの点で異質であり、私にとっては興味ある存在だった。

クワンティコで私は、異常心理学から犯罪者を面接するテクニックにいたる、さまざまなことを教えた。国内や国外の各地へ出かけて講義することもあった。現在よく使われる

「連続殺人犯」という言い方は、そうした海外のセミナーで私が考えたものだ。当時は、「サムの息子」として知られるニューヨークのデイヴィッド・バーコウィッツが犯したような殺人は、「通り魔殺人」と呼ばれていた。だが、犯人が被害者を知っている場合もあるので、この言い方は適切ではないような気がした。他にもいろいろな表現があったが、ぴったりと思えるものはなかった。ブラムシルにある英国警察アカデミーのセミナーに参加したとき、ある人が連続して行なわれる犯罪のことを話しているのを聞いた。連続的なレイプ、窃盗、放火、殺人などだ。これは同一犯人がくり返し行なう殺人を特徴づける適切な表現だと思い、それ以後クワンティコでの講義などのおりに、「連続殺人犯」という言葉を使いはじめた。

このような言葉を使ったのは、土曜ごとに映画館で上映される連続物の冒険映画のことが頭にあったからでもある。毎回はらはらするような場面で終わるため、続きを見ようとまた映画館に足を運ぶことになる。ふつうと違って、終わりで満足感が得られず、逆に緊張が高まるのだ。連続殺人犯もこれと同じようなフラストレーションを経験する。殺人の行為そのものが、満たされない思いを抱かせる。なぜなら、それは犯人の空想ほど完璧ではないからだ。主人公が危機に陥ったところで映画が終わると、観客は彼がどうやってそこから脱出するかを見るために、映画館に戻らずにはいられない。殺人を犯したあと、犯人はいろいろ反省する。「早く殺しすぎた。もっと苦しめてから、もっと楽しんでからにすればよかった。もっと別のやり方で被害者に近づけばよかった。もっと違った暴行の方法を考えればよかった」などと思うのだ。このように考えているうちに、次はより完璧なやり方で殺そうと思うようになる。
だが一般の人は、連続殺人犯をこのようなイメージでとらえてはいない。連続殺人犯とはジキルとハイドのような存在だと考えている。あるときは正常で、あるときは生理的衝動につき動かされ——狼男のように髪が伸び、牙がむきだしになり——満月の晩に次の獲物を襲うというわけだ。しかし、これは誤ったイメージだ。連続殺人犯は空想にとらわれ、挫折体験とでも呼ぶべきものをくり返す。そしてその体験が空想にとり入れられ、次の殺人へと駆り立てるのだ。連続殺人犯という言葉の裏にはそうした意味もある。

犯罪学の講義で私が取りあげたのは世間によく知られている事件で、それについての基本的な情報は一般的な資料から得た。私たちの情報源は、チャールズ・マンソン、サーハン・サーハン、ディヴィッド・バーコウィッツ、テキサス・タワー・キラーことチャールズ・ホイットマンらに関する本や記事などだった。こうした事件を詳しく調べていくうちに、資料から得られる犯人についての情報はみな間接的なものだと気づいた。オリジナルな目新しい情報を手に入れるすべがないのだ。マンソンについての本は検察官の視点から書かれたものや、マスコミの報道やマンソンの取り巻きへのインタヴューを集めたものしかなかった。したがって、マンソンの心の中をのぞいて、その精神構造を理解することはできない。おおかたの人はマンソンの事件を外から見ただけで彼を「狂人」と決めつけ、彼が犯した犯罪についてはこれ以上学ぶべきことはないと考えていた。だが、もし彼が完全な「狂人」ではなかったらどうだろう？　その場合はマンソンが犯した殺人事件を研究することによって、新たな理解が得られるのではないか？　残念ながら、その問いには答えられなかった。研究材料として手に入るのは、だれでも知っているような情報だけだったからだ。シカゴで看護婦八人を殺害したリチャード・スペックについては、いくらかましな資料があった。長時間にわたってスペックを面接した精神科医が書いた本だ。しかし、面接を行なった医師には犯罪者を扱った経験がなかったし、法の執行者の視点から事件を理解する必要もなかったから、この本も完全に満足のいくものではなかった。私は自分自身の好奇心を満足させるためにも、ＦＢＩナショナルアカデミーで学ぶ警察官たちによりよい講義をするためにも、凶悪犯の精神構造についてもっと知りたいと思った。

　こうした要求を満足させるため、私は地方に出かけて講義をするさいに地元の警察署へ行き、その管轄地域で起こった凶悪な犯罪の事件ファイルのコピーをもらうようになった。警察関係者はみな、凶悪犯について知られている部分と未知の部分を体系化することに関心を持ち、非常に協力的だった。彼らが協力してくれたのは、私たちがこの方面での情報と理解を必要としていることを認識したからにほかならない。

このころ、私はニーチェのある言葉を知り、感銘を受けた。それは、犯罪者の研究に私が感じている魅力と、それがはらんでいる危険とを言い表わしているように思えた。そこでその言葉をスライドにとり、それ以後、講義や発表のさいに必ずみんなにそれを見せるようにした。それは次のような言葉だ。

怪物と闘う者は、その過程で自分自身も怪物になることがないよう、気をつけねばならない。深淵をのぞきこむとき、その深淵もこちらを見つめているのだ。

犯罪者の心の奥底をのぞく作業を続ける間、このような理性的な考えを忘れないようにすることが大切だった。各地で情報を求めた結果、どのニュース機関や地方の警察署よりも多くの、凶悪犯に関するファイルが私のもとに集まった。私はこれらの資料を調べ、新たな知識を得ながらそれらを系統的に分析した。やがて、凶悪犯についてより深く知るための、詳しい調査の必要性を感じはじめた。そして最後には、これまでに講義で取りあげてきた人物たち、つまり殺人犯自身と話をしたいと思うようになった。犯人をとりまく環境や経歴、子供時代の経験のうち、どんな要因が犯罪を犯す原因となったかを突きとめたかったし、犯行そのものについてももっと詳しく知りたかった。被害者に暴行を加えているときにどんなことがあったか、被害者が死んだことを確認した直後にどうしたか、死体を捨てる場所をどのように決めたか、といったことだ。多くの犯人から情報が得られれば、のちのち役に立つリストを作成することができる。記念の品を持ち去ったのが何人、ポルノ雑誌などを読んだり見たりしていたのが何人という具合に。また、殺人犯は必ず犯行現場に戻ってくるといった、殺人事件についての昔からの言いぐさがはたして事実かどうかも確かめたかった。

一九七八年に、一週間の講義のために北カリフォルニアを訪れたとき、かねてからの希望を実行に移した。まずカリフォルニアに駐在しているFBIの刑務所連絡係のジョン・コンウェイに頼んで、カリフォルニアの刑務所に収容されている何人かの犯罪者の所在を突きとめてもらった。FBI捜査官として、私たちはバッジを見せるだけで国内のどこの刑務所にも出入りすることができる。また、特定の収監者になぜ会いたいかを説明する必要もない。そこで四日間の講義のあと、私は数日を費やして州内のあちこちの刑務所をめぐり、全国でも最も凶悪で悪名高い七人の殺人犯に会った。サーハン・サーハン、チャールズ・マンソン、テックス・ワトソン（マンソンの仲間）、ホアン・コロナ（多数の季節労働者を殺害）、ハーバート・マリン（十四人を殺害）、ジョン・フレイジャー（六人を殺害）、エドモンド・ケンパーだ。有罪が確定している殺人犯がこのようなかたちで面接されるのは初めてのことで、これは大きな突破口だった。

最初に会ったのはサーハン・サーハンだ。刑務所側は、コンウェイと私を会議室とおぼしき、かなり広い部屋に通した。私の目的にはもう少し狭い部屋が望ましかったのだが、これで我慢せざるをえなかった。サーハンは狂気じみたおびえた目をして、不安そうに部屋へ入ってきた。両手を握りしめて壁を背にして立ち、握手をするのを拒んだ。そして、自分に何の用事かと聞いた。サーハンはロバート・ケネディ上院議員の暗殺により有罪が確定したとき、妄想型分裂病の徴候があると診断されていた。なぜそのような診断が下されたか、私たちにもわかってきた。彼はこちらがテープレコーダーを使うことを拒否し、弁護士と話したいと言い張った。この会見は非公式で予備的なものであり、私たちはただ話をするために来たのだということを、彼に説明した。

サーハンの不安を取り除くため刑務所での生活のことを尋ねると、彼はいくらか緊張を緩めた。やがて握りこぶしを開き、テーブルに近づいて腰をおろした。だいぶくつろいできたようだった。

彼はケネディ上院議員を殺せと命じる声を聞いたと話した。鏡をのぞいていると自分の顔が砕け、粉々になって床に落ちていくように感じたことがあるとも言った。これらの話は彼が妄想型分裂病であるという診断を裏付けている。話に夢中になると彼はサーハンがこうした、サーハンがこう感じたというように、自分を三人称で呼んだ。刑務所当局がサーハンの生命に危険がおよぶことを恐れたため、彼は保護拘置の措置を受けていたが、これは刑務所が並の泥棒や痴漢などより自分を尊敬しているからだと彼は言った。

サーハンは交戦地帯で育ったアラブ人であり、彼の動機や志向はこうした事実に大きく影響されていた。たとえば、彼はいきなりマーク・フェルトはユダヤ人かと聞いた。フェルトはFBIの副長官だ。この質問は、世界情勢についてのサーハンの考えを反映していた。ケネディ上院議員はさらに多くのジェット戦闘機をイスラエルに売るという考えを支持しており、彼を暗殺することにより、自分は親イスラエル派の大統領が誕生することを阻止した。したがって、自分は世界の歴史を変えてアラブ諸国を助けたのだと、サーハンは語った。もし釈放されたら自分はヨルダンに帰る。そうすれば人々は彼を英雄扱いし、肩にかついで町を練り歩くだろうとも言った。自分がやったことの意義はまだ人々に理解されていないが、いずれ歴史的見地からそれはあきらかになる、と彼は考えていたのだ。

サーハンは大学で政治学を勉強しており、外交官になって国務省に勤め、いずれ大使になるつもりだったと話した。彼はケネディ一家を尊敬していた――にもかかわらず、その一族の人間を射殺した。著名な人物を暗殺することによってその人と自分を同化させたいという精神病的欲求は、サーハンのほかジョン・ヒンクリー、マーク・チャップマン、アーサー・ブリーマー等の殺人犯にも見られる。こうした犯罪に対する刑期は米国では平均十年であることをサーハンは知っており、一九七八年というその時期にはそろそろ釈放されるはずだと考えていた。刑務所に入れられている期間があまり長くならないかぎり、自分には社会復帰するチャンスが十分ある、と彼は言った。

面接の終わりにサーハンはドアのところに立ち、自分の見事な肉体を誇示するかのように、腹をひっこめて腕の筋肉を収縮させてみせた。彼はウェイトリフティングをかなりやって、筋骨たくましい体をしていたのだ。「どうです、ミスター・レスラー、サーハンのことをどう思います？」と、彼は聞いた。

私はその質問には答えず、彼はそのまま連れて行かれた。自分を知った人はみな自分を愛するようになる、とサーハンは考えていたのだ。刑務所の生活で彼の分裂症的傾向は弱まっていたが、妄想症のほうはそのままだった。サーハンはそれ以後、私たちと会うことを拒否した。

フレイジャー、マリン、コロナは完全に「無秩序型」の殺人犯だった。三人とも精神状態があまりに異常で、面接をしてもあまり意味がなかった。コロナはまったく話をせず、フレイジャーは妄想にとりつかれていた。マリンはおとなしく礼儀正しかったが、話すことは何もなかった。

チャールズ・マンソンやテックス・ワトソンらとの面接はもう少しうまくいった。彼らはあきらかに「秩序型」の殺人犯だったが、マンソンとその仲間は、自分たちの犯行が無秩序型の犯人のしわざのように見せかけるために、いろいろ細工をしていた。

言うまでもなく、私はこれらの犯人に会いに行く前に彼ら自身とその犯行について徹底的に調べており、各人に関して詳しい知識を持っていた。そのことが特に役立ったのはマンソンに面接したときだ。面接室に入るなり、マンソンはＦＢＩが自分にどんな用があるのだ、なぜ自分が話をする必要があるのだと、聞いてきた。だがこちらが人間としての彼に興味があるのだということをいったん納得すると、非常に協力的になった。というのも、マンソンは話すのが好きで、一番気に入っている話題は自分自身なのだ。マンソンが実に複雑な性格で人を操るのが天才的にうまいことや、自分自身をどう見ているか、どのように人を操って自分のために殺人を犯させたのかといったことが、彼の話を通じてわかった。マンソンは狂人どころか、自分の犯罪や自分のカリスマ的魅力に引きつけられた人たちの性格や行動理由について、はっきり見通していた。マンソンとのこの最初の面接で得られたものは大きく、こうした会見により殺人犯の行動についての新たな理解が得られることを私はますます確信した。これまでに書かれたどんな書物よりも、殺人者自身が教えてくれることのほうがはるかに大きかった。かつては私もふくめてだれもが外側から犯人を見ていた。だがいまや、私は犯人の頭の中から外を見ているのだった。私たちの働きかけにより、その後こうした方法による犯罪者性格調査プロジェクトが、ＦＢＩ内で正式に認められることになった。

犯罪者性格調査プロジェクトが本格的にすべりだす前に、ウィリアム・ハイレンズに会いに行くことにした。九歳のときに私が強い興味をおぼえた殺人犯だ。ハイレンズはイリノイ南部にある刑務所に収容されていた。すでに三十年以上刑務所に入っており、いまや四十代後半だった。私は子供のころから彼の犯罪に興味を持っていたこと、ある意味で私たちはシカゴで一緒に成長したことを彼に話した。当時ハイレンズは十七で私は九つだったが、八歳という年齢差はいまではほとんど問題にならないように思えた。

一九四〇年代から一九七〇年代までの間に、私はハイレンズについて多くのことを知るようになっていた。彼の犯罪には性的な要素があったこと、殺人の前にフェティシズム的窃盗をくり返していたこと、彼が犯人ではないかと思われる未解決の殺人未遂や切りつけ事件が多数あったこと、彼が家族や友人から犯行を隠すのに特異な才能を発揮したことなどだ。ハイレンズが最初に行なった抗弁は、その犯行に劣らず驚くべきものだった。彼は、犯行を行なったのは自分ではなく、自分と一緒に住んでいたジョージ・ムアマーンという男だと主張したのだ。しかし、彼が捜査官たちを三つの殺人の現場に案内することができたことから、ジョージ・ムアマーンが犯人だという主張はうそだとわかった。詳しい尋問により、ジョージ・ムアマーンは自分の頭の中に住んでいることを、彼はようやく認めた。

ハイレンズは真性の多重人格者ではなかったが、かなり早い時期から異常な面を示しており、十代の前半にはそれがはっきり表われるようになっていた。彼は性的な空想にふけり、自分の部屋でひそかにナチの指導者たちの写真をスクラップブックに貼り、女性の下着をつけてそれに見入った。十三歳のとき、そうした秘密の写真に加えて拳銃やライフルを集めていることが発覚し、さらにいくつかの窃盗と放火の犯人であることを認めたため、拘禁にかわる措置としてカトリックの全寮制学校へ送られた。数年後、学校での勉強を終了し、素行もよかったため、社会に戻っても大丈夫と判断された。成績が優秀だったため、シカゴ大学の一年の課程をほとんど履修せず、より高度な勉強をすることが認められた。殺人が始まったのは全寮制学校を出てまもなくのころからで、あとから考えるとそれらは十代初めに犯した窃盗などの事件の続きと見ることができる。実際、殺人の合間に彼はさらに多くの窃盗を行なっている。

ハイレンズは一度も裁判にはかけられていない。彼は自分の意志とは無関係にジョージ・ムアマーン（殺人者？）になったのだから、その行動に責任はないと主張することはできる。だが陪審員はそんなことを信じないし理解もしないだろう。したがって裁判になれば必ず死刑を宣告される。事前審理で精神科医たちは彼の弁護士にそう語った。指紋、筆跡、自室で発見された「記念品」、それに自白など、彼に不利な証拠はすべて揃っていた。裁判を避ける唯一の方法は罪を認めて、禁固刑に処して治療を受けさせることを精神科医に勧めてもらうことだった。ハイレンズはこの取引に応じて有罪を認め、終身刑を申し渡された。彼は模範的な囚人になり、州内で初めて拘禁中に学士号を取得し、大学院にまで進んだ。

私は子供のときからハイレンズの動向を追っており、彼に面接する準備は整っていたはずだが、面接は思ったほどうまくいかなかった。ハイレンズはこちらが彼をよく知っていることには反応した。だが、かつて有罪を認めた犯罪行為についてはもはや自分がやったことを認めようとせず、自分は無実の罪を着せられたのだと主張した。一九四〇年代に逮捕されたときには、被害者の家でマスターベーションをしているところを見つかったために二人の女性を殺害したことや、六歳の少女を絞殺して死体をばらばらにしたことを認めていた。この事件について特に印象に残っているのは、彼がベッドにいるスザンヌをおどして、子供が無事かどうかを確かめるために母親が呼びかけたとき、大丈夫と答えさせたことだ。その後、子供が眠ったと母親が思いこむまで待ち、それからスザンヌを殺して毛布にくるみ、地下室に運んで性的暴行を加え、死体を切断した。そして落ち着いて死体を処分し、寮の部屋に帰った。その怪物がいまや自分の罪を否定しているのだ。

ハイレンズは自分が性的な問題を抱えていたことや、家宅侵入を犯したことは認めた。だが、あれは若者のいたずらにすぎず、自分が社会にとって危険な存在であったことはないと言い張った。そして、長年模範囚として過ごしてきたのだから、自由の身で余生を送ることが許されるべきだと主張した。

この会見には失望した。しかし、有罪を宣告された連続殺人犯と注意深く面接を行なって、法執行関係者に役立つ情報を得るという試みはいまや軌道に乗り、ＦＢＩと司法省が行なう活動として確立した。その後私は、国内の刑務所に収容されている百人を越えるきわめて凶悪な犯罪者と面接した。そしてそれによって得た情報を殺人犯の行動パターンの理解と、犯人の逮捕に役立てることができた。ビル・ハイレンズは「まただれかを殺さないうちに私をつかまえてくれ」と、口紅で鏡に書いたが、私はまさにそれを実行するために、連続殺人犯との面接を行なったのだ。

3 殺人犯との面接

私はエドモンド・ケンパーとの三度目の面接を終えようとしていた。ケンパーは身長二メートル六センチ、体重百三十五キロの大男で、きわめて高い知能の持ち主だった。思春期に祖父母を殺害して少年刑務所で四年の刑期をつとめ、出獄後に母親をふくむ七人を殺して、終身刑を宣告されている。私はこれまでに二回、カリフォルニアのヴァカヴィル刑務所を訪れてケンパーに会い、話をしていた。二回ともＦＢＩの他の局員が一緒だった。面接のさい、私たちはケンパーの過去や殺人の動機、殺人と結びついた空想などについて、詳しく話を聞いた。彼からこれほど詳細に話を引き出すのに成功した例は過去になかった。私はケンパーと親しくなったことに自信を得て、三度目の面接は一人で行なうことにした。面接をしたのは、死刑囚監房のそばの小部屋だった。ガス室で処刑される囚人のために、牧師が最後の祈りを捧げるときに使われるような部屋だ。鍵のかかったこの狭苦しい小部屋で四時間にわたってケンパーと話をしたあと、もうそれ以上話すことはないと判断した。そこで部屋から出してもらおうと、ブザーを押して看守を呼んだ。

看守がすぐに来てくれなかったので、話を続けた。数分後、再びブザーを押したが、まだ反応がない。十五分後に三度目の合図をしたが、やはり看守は来てくれない。

冷静でいようとしたが、不安そうな表情が顔に出たのだろう。おおかたの殺人犯と同様、他人の心の動きに敏感なケンパーが、これに気づいた。

「落ち着けよ。今ちょうど交代の時間なんだ。最厳戒棟のやつらにメシをやってるんだよ」ケンパーはそう言ってにやっとすると、自分の体の大きさを見せつけるように、椅子から立ち上がった。「看守が来るまでにあと十五分や二十分はかかるかもしれないな」

私は平静さを保っているつもりだったが、ケンパーの言葉にぎくりとした様子を見せたらしい。彼はそれを見逃さなかった。

「もし俺がここで暴れだしたら、あんたはヤバイことになるぜ。俺はあんたの頭を引きちぎって、看守が来る前にテーブルの上にのせとくこともできるんだ」

私は忙しく考えをめぐらした。ケンパーがその大きな手で私をつかみ、のどを締めつけながら壁に押しつけ、骨が折れるまで首をひねりあげているところが目に浮かんだ。体の大きさにこれだけ差があると、ほとんど抵抗もできないだろう。ケンパーの言うとおりだ。彼はだれにも邪魔されずに私を殺すことができるのだ。そこで、もし私に手出しをしたらただではすまないだろうと言ってやった。

「やつらは俺に何ができる？　テレビを見るのを禁止するぐらいじゃないか？」と、ケンパーはあざけった。

長期間「穴」に閉じこめられる――独房に監禁される――ことになるぞ、と私は言った。穴に入れられた囚人の多くは孤独に耐えきれず、一時的に発狂することをケンパーも私も知っていた。

ケンパーはこんな脅しにはのらなかった。刑務所暮らしにはもう慣れていて独房の孤独にも耐えられるし、それが永久に続くわけではない。いずれ通常の監房に戻されるし、FBIの捜査官を「やった」ことでたいへんな箔がつくことを考えれば、そんな罰などなんでもないというのだ。

私はどきどきしながら、どうすればケンパーに殺されずにすむかを必死で考えた。たぶんそんなことはしないだろうとは思ったが、確信はなかった。とにかく相手はおそろしく凶暴で、自分でほのめかしているように、失うものがほとんどない男なのだ。一人でここへ来るとは、何と軽率だったのだろう。

突然、なぜ自分がこのような状況に陥ったかがわかった。人質救出について学ぶ者が「ストックホルム・シンドローム」と呼ぶ現象が、そうしたことを熟知しているはずの私に生じていた。つまり、私は自分をとらえている相手と自分を同一化し、相手を信頼するようになっていたのだ。私はＦＢＩの人質救出テクニックの指導責任者だったにもかかわらず、この重要な事実を忘れていた。次回は自信過剰になって殺人犯に気を許すような真似はしない。次回は……。

「エド」と、私は言った。「私が自分を守るものを何も持たずにここへ来るとは、まさか思ってないだろう？」

「はったりを言うなよ、レスラー。武器を持ってたらここへ入れるわけないだろう」

もちろん、ケンパーの言うとおりだった。面会者は刑務所内に武器を持ちこむことは許されていない。収監者がそれを奪って看守を脅したり、脱獄に使うと困るからだ。しかしＦＢＩの捜査官はふつうの看守や警察官などと違って、特別に武器を携帯することを許されているのだと私は言った。

「何を持ってるのさ？」

「何をどこに持っているのかを教えるつもりはない」

「いいじゃないか、教えろよ。毒入りのペンか？」

「かもしれない。でもそれ以外にもあるだろう」

「武道か」ケンパーは考えこんだ。「空手か？　あんた黒帯なのか？　俺をやっつけられると思うか？」

ここで、完全にではないが、多少風向きが変わったような気がした。ケンパーの声にからかうような調子が混じっている。少しほっとしたが確信はない。向こうはそれを見抜き、引き続き私を脅すことにしたようだった。けれどもそのころにはこちらも落ち着きを取り戻し、人質救出のテクニックを思い出した。最も重要なのは、話し続けることだ。引き延ばすことで、その場の緊張を和らげることができるからだ。私は武道について話した。刑務所という厳しい環境で生き抜くために、多くの囚人が武道を学ぶ。そうこうするうちに、ようやく看守がやってきて、部屋の鍵を開けた。

看守が囚人を房へ連れて帰る間、面接者は部屋に残ることになっている。ケンパーは看守と一緒に廊下を歩み去る前に、私の肩に手をかけた。

「ふざけてただけだよ。わかってるだろ？」

「わかっているとも」私は言って、大きく息をついた。

私は自分自身やＦＢＩの他の面接者を、二度とこうした状況に陥れないことを心に誓った。それ以後、殺人犯なりレイプ犯なりを決して単独では面接せず、つねに二人で事にあたることが決められた。

一九七〇年代後半に犯罪者性格調査プロジェクトが軌道に乗りはじめると、私はそれに全力投球し、あらゆる機会をとらえて全国の刑務所に収容されている犯罪者を面接した。のちにすべての面接を自分で行なうのはやめて、同僚にまかせるようになったが、それまでに百人を越す凶悪犯に会った。面接によって得た情報は犯罪者性格調査プロジェクトのために体系化し、分析した。やがて私たちは、これらの殺人犯の経歴と行動に一定のパターンがあることを突きとめ、それを記録した。彼らの子供時代と思春期がどのようなものだったか、犯罪を犯す前にどんなストレスがあったか、犯行の最中にどんな行動をとったかということが、本書のいくつかの章のテーマになっている。だがこれらについて言及する前に、殺人犯を面接するテクニックと、面接での印象的な場面のいくつかについて語りたい。各地の刑務所の小部屋で、殺人という重罪を犯した過激な男たちと話したときの記録だ。

凶悪犯の面接をすることが重要なのは、それによって彼らの行動と性格がわかり、それを警察などの法執行機関のために役立てることができるからだ。そうした情報を引き出すためには、面接者が囚人に真面目に相手にされることと、警戒せずに話ができるよう信頼されることが必要だ。そのためには、囚人の尊敬を勝ち得なければならない。

尊敬を得るには、相手が犯した憎むべき犯罪についての個人的な感情を、押し隠すことが必要だ。死体をどんなふうに切り刻んだかを殺人犯が説明しているときにそぶりや顔の表情で嫌悪の情を表わしたら、相手は口をつぐんでしまう。逆に、「へえ、頭をちょんぎったのか。どうってことないよ」というようなことを言ったら、相手はやはりそれ以上話さないだろう。凶悪犯の機嫌をとってもうまくいかない。彼らは異常かもしれないが馬鹿ではない。相手の行動のちょっとしたニュアンスに敏感なのだ。

面接者の多くは、答えにくい質問をする時期が早すぎる。そうすると相手は心を閉ざしてしまい、面接は事実上そこで終わってしまう。囚人をくつろいだ気持ちにさせないかぎり、面接で得られるものは何もない。したがって、時間をかけて私生活のこまごました事柄を語らせて、相手の気持ちをほぐすことが必要だ。私は穏やかに促したり質問したりしながらゆっくり話を引きだし、しだいに核心に近づいていく。そしてここぞと思うときに困難な質問をぶつける。それまでに何時間もかかることもあるし、一回の面接で終わらず何度か足を運ぶ場合もある。

犯罪者に会うのは、面接するほうにとっても大変なストレスを伴う。面接に携わった者は、ほとんど例外なくその影響を受ける。ある女性プロファイラーは、二、三年この仕事をしたあと、悪夢に悩まされるようになり、配置替えを申し出た。何人かは出血するほどひどい潰瘍ができた。心臓発作と間違われるほど重い不安発作に襲われた者も三人いる。私をふくめた四人は、ある時期に急激に体重が減った。お決まりの胃腸検査などありとあらゆる検査をしたが身体的な原因は見つからなかった。体重減少はストレスのためだったのだ。別の男性局員は、ある大量殺人犯の魔力にとらわれてしまい、自分だけがその男に近づけるように手配したり、FBIの情報を彼に流したりした。殺人犯はその情報を使って、死刑宣告をくつがえすための上訴を行なうつもりだった。この局員がこうした不可解な行動をとったのは、殺人犯が人を操る天才だったからだ。局員は経験が浅く、この殺人犯の人をコントロールする力に対抗できなかった。殺人犯がついに処刑されたとき、彼はまるで親友か親族でも失ったかのような動揺ぶりを示した。これは、犯罪者の「深淵」にあまり深く首をつっこみすぎるといかに危険かを示す、驚くべき例だ。面接者自身の私生活が安定していると、凶悪犯の影響力にとらわれてしまう危険は減る。だがそれでも、ストレスは大変なものだ。

どのような状況で面接が行なわれるかについて、一言触れておこう。刑務所を訪れる面会者は、たとえ家族や弁護士でも、囚人と直接会うことはできない。ガラスの仕切の穴を通して、あるいは電話でしか話せない。だが私はたいてい、弁護士の部屋や看守長の部屋など、囚人と比較的くつろいで話ができる場所で面接することを許可された。囚人が手錠をはめられて部屋に連れて来られることがあると、必ずそれをはずしてもらうように頼んだ。面接の相手に少しでも親近感を持ってもらうためだ。面接を始めると、当然相手はＦＢＩがなぜ自分に興味があるのかを知りたがる。そこで、まず彼自身のことを話し、彼についてこちらが十分な知識を持っていることを示してから、こちらはある特定の事件についての情報がほしいのではなく、ある種の犯罪者について調査していることを伝える。そして、子供時代のことやこれまでの人生について聞きたいと話し、彼がしゃべったことは刑務所側には伝えないと約束する。この最後の「ルール」は非常に大事だ。自分が話したことが刑務所当局に知られ、何らかのかたちで自分に対して不利に使われるのではないかということを、囚人は一番恐れるからだ。さらに私は、すでに刑が確定している犯罪以外の犯行については話さないように注意する。たとえば、十人殺したことになっているが、実際は二十人といった告白だ。それを聞けばこちらは彼の権利について読んで聞かせなければならず、その情報から再度の捜査が行なわれることにもなりかねないからだ。

犯罪者たちと話すにあたっては周到な準備をしていき、こちらが話をするに足る人物であることを相手に印象づけねばならない。相手のこれまでの人生や犯した犯罪について十分な知識を持っていることが、相手の信頼を得ることにつながる。囚人が話をしていると き、話題になっている人物やその経歴について知っていると役立つのだ。たとえばチャールズ・マンソンとの面接のとき、マンソンがこのように言った。「それで、ボビーがドラッグの売人のところへ連れてってくれてね」そこで私は口をはさんだ。

「ボビー・ボーソレーユのこと?」

「そうだ」とマンソンは言って、話を続けた。これによって、こちらが彼の生活について詳しく知っており、彼の話を重要だと思っていることがマンソンに伝わった。その結果、彼はますます率直に話をするようになった。質問者が何も知らないと、いちいち説明しながら話を進めねばならず、重要なことは何も言わずに終わってしまう。十分な知識のある面接者に対しては、マンソンは自分の考えを自由に話し、これまで法執行関係者には決して話さなかったことも打ち明けた。

面接のときに、相手の人生の中のポジティヴな面を見つけて、それについて話すようにすることも役立った。たとえば、テックス・ワトソンは刑務所で信仰を新たにしたのでそのことから話を始めることができたし、ハイレンズは模範囚だった。むろん、マンソンのような人物の場合はポジティヴな面を探すのが難しい。だが少なくとも、世間一般がどう思おうとマンソン自身が自分についてポジティヴだと考えていることに、注意を向けることはできる。マンソンの場合は、他人の心を開かせる力があるというのがそれだった。

チャールズ・マンソンという人物の謎を解く鍵は、彼が早くからさまざまな苦難を経験してきたという事実にある。三十二歳のときには、彼はすでに刑務所と少年刑務所で二十年を過ごしていた。カリフォルニアのターミナル・アイランド刑務所を出所した日、彼は二度と刑務所には戻るまいと決意した。マンソンは身長百六十五センチ、体重六十キロ足らずの小男で肉体的な魅力には乏しかったが、明敏だった。刑務所でギターをひくことをおぼえ、作曲もした。彼はミュージシャンとして生計を立てるつもりだった。刑務所を出たのは六〇年代半ばで、当時西海岸の若者の間に広がりつつあった反体制文化にすんなり入りこむことができた。彼は若者の動きに乗り、それを利用した。

「若い連中がどういうやつにあこがれているかわかったので、そういう人物になったんだ」と、マンソンは話した。若者がどんな人を尊敬しているのか、若者自身より彼のほうがよくわかっていたのかもしれない。長髪でサンダルをはき、難解なことを口走り、ギターをひき、だれにもわからないような歌をつくる一風変わった人物がそれだ。サンフランシスコのハイト・アシュベリー地区――LSD文化の中心――を歩くと、若者が集まってくることにマンソンは気づいた。彼がヒッピーたちより十歳以上年上で、ある種の格好をして、ある種の言動をするからだ。「やつらがどんなものを見たいかを察して、それを体現したんだ」

まもなくマンソンは「食事も宿もセックスもドラッグもただで手に入る」ようになり、教祖的な存在となった。「俺はいわば写真のネガだった」と、マンソンは言った。「つまり、そういう若いやつらは自分自身を俺に投影したんだ」鏡を目の前に掲げると、鏡そのものではなくその表面に映ったものが見える。それと同じだ、と彼は説明した。「若者は俺の中に自分を見ていただけだ。俺はそれほど大物ってわけじゃない。人に命令してやらせるんじゃなくて、頭を使っていろんなものを手に入れるんだ」催眠術にかけるようにじっと見つめる目が、彼の武器だった。マンソンは自分が若者を操るのがうまく、彼らが自分の言いつけどおりに動くことを知った。デス・ヴァリーの近くの砂漠で、彼は社会からはみだした若者たちのためのキャンプを運営した。彼らより年がいっているうえ、二十年の刑務所生活で人を操る方法を身につけたマンソンは、しだいに若者たちの防御をくずし、さまざまなことを要求するようになった。そして彼らはささいな違法行為から、ついに重大な犯罪を犯すにいたったのだ。

自分は「弟子たち」の投影にすぎないのだから、彼らが犯した殺人について責任はない、だからなぜ自分が刑務所に入れられているのかわからない、というのがマンソンの言い分だった。むろん、これは詭弁にすぎない。マンソンは自分が精神病質人格であり、権力を握りたいという要求が強いことを無視している。しかし面接では、彼はどんな方法でまわりの若者を支配したかを詳しく話した。マンソンと弟子たちが犯した殺人について理解するためには、彼が人を操る天才であることを心にとめておく必要がある。マンソンは検察側が指摘したように、直接殺人を命令したわけではない。だが、何をすれば彼を満足させられるかがはっきり弟子たちに伝わるような状況をつくりあげ、彼らはそれを実行することを望んだのだ。ラビアンカ邸でまさに殺人が始まろうとしたとき、マンソンは自分は外に出るとみんなに告げた。自分は前科者であり、犯行に立ち会うと仮釈放の条件に違反することになるから、というのだ。若者たちは彼の言葉を信じた。

面接の終わり近くに、マンソンは房に持ち帰る物を何かくれとせがんだ。そうでないと、これほど長い間ＦＢＩの人間と話をしていたと言ってもだれも信じない。あれこれ説明しなければならず、自分の威信が落ちることになるというのだ。彼は私のＦＢＩバッジをつかんで自分のシャツの胸に当て、看守や他の囚人に命令を下す真似をした。私はバッジは取り返したが、たまたま持ってきていた古いサングラスを彼にやることにした。マンソンはそれを受け取って胸ポケットに入れたが、きっと看守は彼がそれを盗んだと疑うだろうと言った。マンソンの言ったとおりだった。やがて看守たちが、身をもがきながら俺がこそ泥みたいな真似をするわけがないだろうと抗議しているマンソンを連れて戻ってきた。私が事情を説明したあと、マンソンは似合わないサングラスをかけ――あの恐ろしい目を隠して――もったいぶった足どりで大またに廊下を歩いて行った。仲間の囚人たちのところに戻ったら、ＦＢＩのやつに一杯くわせてやったと自慢するのだろう。これはマンソンがいかに巧みに人を扱うかを示す、みごとな例だ。殺人犯の心の中をのぞくというユニークな経験ができたことを思えば、サングラスと威厳を失ったことは私にとってささいな代償だった。

マンソンの面接のあと、カリフォルニアの海岸を南下して、サン・ルイス・オビスポ刑務所にいる「テックス」・ワトソンことチャールズ・ワトソンに会いに行った。ワトソンは刑務所でキリスト教の真理を霊的に体験し、生まれ変わったと主張していた。そして説教者として名を知られるようになり、日曜日には刑務所内だけでなく近隣の地域からも大勢の人が彼の話を聞きにくるようになっていた。正直言って、彼は刑務所当局をだましていたのではないかと思う。ワトソンはよい行ないをしている、犯罪者が心を入れ替えた輝かしい例だと当局は考えていた。彼がよい行ないをして、人の役に立っていることは確かだったが、信仰を新たにしたのがはたして純粋な気持ちからか、仮釈放を目的にしていたのか、はっきりしなかった。

ワトソンはごくふつうの男のように見えた。サーハン・サーハンとチャールズ・マンソン、エド・ケンパーに会ったあとだったので、特にそう思えたのかもしれない。テート－ラビアンカ殺人事件（マンソン・ファミリーが女優のシャロン・テートら数人とラビアンカ夫妻を惨殺した事件）が起こったときには、自分は麻薬のためにすっかり正気を失っており、完全にマンソンの支配下にあった、とワトソンはすぐに認めた。もし正義が行なわれていれば、裁判の直後に処刑されていただろう。だが彼は命を助けられ、やがてサタンは離れていった。そして彼は神の庇護を受けるようになり、あの犯罪を犯した男とはまったく別の人間に生まれ変わったのだという。

刑務所の教戒師と共同で執筆した『私のために死んでくれますか？』という本の中では、ワトソンは責任はすべてマンソンにあるとしている。マンソンが弟子たちに殺せと命じたというのだ。テート殺害の直前に、マンソンがワトソンの窮地を救ってやったことがある――二人で売人からドラッグを巻き上げマンソンが刺し殺した――そのときマンソンは、お返しに自分のためにどこかの「ブタ」を殺せとワトソンに言ったという。マンソンは殺人を犯せと直接命じたわけではない、とワトソンは認めた。だがワトソンたちが何をするつもりかはっきりわかっており、それを止めようとしなかった。また、犯行後、マンソンは自分のためにそれが行なわれたことを喜んだ。

ワトソンはテキサスの小さな町で生まれ育った、典型的なアメリカの少年だった。「優等生で陸上の花形選手（私のハイハードルの記録はまだ破られていない）、応援団長。足がめっぽう早い、どこにでもいるクルーカットの男の子」本の中で彼は自分をこのように形容している。六〇年代末に大学を卒業すると、彼はカリフォルニアへ行った。海辺、太陽、女の子たち、幻覚剤、気楽な生活を経験したかったからだという。そしてマンソンとめぐり会い、彼と一緒に行動するようになり、やがてすべてを投げうって彼のそばにいるようになった。だが刑務所でしばらく過ごしたいま、マンソンがどういう人間かわかるようになった、とワトソンは語った。「チャーリーは古顔の囚人が新入りを扱うように、若者を意のままに操った」ワトソンは他の男たちのようにホモとして扱われはしなかったが、マンソンの奴隷となった。

マンソンは、人格を変えるドラッグを使ったり、弟子の性格を批判したり、どんちゃん騒ぎに巻きこんだりすることで、周囲の人間を変えていった。毎晩夕食のあと、マンソンは農場の後ろにある土手にのぼり、ドラッグでふらふらになって聞きほれる若者たちに向かって、自分の哲学をとうとうと述べる。自分の過去、特に家族や中流階級的なルーツを忘れ、それを軽蔑せねばならない、と彼は説いた。大事なのは新しい家族、すなわちこのファミリーだけだ。当時三十代前半だったマンソンは、自分を新たなキリストと考えるようファミリーに要求した。十字架にかけられたとき、キリストも三十代だったからだ。キリストのように自分も世界を変える、と彼は約束した。そして黙示録的な世界の到来を予言し、聖職者たちの教えをあざけり、愛を説いた。弟子たちがマンソンの教えによって新たな人格に生まれ変わったことを象徴するため、彼は一人一人に新しい名前を与えた。ワトソンはテックス。テキサス出身でなまりがあるから、またマンソン・ファミリーにチャーリーは一人しか存在しえないからだ。マンソンとワトソンの間に対抗意識があったことはそれぞれから聞いたが、それが殺人の原因の一つになっていたことは間違いない。

しかし殺人の最大の原動力となったのは、マンソンの説教だった。古い世界は終わりに近づきつつある。自分がみんなを砂漠の秘密の入り口に導いていき、そこで世界の終末を待つ。そして世界が新しくなったら再びこの世界に住むのだ、と彼は説いた。現在の世界の破滅を早めるためには、血なまぐさい殺人が必要だ。自分は不幸な子供時代を送り、楽しい思いなど味わったことがない。生まれてからずっと人の犠牲になってきた。自分がこんな目にあったことの代償として、どこかの「ブタ」を殺さねばならない。ブタとは中流の恵まれた人たちのことで、彼らを苦しませ、むごたらしく殺害することでその幸せな生活にとどめをさしてやろう、というのだった。

「チャーリーの教えは部外者には奇妙に思えるだろうが、われわれはそれに引きつけられた」と、ワトソンは書いている。「ドラッグをやってそれを聞いていると、その教えがきわめて明白で必然的なものに感じられた」マンソンは彼らがＬＳＤでもうろうとなっているときに話をし、殺人と拷問を生々しく描いてみせた。「われわれはチャーリーの話に引きこまれて、殺戮の様子や恐怖を想像する。それは単なるゲームだったのだが、それが終わってからもそのイメージが頭に焼きついて離れなかった」

ある夜、こうしたゲームのあと、ワトソンは数人の女を集め、これから悪魔の仕事をしに出かける、と彼女たちとマンソンに告げた。ワトソンがリーダーとなって殺しの責任をとる。女たち——必要があればすべてを投げうって男に尽くすようマンソンに訓練されている——は、彼に協力すればよい。「あんたのためにこれをやるんだよ、チャーリー」とマンソンに言うと、彼は「わかった、テックス。失敗しないようにやれ」と答えたという。マンソン自身は、「自分がやらねばならないことをやれ」とワトソンに忠告しただけだと語っている。

二人の話は矛盾するものではなく、基本的には一致している。マンソンは殺人を直接指示したわけではないが、それを容認し、弟子が殺人をするのを止めるつもりがないことをはっきり示した。マンソンの指示により、弟子たちはそれまでに全員、強盗を働いたり、車や金を盗んだことがあった。したがって、ワトソンと女たちが人を殺すために出ていくのをマンソンがやめさせなかったということは、彼が積極的にその行動を支持したということだ。

私との面接で、マンソンは自分の最大の失敗は、「あのいまいましいワトソンのやつに、ファミリーの中で大きな力を持たせたことだ」と打ち明けた。ワトソンのほうも、ファミリーの権力構造の中で自分の地位を高め、女たちに対してにらみをきかせようとしていた、と認めている。殺人を犯すことによって、ワトソンはたとえファミリーのリーダーにはなれなくても、マンソンの右腕になるつもりだった。重大な犯罪を犯し、暴力をふるったことで、だれからも尊敬される存在になれると思ったのだ。そんなわけで、テート-ラビアンカ殺人事件は、入念に計画され、指揮された行為ではなく、いくつかの出来事が重なりあって起こった事件だと言える。人格を崩壊させられ、混乱し、「家族」内の権力闘争に巻きこまれた若者が、半ダースもの人間の命を奪う惨劇に参加したのだ。

マンソン・ファミリーの他のメンバー、特に殺人に手を貸したスーザン・アトキンズに会いたかったが、それはかなえられなかった。しかし、その後ウエスト・ヴァージニアの刑務所に入っている「スクィーキー」ことリネット・フロムと、サンドラ・グッドには会う機会があった。二人とも殺人の現場には居合わせなかったが、長期にわたってマンソンと生活をともにしていた。この二人が面接室に入ってきたときの様子は、まるで映画の一場面のようだった。スクィーキーは赤い服に赤いバンダナを頭に巻いており、サンドラはグリーンの服にグリーンのバンダナをつけていた。二人は尼僧のような姿勢で、歩調を合わせて並んで近づいてきた。話すときはお互いにレッドとグリーンと呼び合い、チャールズ・マンソンの教会で自分たちは修道女だったと語った。

スクィーキー・フロムはごくふつうの家庭の出身で、サンドラ・グッドは修士号を持っていた。二人とも聡明だったが、マンソンのために自分の人生を投げだした。スクィーキーは、フォード大統領を暗殺しようとしたかどで有罪を宣告されていた。四五口径の銃で大統領をねらい、引き金を引いたのだが、シークレットサービスが撃鉄と撃針の間に手を入れて、弾が発射されるのを防いだ。サンドラのほうは、恐喝罪で有罪になっていた。大企業の重役に宛てて、地球を汚染するのをやめなければ、あちこちに身を隠しているマンソン・ファミリーのメンバーが、重役とその家族を殺すという手紙を出したのだ。いまや三十代になっているスクィーキーとサンドラは、刑務所に入ってからも忠誠心を捨てなかった。いつの日かチャーリーが刑務所を出て、世界を救うための運動を再開すると信じ、自分たちもそれに参加するつもりでいた。たとえ私が大統領からの減刑の指示を持ってきたのだとしても、マンソンが釈放されないかぎり刑務所を出るつもりはないと二人は言った。彼女たちからはそれ以上何も聞き出すことはできなかった。サンドラ・グッドは一九九一年に出所し、マンソンが収容されている刑務所から二十五マイルほど離れた町へ移って行った。

リチャード・スペックはいわゆる連続殺人犯ではなく、「大量殺人犯」である。事件は一九六〇年代末のある晩、シカゴで起こった。スペックが窃盗の目的で家に押し入ったところ、何人かの看護実習生がいた。その後さらに数人が帰宅した。彼は女性たちを縛りあげた。アメリカ人の女性は、言うことをきけば危害は加えられないだろうと判断し、フィリピン人の女性たちの反対にもかかわらず、抵抗しないようみんなに言った。スペックは女性たちを一人ずつ別の部屋に連れていって暴行し、八人を殺した。自分の身元がばれないようにすることが殺害のおもな動機だった。九人目の女性はベッドの下に転がって入り、自分の真上でスペックが友人の一人を暴行し、殺す間、身をひそめていた。スペックは人数がわからなくなったらしく、八人目を殺したあと、出て行った。九人目の女性がスペックの人相や、「負け犬」という入れ墨を腕に入れていることを警察に伝えた。万一この凶暴な男がけがをしたときのことを考えて、そうした特徴があちこちの病院の救急室へ伝えられた。これは警察がよく使う手だが、この場合には成果を生んだ。数日後、肘にけがをしたスペックが病院に現われると、この入れ墨で身元が割れ、逮捕された(私は肘の内側の、自分でつけたと思われるこの傷についてスペックに聞くつもりだった)。生き残った実習生の証言と現場に残された指紋から、スペックが犯人であると断定され、彼は有罪となって終身刑を宣告された。

スペックを面接したいと思ったのは彼がよく知られた殺人犯だったからだが、彼は知能が低く、自分の犯した犯罪について何もわかっていないようだった。刑務所のカウンセラーによると、彼は暴れ者で、その攻撃的で凶暴なふるまいは刑務所の内外で有名だということだった。シカゴに来る前は、テキサスで義父を殺そうとしたかどで警察に追われていた。大量殺人を犯す数カ月前から、スペックは酔っぱらって薬を飲んではバーへ行き、他の客にけんかをふっかけていた。相手をしたたかにやっつけることができると満足する。もしそうでないと売春婦を見つけて、さんざん殴ってから寝こむのだ。刑務所に入ってから、スペックがスズメをつかまえて飼っていたという話を看守から聞いた。スペックはスズメをひもでつないで、肩にのせていた。刑務所内でペットを飼うことは許されていないので、スズメを手放すようにと看守が命じたが、スペックは言うことをきかなかった。何度も注意したあと、看守はスズメを処分しないなら独房に入ることになる、と告げた。するとスペックはまわっている扇風機に近づいて、スズメを投げ入れた。スズメは一瞬にしてずたずたになった。驚いた看守は、「なんでそんなことをしたんだ。そいつをかわいがってたんじゃないのか？」と、聞いた。それに対してスペックはこう答えたという。「かわいがってたよ。でも俺が飼えないなら、だれにも渡すもんか」

スペックは面接をすることを嫌がり、部屋に連れてこられたときは機嫌が悪く、身構えていた。だが看守が彼に話しかけ、冗談を言うと、少しうちとけてきた。そこで話を始めたが、スペックは何も話すことがなく、自分自身についても何も考えていないようだった。彼は人間の命についてまったく無頓着で、被害者を殺したのは顔を見られたためだと認めた。スペックの知的レベルが低く、態度も悪いことに私はいらだったが、面接を無駄に終わらせたくないと思い、なぜ病院へ行ったのかと尋ねた。肘の動脈付近の切り傷は、犯行後に泊まっていた簡易宿泊所で彼が自殺しようとしてつけたものではないかと医師たちは考えていた。だがスペックはこれを否定し、バーでけんかして割れたウイスキーのびんで切ったのだと主張した。犯行から十年たつというのに、彼はまだ強い男を演じようとしているのだった。

リチャード・スペックとは対照的なのがテッド・バンディだ。彼はその当時の最も有名な殺人犯だった。写真うつりがよく、はきはきと物を言うため、彼があんな犯罪を犯すはずがないと多くの人が思ったのがその理由かもしれない。バンディはハンサムで聡明な青年で、セックスアピールがあると言う人もいた。マスコミは法学部の学生だったバンディについて、人あたりがよく魅力的な男で、セックスにたけており、被害者に苦痛を与えずに殺す優しい殺人犯、というイメージをつくりあげた。

しかし犯罪界のルドルフ・ヴァレンチノどころか、実際のバンディは残忍でサディスティックな、変質者だった。最後の被害者は十二歳の少女で、バンディは性的暴行を加えながら彼女の顔を泥の中に押しつけて窒息させたのだ。彼は少女や若い女性を言葉巧みに誘って無防備な状態に陥らせ、腕のギプスの中にひそませたり車のシートの下に隠していた短いかなてこで殴る。相手が気絶したり半ば意識を失うと、おぞましい性行為を行なう。

彼のお気に入りはアナルセックスだった。その後首を絞めて殺し、死体を遠くへ運ぶ。数百マイルも離れたところへ運ぶことも多かった。立ち去る前に死体を切断してばらばらにし、ときには死姦を行なう。数日後に死体のところに戻り、切断された体の部分を性的にもてあそぶ。たとえば、胴体から切り離された頭部の口の中に射精する。この男はまさにけだものであり、なぜマスコミにはそれがわからないのか不思議だった。彼が処刑されたあと、クワンティコのFBIナショナルアカデミーでセミナーが開かれ、バンディを尋問した全国の警察官が集まった。彼らの推測によると、バンディは十以上の州で三十五人から六十人にのぼる若い女性を殺害したと思われる。

バンディの殺人歴はシアトルで始まる。そこで十一人を殺し、つかまる寸前に南東へ向かって移動しはじめた。行く先ざきで殺人を犯しながらコロラドのスキー・リゾートまで来て、そこにしばらく腰を落ち着けた。コロラドにいる間につかまったが逃げだし、再逮捕されたあとまたもや脱走した。そして殺人を続けながら、フロリダに向かって再び南東へ移動した。海岸、スキー・リゾート、ディスコ、大学など若い人の集まる場所で、ロングヘアを真ん中分けにした、活発そうな若い美人を捜すのがバンディの手口だった。

バンディが有罪になり、ほとんどの上訴請求が棄却されたあと、私たちの調査プロジェクトのために彼に面接したいと思った。彼は頭がよく、考えを明確に表現するので、調査に貢献できるだろうと考えたのだ。しかしさまざまな事情から、面接は実現しなかった。

ところがそれから数年後、私たちの調査プロジェクトでとりあげている三十六人の殺人犯についての記録と現場写真を見せてほしいという手紙が、バンディから届いた。行動科学課のコンサルタントとして協力したいというのだ。そこで私は、フロリダの刑務所にいるバンディに会いに行った。

バンディはこちらより先に手を差し出し、私が自己紹介を始めると、「ああ、レスラーさん、あなたのことはよく知ってますよ。何年も前からあなたの書かれたものを読んでいます」と言った。そして以前に会えなかったことを謝り、「心を開ける人、僕の言っていることを理解してくれる人に話をしたい」から、私と話すのを楽しみにしていた、と言った。こうした言葉で、バンディはあきらかに私を操ろうとしていたのだ。彼と話を始めながら、そのことがわかってよかったと思った。

バンディは引き続き私にお世辞を言った。これまで彼に面接しようとした大学教授や新聞記者や警察官はみな素人だったが、いまやっとプロと話すことができる、というのだ。手紙を出したのは、FBIの調査レポートを手に入れ、死刑宣告をくつがえすための上訴請求にそれを使おうと思ったからだという。私は調査レポートを渡すことは拒否し、こちらはバンディの犯した犯罪についてしか興味がないと告げた。バンディは私の目を避け、自分はどっちみち上訴に勝つから死刑にはならない、と言った。

その後また質問をはぐらかしてから、バンディはようやく仮説のかたちでいくつかの殺人について話すことに同意した。コロラドで逮捕されるきっかけになった事件では、ボーイフレンドと一緒にホテルのバーにいた女性が誘拐されていた。どうしてこんなことができたのだろうとバンディに聞くと、「それはこんなふうに起こったのかもしれない」と彼は言って、三人称を使って話しはじめた。犯人はその女性を見張っていて、警備員とかホテルの職員など、ある程度権限を持っている人を装って、廊下で彼女に近づいたのかもしれない。そしてうまくだましてどこかの部屋へ連れて行き、体の自由を奪ったのではないか。

おそらくバンディは実際に自分がやったとおりに話をしていたのだろうが、はっきりそうとは認めなかった。それから三、四時間、彼はこんな具合に問題をはぐらかし続けた。バンディは決して本当のことを言わないだろう、これまでやってきたように、処刑されるまでみんなをだまし続けるだろう、とこちらも認めざるをえなかった。

それから数カ月後、死刑執行の三、四日前に、バンディはすべてをあきらかにすると言い出し、全国から十数人の警察官が彼の話を聞くために集まった。各人が数時間を割り当てられた。最初に面接したのは、バンディの初めの十一件の殺人を捜査したシアトルの刑事だった。バンディは彼に割り当てられた時間をすべて使って、一番最初の殺人のことをのらりくらり話し、二番目以降の殺人にまで話を進めなかった。この作業には思ったより時間がかかりそうなので、死刑執行を七、八カ月延期するようみんなで請願してくれればすべてを話せる、とバンディは彼に言った。むろん、それは受け入れられなかった。バンディは十年間刑務所にいる間、決して事件についての詳細を語らなかったのだ。彼が永久にそれを語るつもりがないのはあきらかだった。数日後、バンディは処刑された。

「サムの息子」ことデイヴィッド・バーコウィッツには、一九七九年半ばに三回に渡って面接した。バーコウィッツはニューヨークで一年間に六人を殺害し、さらに六人に重傷を負わせた。大半の被害者は、公園などの小道にとめた車の中にいるところを撃たれていた。バーコウィッツは警察に宛てたメモを犯行現場に残し、ニューヨーク市民の多くが夜間の外出を控えるようになった恐怖の一年間に、新聞のコラムニストたちに手紙を送った。面接を行なったときには、彼はアッティカ刑務所の、他の収監者から離れた房に収容されていた。

バーコウィッツは裁判のときと同じように、太って青白い顔をしており、ひどく内気で礼儀正しく、控えめだった。彼は進んで私と握手した（握手するときの相手の態度は、その後の面接がどれくらいスムーズに進むかの目安になる）。バーコウィッツはこちらが話しかけたときだけしかしゃべらなかった。テープレコーダーに録音されるのは嫌だということだったので、私はメモをとった。

犯行の場所がニューヨークだったこともあり、バーコウィッツとその犯罪はふつう以上にマスコミによって取りあげられた。バーコウィッツは自分の犯行を報道した新聞記事を貼ったスクラップブックを持っていた。逮捕される前にこうした切り抜きを集める犯罪者は多いが、バーコウィッツはそれを房に持ちこむことを許されていた。そのスクラップブックによって空想を生かし続けている、と彼は話した。

私が最も聞きたかったのは、バーコウィッツの犯行にどのように性的な要素がからんでいるかという点だった。最初、彼はそのことについては話したがらず、自分はガールフレンドと正常なセックスライフを送っており、あの殺人はただ人を撃っただけだと主張した。そこで、子供時代のことを尋ねた。バーコウィッツはごく小さいときにある夫婦の養子になったがその一家とうまくいかず、生みの母親を捜したいとつねに思っていた。十四歳のとき養母が死ぬと、ますますその思いが強くなった。ハイスクールを卒業すると、軍隊に入ってベトナムへ行くことを希望した。英雄となってメダルをもらい、重要な人物として認められることで自分のアイデンティティを確立したかったのだ。しかし希望に反して朝鮮へ送られ、平凡な一年を送った。その間に売春婦を相手に性経験を持ったが性病をうつされ、大きな失望を味わった。女性との正常な性経験はそれだけだと、彼はのちに語っている。

帰国後、バーコウィッツは生母の居所を突きとめ、彼女と異父妹に会った。だがこのときも失望を味わわされるはめになった。生母が自分を引き取って家族の一員にしてくれることを期待したが、事態はそうはいかなかったのだ。

殺人を始める前に、バーコウィッツはニューヨークで少なくとも千四百八十八件の放火を犯している。これは驚異的な数字だが、彼が日記につけていたためにそれが判明した。また、彼は数百回にわたっていたずらで火災報知器を鳴らしている。バーコウィッツは消防士になりたかったが、そのための資格試験を受けたことはなかった。

面接で殺人のことに話がおよぶと、バーコウィッツは裁判の前に彼を検査した精神科医たちに言ったのと同じことを言いはじめた。齢三千歳の悪魔にとりつかれた隣人の犬が、彼に命令して殺人を犯させたというのだ。

そんな説明はナンセンスで、受け入れるつもりはない、と私はつっぱねた。バーコウィッツは驚いた様子で、なおも悪魔にとりつかれた犬の話を進めようとした。彼が犯行を犬のせいにするようないい加減な話しかできないなら、面接はもう終わりだと私は言い、ノートを閉じて部屋を出ようとした。

バーコウィッツはそれを止め、精神科医たちが犯行の理由として彼の話を受け入れたのに、FBIがそれを拒否するのはおかしいと言って抗議した。

「われわれはそんな話を聞きにきたんじゃないんだ、デイヴィッド」と、私は言った。「きみが殺人を犯した本当の理由を聞きたい。そのことを話さないなら、われわれは帰る」

バーコウィッツはためいきをつき、腰をおろして本当のことを話しはじめた。サムの息子を名乗ったり、犬に命令されたと話したりしたのは、自分が精神異常だと思わせたかったからだ、と彼は認めた。つまり、自分の犯行について罪に問われるのを避けるための策だった。彼は自分の行動がわからないほど正気を失っていたわけではなかった。私と面接するまでに、バーコウィッツは刑務所で何人もの精神科医やカウンセラーと話をしていたので、犯行の真の動機について話すことにさほど抵抗がなくなっていたようだ。母親に対する怒りと、女性と好ましい関係を築けないことへのいらだちがあったことが、女性を撃った本当の理由だった。

最初の殺人の試みにはナイフを使った。通りで女性を刺し、そのまま逃げた。その後新聞を見ても事件のことが載っていないので、被害者は死ななかったのだろうと考えた。そして、犯行の手口を改良することにした。ナイフを使うと、体や衣服に大量の血がつくのでまずい。そこで、殺人のための凶器を求めてテキサスまで行き、チャーター・アームズの四四口径銃と弾を手に入れた。弾丸をニューヨークで買うのは控えた。もしニューヨークで弾を買い、犯行のあとで薬莢が発見されたら、それをもとに自分のニューヨークの自宅が突きとめられるのではないかと恐れたからだ。何件かの殺人を実行してから、彼は弾を買い足すために再びテキサスへ行った。

殺人の手口は、一人で車に乗っている女性、あるいはとめた車の中で男とネッキングしている女性を見つけ、近づいて撃つというものだった。男性のほうも一緒に撃つこともある。被害者に忍び寄って撃つ過程で性的に興奮し、犯行後にマスターベーションをした、と彼は語った。

私たちはしだいに問題の核心へ近づいていった。探っていくうちに、バーコウィッツはそれまであまり知られていなかったことを言った。被害者を捜すのは毎晩やっていたというのだ。犯行が行なわれるのは決まった月相のときや特定の曜日ではないかといったさまざまな意見があったが、それらはいずれも違っていた。彼は毎晩被害者を物色していたが、実際に犯行におよぶのは状況が理想的なときだけだった。これだけの計画性があった点からも、バーコウィッツが狂人だという考えには妥当性がないと言える。

適当な被害者や状況が見つからなかったときは車で以前の犯行現場へ戻り、自分が人を殺した場所にいることに満足を感じたという。地面に血痕や、死体の位置を示すチョークの印が残っているのを見ることは、彼にとってエロティックな経験だった。彼は車の中に座って犯行を思い出させるこうしたものを見ながら、マスターベーションをした。

バーコウィッツがごくさりげなく口にしたこのことは、警察にとってきわめて重要な情報だった。殺人犯が犯行現場に戻るというのは事実なのだ。将来、犯人を逮捕するのにその情報を利用することができる。さらにこの事実から別のこともわかった。犯人が現場に戻るのは罪悪感からというのが、精神科医や精神医学の専門家によるこれまでの解釈だった。だが実際はそうではなく、殺人にからむ性的な要素のためだった。犯人が現場へ戻ることには、シャーロック・ホームズやエルキュール・ポアロやサム・スペードが考えもしなかった意味があったのだ。私にとっては、この事実はさらに別のことも意味した。私はかねてから、殺人犯の異常な行動は、ある意味では正常な行動の延長にすぎないと考えている。年頃の娘を持つ親はだれでも、十代の男の子が何度も家の前を行ったり来たりするのに気づいたことがあるだろう。自転車や車で通り過ぎることもある。あるいは娘のそばをうろついて、目立つような行動をとる。つまり犯人が現場をうろつくのは、彼の性格が順調に発育せず不健全であるためで、本来正常な行動が異常なものになったのだ。

バーコウィッツは被害者の葬式に行きたいという強い衝動を感じたという。同じように感じる殺人犯は多い。しかしテレビや探偵雑誌から、こうしたイベントは警察に見張られていることを知っていたので（実際、刑事が張り込んでいた）、行かなかった。だが葬儀の日には仕事を休み、警察署の近くの食堂で時間を過ごした。警官たちが事件のことを話すのを聞きたかったのだが、実際は何も聞けなかった。また、被害者の墓の場所を突きとめてそこへ行こうとしたが、それも実現できなかった。

バーコウィッツが警察、そしてのちには新聞社と直接やりとりしたのは、有名になりたかったからだ。彼が市民と新聞の売上に対しておよぼした影響力ははかりしれず、そのことに彼は喜びを感じた。バーコウィッツは切り裂きジャックについての本から警察に手紙を書くことを思いつき、最初の被害者を撃ったあと、その車のシートに手紙を置いた。手紙には下手くそな字で「バンバン……また来るぜ」と書かれ、「ミスター・モンスター」とサインされていた。その時点では、彼はまだ「サムの息子」を名乗っていなかった。この言葉は彼が新聞社に送った手紙の中にあったものだ。バーコウィッツがこのあだ名を使うようになったのは、マスコミが彼を「サムの息子」と呼びはじめてからだ。彼はそのエゴまでつくった。いろいろ書きたてられることで、創造力を刺激されたのだ。

新聞のコラムニストらが無責任にバーコウィッツをあおったことが、殺人を継続させる要因になったのではないかと思う。あるコラムニストがサムの息子についての記事を書くと、バーコウィッツは彼に直接手紙を送った。最初の何件かの殺人が起こって市民が恐怖のどん底につき落とされたあと、バーコウィッツはマスコミに導かれるようになった。たとえば、新聞は殺人がいくつかの行政区で起こっていることを示す地図をのせ、はたして犯人は全部の行政区で犯行を行なうつもりだろうか、と書いた。バーコウィッツは特にそうするつもりはなかったのだが、この地図と記事に触発されて、それを試みることにした。新たな発展がないときでも、新聞は事件のことをとりあげた。そうすれば売上が伸びるからだ。バーコウィッツが有名になりたいと思っており、ショッキングな事件を起こすことで世間の注目を浴び、自分のアイデンティティを確立するために殺人を犯していることはあきらかだった。絶えず事件のことを新聞やテレビで報道して犯人のエゴを満足させることは、新たな殺人を促すようなものだ。ニューヨークという土地柄、メディアを規制して警察の邪魔になったり犯人を刺激したりしない程度の報道に抑えることが難しかったのかもしれない。だがバーコウィッツがマスコミの注目を浴び続けるために殺人を続けたことには、疑問の余地がない。

バーコウィッツは、思春期にセックスと暴力が結びついた空想を抱くようになった、と打ち明けた。ふつうのエロティックなテーマに破壊や殺人などの要素が混じっていた。もっと幼い六、七歳のときでさえ、彼は養母が飼っていた魚の水槽にアンモニアを入れて魚を殺したり、魚をピンで突き刺したりしたのをおぼえているという。養母のペットの小鳥をねこいらずで殺したこともある。小鳥がゆっくり死ぬところや、養母が悲しむのを見ることに喜びをおぼえた。ネズミや蛾のような小動物をいじめることもあった。こうしたことはすべて、他の生き物を支配したいという欲求の表われだ。バーコウィッツはまた、飛行機を空中で衝突させて炎上させるという空想にふけったこともあった。実際に飛行機に手出しをしたことはないが、放火はこの空想の延長上にある。放火犯は、自分が火事というすさまじい、エキサイティングな状況をつくりだしたことに満足をおぼえる。マッチをするだけで、ふつうはコントロールできない出来事をコントロールできるのだ。火が燃えさかり、消防車がサイレンを響かせて到着し、人が群がる。そして物や、ときには人の命が失われる。バーコウィッツは炎上している建物の中から死体が運び出されるのを見るのが大好きだった。放火は、究極的に人をコントロールする殺人という行為に移行する前の、予備的行為だった。自分が犯した最新の殺人と、それが巻き起こしている恐怖についての報道をテレビで見ることに、彼は無上の喜びを感じた。

悪魔にとりつかれた犬に命令されて人を殺したという例の話はまったくのつくり話だと、バーコウィッツは認めた。精神異常だと判定されることで、法的責任を問われずにすむことを願ったのだ。あのときにつかまってよかった、と彼は言った。空想がふくれあがり、ますます過激な犯罪に走りたいという欲求が抑え難くなっていたからだ。たくさんのカップルが踊っているディスコへ行き、銃を乱射する。警察が到着して、ハリウッド映画さながらの撃ち合いが行なわれ、彼自身をふくめた大勢の人が死ぬという空想だ。

バーコウィッツは最後に、異性との正常な恋愛関係を持つことのできるふつうの人たちに対する、強い羨望の気持ちを示した。あのような異常な犯罪に走る前にもし自分を受け入れ、空想を満足させ、結婚してくれる優しい女性と出会っていたら、殺人を始めることはなかっただろう、と彼は真剣な口調で言った。

これは面接を終えるにふさわしい、心温まる発言だったが、私は当時も今もバーコウィッツの言葉を信じていない。たとえ優しい女性と出会っていたとしても、彼の抱えていた問題が解決したわけではなく、殺人を防ぐこともできなかっただろう。バーコウィッツの問題は女性に拒絶されて生じたのではなく、それよりははるかに根の深いものだった。それは、ふつうの男が異性と初めてかかわるようになる年齢から表面化しはじめた空想に根ざしたものだ。彼が女性と正常な関係を持つことをはばんだのは、こうした空想と、それによって引き起こされた行動だった。私が面接した多くの殺人犯と同様、彼が殺人を犯すことは避けられなかったのだ。

4　暴力に彩られた子供時代

「われわれはどこから来たのか？　われわれは何者か？　どこへ行くのか？」一九七〇年代から私が始めた殺人犯との面接の主題とも言うべきものが、ゴーガンの三部作のテーマであるこの三つの問だった。殺人犯がなぜあのような犯罪を犯すのかを知り、彼らの精神構造をもっと深く理解したかった。私たちは五十七ページからなる調査用紙を使って、刑務所に収容されている三十六人の殺人犯を面接し、経歴や動機、空想の内容、行動などを聞きだした。その結果、彼らのこれまでの人生にある重要なパターンがあることや、殺人を犯すまでに似たような経過をたどることがわかってきた。

これらの殺人犯について詳しく述べる前に、一つ明言したいことがある。それは、まったく正常だった人間が三十五歳になって、突如として破壊的で凶悪な殺人行為に走ることはありえないということだ。こうした犯罪者の場合、実際に殺人を犯すはるか前の子供時代から、その前触れのような行動が見られる。

殺人犯は貧しい崩壊家庭で育っているというのが通説だが、私たちの調査はこれが事実でないことを示している。殺人犯の多くは、安定した収入のある、さほど貧しくない家庭で育っている。半数以上の家庭では、最初は両親が揃っていた。三十六人のうち七人はIQが九十以下だったが、大半はふつうで、十一人はIQ百二十以上という高い知能の持ち主だった。

しかし彼らの家庭は外からは正常に見えても、実際は問題を抱えていた。面接した殺人犯の半数は家族に精神病患者がおり、別の半数は両親に犯罪歴があった。七十パーセント近くの家族にはアルコール、あるいは麻薬の常用者がいた。そして全員――一人残らず――子供のときにはなはだしい精神的虐待を受けていた。彼らは成長すると、精神科医の言う「性機能障害者」になった。つまり、他人と合意にもとづく成熟した関係を持つことができないのだ。

研究によると、誕生から六、七歳ごろまでの子供の生活で最も重要な大人は、母親だ。子供はこの時期に、愛情とは何かを学ぶ。私たちの調査対象者はみな、母親から愛されず、冷たく扱われたり無視されたりして育っていた。ふつうの人間は相手に対する愛情や依存の気持ちを、身体的な接触や優しさによって示すが、殺人犯たちはそれを経験したことがなかった。彼らはお金よりはるかに重要なもの、すなわち愛情を与えられずに大きくなった。そのために彼らは残りの人生を棒に振り、社会も大きな被害をこうむることになったのだ。

殺人犯たちが子供のときに受けた虐待は、身体的および精神的なものだった。身体的虐待が暴力を醸成することはある程度世間に理解されているが、精神的虐待もそれに劣らず大きな要因となる。ある母親は幼い息子をテレビの前に置いたボール箱の中に入れて、仕事に出かけた。その後帰ってくると赤ん坊をベビーサークルに入れて食べ物をその中に入れ、再び帰ってくるまでテレビにお守りをさせた。ある殺人犯は、子供のころ夜になると部屋に追いやられたと話した。居間に出ていくと、お父さんとお母さんは二人だけで過ごしたいのだからと追い払われたという。彼はつねに、自分が迷惑な居候だと感じていた。

殺人犯たちは育つ過程で何をしようと無視され、行動を規制されることがなかった。何が正しく何が間違ったことかを子供に教えるのは、親の役目だ。しかし彼らは子犬の目をつっつくのはいけないとか、人の物を壊すのは規則に反しているといったことを教わらないまま大人になった。生まれてから五、六年は、子供が社会生活に適応することを学ぶ時期だ。この社会には自分だけでなく他の人も住んでいること、まわりの人とうまくかかわっていく必要があることを、理解しなければならない。だが成長してから殺人を犯すような子供は、あくまでも自己中心的にしか世界をとらえることができない。なぜなら大人――おもに母親――が、この大事なことをきちんと教えないからだ。

第一章でとりあげた「吸血殺人鬼」リチャード・チェイスは、つかまるまでに六人を殺害した。精神科医が行なった面接によると、チェイスの母親は精神分裂病で、息子を社会生活に適応させたり、愛情をもって世話したりすることができなかった。さらに、九人の調査対象者の母親がやはり精神障害者だった。その他に精神病とは言えないが、他の面で欠陥のある母親もいた。たとえば、彼らの母親の多くが、アルコール中毒者だった。放任にはさまざまな側面がある。自分はホームドラマみたいな家庭で育ったわけではない、というテッド・バンディの言葉にそれは集約されている。彼は姉と称する女性に育てられたが、実はそれが母親だった。バンディは彼女に放っておかれたり虐待されたりはしなかったが、家族の他の者から身体的、性的な虐待を受けていた可能性が強い。

母親がきちんと子供を育てていても、父親の破壊的な行動を防いだり、その影響から子供を守ることができない場合もある。ある殺人犯の育った家庭では父親が海軍に所属していて、留守がちだった。たまに帰ってくると、子供たちは恐慌をきたした。彼が母親と子供たちを殴り、のちに殺人を犯すことになった息子を性的に虐待するからだ。調査対象者の四十パーセントが、子供のときに殴られたり虐待されたと報告している。七十パーセント以上が、子供時代に性的に異常な出来事を目撃したか、自分がそれを経験したと語っている。これはふつうの人を対象にした調査で得られる数字の、何倍にものぼる。

子供が将来、家族以外の人とどのようにつきあい、どのように相手を尊重するかを決定する最も重要な要因は、子供と家族との関係だ。親が愛情を示さなくても、兄弟などがその埋め合わせをすることもある。しかしこれらの殺人犯の場合は、親以外の家族との関係もうまくいっていなかった。彼らは幼いときに愛情を与えられず、だれにも頼ることができず、身近な人にだれも愛着を感じることなく、成長するにつれますます孤独になっていった。

家庭的に恵まれなかった子供がみな、成長してから殺人などの凶悪な犯罪を犯すわけではない。その理由の一つは、大半の子供が子供時代の次の段階である思春期直前期に、力強い手によって救われるからだ。しかし、私たちの調査対象者は、おぼれるところを救われるどころではなかった。むしろ、この時期にさらに水中深く頭をつっこまれたのだ。八歳から十二歳ごろまでに、それ以前にすでに見られた好ましくない傾向がさらに悪化し、目立ってきている。男の子にとって父親が本当に必要なのはこの時期だが、彼らの半数はちょうどこのころに何らかのかたちで父親を失っていた。死亡したり投獄されたケースもあったが、離婚したり妻子を捨てて去ったという例がほとんどだった。物理的には家にいても、精神的に疎遠だった父親もいた。三十三人の若者を殺害したジョン・ゲイシーの場合、父親は帰宅すると地下室へ行って安楽椅子に座り、酒を飲んだ。だれかが近づくと、追い払う。そして酔っぱらって食事に上がってくるとけんかを始め、妻や子供たちを殴りつけた。

三人の少年を殺害したジョン・ジャウバートは、思春期直前期に両親が離婚している。ジョンは父親に会いたがったが、母親は彼を父の家に連れて行ったり、会いに行くための金を与えることを拒否した。これは心理学者の言う受動的攻撃で、虐待の一種だ。離婚は米国ではごく一般的な現象で、何百万という子供が片親だけの家庭で育つ。だが、殺人を犯すようになるのはその中のほんのひと握りにすぎない。私は片親だけの家庭を非難しているわけではない。ただ、私たちが調査した殺人犯の圧倒的多数が崩壊家庭に育っており、離婚が原因で家庭が崩壊した例が多いという事実を認識しているだけだ。

モンティ・ラルフ・リセルは十九歳になる前に十二人の女性をレイプし、そのうちの五人を殺害した。彼が七歳のときに両親が離婚し、母親は三人の子供を連れてヴァージニアからカリフォルニアに移った。末っ子だったモンティは、車で大陸を横断する間、泣きどおしだったという。刑務所で面接したとき、両親が離婚したとき母親でなく父親のほうに引き取られていたら、終身刑を宣告されて刑務所にいるかわりに、いまごろはロー・スクールに行っていただろうと彼は話した。この結論は疑わしいが、彼の気持ちは本当だった。いずれにしても、モンティが恵まれない子供時代を送ったことは間違いない。

モンティは生まれたときに血液型の母子不適合のため全輸血を受けたが、その後はふつうより体は小さいものの健康に育った。両親は数年間争った末に、離婚した。彼は年上の兄弟に勧められて、七歳になる前から酒を飲み、マリファナを吸っていたという。記録に残っている最初の反社会的行為は九歳のとき、数人の友達と一緒に歩道にわいせつな言葉を落書きしているのを、小学校の校長に見つかったというものだった。家庭生活にもいろいろ問題があった。母親と継父は子供たちを放ったらかしにして自分たちだけで過ごすことが多く、何か問題が起きると、独断的に子供を罰した。継父は人生のほとんどを軍隊で過ごしていたので、子供の育てかたを知らなかった、とモンティはくり返し語っている。彼は子供たちの愛情を買うために物を買い与えたが、それ以外に彼らとつきあう方法を知らなかった。モンティは九歳のとき、いとこに腹を立てて継父に買ってもらった空気銃で彼を撃った。このことを知った継父は銃をへし折り、銃身でモンティを殴った。モンティが十二のとき、両親が再び離婚したが、その原因になったのが姉と自分だと彼は感じていた。ヴァージニアに戻ったモンティはその年、アパートに押し入って盗みを働いた。十三のときには無免許運転でつかまり、十四になると住居侵入、窃盗、二件のレイプを犯して罪に問われている。モンティ・リセルは十代初めには重大な犯罪を犯すようになっていたが、しだいに反社会的行為がエスカレートしていく過程は、多くの殺人犯に共通している。

何人かの女性を殺害したある殺人犯も、早い時期から反社会的な傾向が表面化していた。この男はアラバマ州の貧しく、暴力的な家庭に、四人兄弟の末っ子として生まれた。彼は六歳まで母親と同じベッドで、その後の十二年間は母親と同じ部屋の別のベッドで寝ていた。母親はアル中の父親を自分に近づかせないためにそうしたのだとのちに語っている。

彼女は息子を特別扱いし、同時に虐待もした。四人の子供たちには厳しく、電気のコードで打つこともあった。母親は子供たちの世話を自分の母親にまかせていたが、彼女も子供たちが言うことをきかないと殴りつけた。二人の兄はハイスクールを卒業するとすぐに家を出てしまい、残された母親と祖母、姉は彼を使って飲んだくれた父親の暴力から身を守ろうとした。父親が母親に手をあげるのを防ぐため、彼を殴るよう少年をけしかけたのだ。

少年の学校での成績にはむらがあり、校長は彼がしばしば「空想にふけっている」と報告している。この点については、姉も同じように感じていた。思春期になると彼は母親に対して攻撃的な態度をとるようになり、ささいなことで暴力を振るった。女性の下着を盗み、姉が入浴しているのをのぞき見しはじめたのもこのころだ。十三歳のころから彼はひったくりをしたり、町のチンピラのけんかに加わったりするようになった。だが、家族はまだ彼をかばっていた。十六のとき、彼は目の不自由な年配の女性のハンドバッグをひったくり、彼女の十四歳の姪をレイプしようとしたかどで訴えられた。この件についての捜査が行なわれている間に、彼の「悪事」をいさめた別の年配の女性が、頭を撃たれて殺されるという事件が起こった。物的証拠は彼が犯人であることを示唆していたが、殺人が起きたときの彼の所在について父親がうそをつき、母親が弁護士を雇ったおかげで、彼は不起訴になった（何年ものち、他の殺人事件で有罪になってから、彼はこの女性も自分が殺したことを認めた）。

こうした事件の二年後、彼はハイスクールを卒業して軍隊に入った。それによって親の監督と保護のもとを離れたわけだ。入隊後一カ月足らずで、彼は若い女性を殺そうとしたかどで訴えられ、有罪を宣告されて軍の刑務所に二十年間服役することになった。だが刑務所にいる間に母親が下院議員に直訴し、法解釈上の問題を理由に判決を無効にするよう働きかけた。結局彼は七年間服役したのち、母親が監督するという条件のもとに仮釈放になった。彼を治療しようとして拒否された精神科医はこの措置に反対したが、その意見は受け入れられなかった。

釈放後すぐに、彼は離婚して子供が数人いる女性と結婚した。結婚生活は初めは比較的正常だったが、ときどき彼におかしな言動が見られたという。妻が、前夫の行動に悩まされて自殺したいと言うと、彼はそれでは殺してやると言って、枕で彼女を窒息させようとした。また、ペットとして飼っていたウサギを柱にたたきつけて殺し、全身に血を浴びたこともあった。結婚生活が破綻するきっかけとなったのは娘が生まれたことで、このあと彼は気まぐれな行動を取るようになり、妻と子供から離れていった。そしてまもなく、仮釈放から二年足らずの時期に、彼は何人かの女性をレイプし、殺害した。被害者はみなコンビニエンスストアの店員だった。彼は三人目の殺人に関連して逮捕され、他の殺人についても犯行を認めた。

殺人犯は八歳から十二歳の間に、孤独を経験する。そのことが彼らの精神構造にきわめて重大な影響を及ぼす。彼らを孤独に陥らせる要因はいろいろあるが、最も大きなものの一つは、父親の不在だ。この時期の男の子は父親、または父親に代わる人が身近にいないと、同年齢の他の子供たちに対して、肩身の狭い思いをする。そこで友達や父親の存在が必要な状況を避けるようになる。思春期直前期の性的活動は他の人とのかかわりの中で求めるのではなく、自体愛的なかたちをとる。私たちが調査した殺人犯の四分の三は、思春期直前期に自体愛的な性的活動を始めている。半数は十二歳から十四歳の間に女性をレイプすることを空想したと語っており、八割以上がポルノを見たり、フェティシズムやのぞき行為によって性的快感を得たと報告している。言うまでもなく、父親のいない家庭で育った男の子がみな社会病質者《ソシオパス》になるわけではない。だが社会病質者になる男たちにとっては、八歳から十二歳という年齢が非常に重要だ。調査によると、彼らの異常な行動はこの時期に始まっている場合が多い。

ポジティヴな人間関係を築くためには社会的な技術が必要であり、これは性的な技術に先立つものだ。しかし精神的なダメージを受けた男の子は、思春期になってもこの技術を身につけることができない。独りでいることが多いからといって、殺人犯が内向的で内気とはかぎらない。社交的で話好きな者もいる。だがそれは表向きの顔で、心の中に孤独を抱えているのだ。ふつうの若者がダンスをしたりパーティーに行ったりする時期に、彼らは自分の殻に閉じこもり、異常な空想にふけるようになる。空想はもっと健康的な、人間とのつきあいに代わるものだ。そうした空想に依存すればするほど、社会的に受け入れられている価値観から離れていく。

　ジェローム・ブルードスは十二、三歳のときから、自分と同じくらいか年下の女の子をナイフで脅して、自分の家の農場の納屋に連れこむことを始めた。納屋の中で服を脱ぐように命令して、裸の写真を撮る。まだ性的に未熟だったため、それ以上のことはしなかった。それから女の子をトウモロコシ貯蔵庫に閉じこめて、出ていく。数分後、服を着替えて髪の分けかたを変えて再び納屋に行き、貯蔵庫を開けて、自分はジェリーの双子の兄のエドだと名乗る。女の子が写真を撮られたことを彼に告げると、「エド」はカメラを見つけて中のフィルムを破棄する。そして、ジェリーは精神科医のカウンセリングを受けており、この事件のことが知れると彼にとってマイナスなので、両親にもだれにもこのことを言わないでくれと女の子に頼む。相手はつねに彼の言うことをきいた。成人してから、ブルードスは大学新聞に靴とストッキングのモデルの女性を求める広告を出し、応募した女性がモーテルの部屋に来ると、そのうちの何人かを誘拐して殺した。そして死体を裸にしたりさまざまな服を着せて（特に靴に凝った）ガレージにつるし、写真を撮った。

　こうした殺人犯の特徴は、犯行の動機がセックスにある点だ。彼らは他の大人と成熟した、合意の上での性的関係を持ち、それを維持することができず、そのためにセックス殺人を犯すのだ。正常な性的関係とは、異性愛のことだけではない。愛し合う二人の人間という観点から見れば、正常な同性愛の関係もありうる。しかし私たちが調査した同性愛の殺人犯は、やはり安定した長期的な関係を維持することができず、短期的な関係では相手を縛ったり痛めつけたり、サドマゾ的なセックスを好む者が多かった。調査対象者の半数近くは、他の大人と合意の上でのセックスの経験がなかった。さらに重要なのは、殺人犯たちはみな自分が正常な性的関係を持ったことがないのを知っており、そのことに怒りを感じていた点だ。彼らの暴力的な殺人行為の背後には、こうした怒りがひそんでいる。リチャード・ローレンス・マーケットは、酒場である女性をひっかけて家に連れて帰った。自白によると、彼はセックスがうまくいかず、そのことを女性にばかにされたので彼女を殺し、死体を切り刻んだという。マーケットはこの殺人により十三年間投獄された。出獄後、彼は最初の事件と同じような状況でまた二人の女性に近づき、セックスしようとしてできずに二人を殺し、再びつかまって刑務所に戻った。

こうした殺人犯の思春期を特徴づけているのは、孤独な環境と、孤独につきものの過度の空想、マスターベーション、虚言癖、夜尿、悪夢などだ。これくらいの年齢になると、反社会的な行為をする機会もふえる。自宅や庭にずっといたころと違って、家を離れて学校や町ですごすことが多くなるからだ。動物や他の子供に対する残酷な行為、家出、無断欠席、教師に対する暴力行為、放火、自分や他人の持ち物を壊すといった行動は思春期に始まっている。だがこうした行動を生みだした思考態度はそれ以前からあった。ただし子供が家庭でコントロールされていたため、それが表に出なかったのだ。社会に出てからも、同じような傾向が続いた。彼らの多くは一つの仕事を続けたり、知的レベルに見合った仕事をすることができなかった。人に雇われるのが苦手でしょっちゅう首になり、職場でもめごとを起こし、つねにトラブルに巻きこまれる。技術を要する仕事につくだけの知能を持っているにもかかわらず、大半が単純労働についていた。四十パーセントは軍隊経験があるが、ほとんどが懲戒除隊になっている。彼らの家庭に愛情が欠如していたのと同様に、何かを達成するための刺激やそれを奨励する雰囲気も家庭内（および学校）に欠けていた。したがって、彼らのエネルギーはもっぱらネガティヴな方面に向けられた。学校ではつねに破壊的な行動を示すか、自分の中に引きこもりおとなしく目立たない生徒でいるかのどちらかだった。

「（家族に対して）こんな気持ちでいるのが後ろめたくて、そういう思いをおさえつけた。そうしたら憎しみがつのって、それを空想で紛らした」と、リセルは私に語った。「学校のほうで気づくべきだったんだ。あまり空想ばかりしてるんで、いつも通信簿に書かれてたんだから……学校を抹殺することを夢見てたんだ」

家庭のみならず、学校もこうした子供たちを救うことができなかった。問題児に対して、学校はカウンセリングを受けさせるといった措置をとらない場合が多い。またカウンセリングが行なわれても、問題の核心、すなわち好ましくない家庭環境に目が向けられることはめったにない。学校は問題のある子供の生活をきちんと調べ、家庭での問題の本質をつかんで、社会事業などの組織に働きかけてその子供を救済することがなかなかできない。子供が抱えている問題は精神的なものなので、把握しにくい。平均より上の知能を持つこうした子供は、自分の精神的な傷を隠して、人に見せないようにするすべを心得ている。したがって、傷がかさぶたで厚くおおわれてしまうまで、だれもそれに気づかないのだ。

厳しくつらい子供時代をすごしても、殺人を犯すようになる人はそう多くはない。しかし、問題を抱えた子供が学校、社会事業などのシステム、隣人たちからもかえりみられないと、問題はさらに深刻になる。母親に愛情がなく、父親や兄弟はいないか、いても暴力をふるう。学校は干渉せず、社会事業も役に立たない。それに加えて、他人と正常な性的関係を持つ能力が当人に欠如しているとなると、社会病質者が生まれる条件が揃ったようなものだ。

なぜ女性の連続殺人犯をとりあげないのか、とよく聞かれる。これまでに連続殺人犯として逮捕されている女性は、私の知っているかぎりでは一人しかいない。むろん女性も複数の殺人を犯すことがあるが、男性の連続殺人犯のように継続的にではなく、一度に何人もを殺害する場合が多い。男性殺人犯の心理的特徴は、凶暴な女性にもあてはまるのだろうか？　正直言って、わからない。その点については、今後の調査を待たねばならない。

連続殺人犯はおもに男性の白人で、犯行時に二十代か三十代だ。

人と好ましい関係を築き、それを維持し発展させる能力は子供のときに芽生え、十歳から十二歳の間に強化される。しかしこの能力が身につかないまま思春期を迎えてしまうと、もはや手遅れだ。その結果として現われる行動は殺人やレイプとはかぎらないが、人格的欠陥を示す他の行為が見られる。不幸な子供時代を過ごして深い傷を負った人は、その後完全に正常な人生を歩むことはできない。彼らはアル中の母親や暴力をふるう父親となって再びすさんだ家庭環境をつくり、そこで育つ子供を犯罪へと駆り立てることになるのだ。好ましくない家庭に育ち、将来犯罪者となる可能性の高い子供でも、十二歳ごろまでに何らかのかたちで環境が改善されれば、反社会的な行動がくい止められる。愛情を注いでくれる継父や先生、年の離れた兄などが現われて、よい影響を及ぼすような場合だ。心理学的カウンセリングによってその子の抱えている問題があきらかにされれば、反社会的な行動を防げることもある。

ここで重要な点に注意を向ける必要がある。この時期に環境が改善されても、子供はそれに対して目立った反応は示さず、相変わらず学校を無断欠席して家族を失望させることもある。しかし、そうした子も大人になってから犯罪を犯すことはない。少なくとも、誘拐、レイプ、殺人といった重罪は犯さない。だが、環境改善によってチェックできる反社会的行動はこれが限度であり、その子が何らかの意味で欠陥のある大人になるのを防ぐことまではできない。彼が生まれ変わったように完全に正常な行動を示すようになることは、まずない。

このことは、こうした殺人犯がつかまって投獄されても、更正する可能性がきわめて低いことを示唆している。彼らの問題は、子供のときから長い年月をかけて醸成されたものだ。彼らは他人とまともにかかわることができないまま大人になっている。このような基本的な人とかかわるための技術が刑務所で身につくとは思えない。怒りと憎しみを抱いた攻撃的な男を、他人を思いやる心を持った、社会にうまく適応する人間に変えるのは、不可能に近い。

子供に対してくり返し性的ないたずらをした罪で投獄されているある男の告白は、このことを端的に示している。彼は何年もの間、未成年の男の子とセックスすることを空想してきたという。刑務所に入ると、当局は彼が大人——ホモの大人もふくめて——を性愛の対象とするよう、その性的な嗜好を変えようとした。だが、彼は依然として少年をセックスの対象として空想した。その嗜好は、刑務所にいようといまいと一生変わらないだろう、と彼は語った。

殺人犯についてのこれまでの調査では、子供時代のトラウマ、すなわちショッキングな経験が凶悪な犯罪を引き起こす原因になっていると考えられていた。六歳のときに性的虐待を受けた子供が大人になると、女性をレイプするようになるというわけだ。しかし、私たちが面接した殺人犯の中には、子供のときにそうしたトラウマを経験していない者も多かった。私が調査によって得た結論は、犯罪の原因は子供時代のトラウマではなく、異常な思考パターンの積み重ねであるというものだ。つまり、こうした男たちは自らの空想によって、殺人へと駆り立てられたのだ。

「人を殺しはじめるずっと前から、いずれそうなる、自分が殺人を犯すってことがわかってた」と、ある連続殺人犯は語った。「空想があまりにも強烈だったからね。それが何年も続いて、しかも細かいところまではっきりしてた」実際に殺人を始めてからも、空想は続いた。「だんだん発展していくんだ」と、彼は報告している。「ある段階の空想に飽きてきて、もっと過激でもっと異常な空想にふけるようになる……一番ひどい空想はまだ現実にはなっていない」

私たちの調査対象者は全員、空想にふけるのが習慣になっていた。彼らは、子供のときから思春期を通じてくり返し心に浮かべてきたことを、現実の出来事にするために殺人を犯したのだ。思春期のころ、彼らはふつうの少年たちが好むような、仲間と一緒にする活動には興味を示さなかった。こうした活動は自分ですべてをコントロールするわけにはいかないからだ。代わりに、自分がコントロールできる性的、暴力的な空想の世界に引きこもった。自分が幼いころに不当な扱いを受けたことを埋め合わせようとするかのように、空想の中では自分が加害者となって暴力をふるうのだ。

　被害者に対して性行為が行なわれた形跡がなくても連続殺人をセックス殺人と見なすのは、こうした事件の犯人に空想癖があるからだ。空想するのは性的な不適応のためで、空想が彼らを殺人へ駆り立てるのだ。

　空想とは、現実には手に入れ難い状況のことだ。正常な男性の空想は、たとえば美しい映画スターとセックスするといった類のものだ。これはべつに倒錯した思考ではなく、ふつうの人の手の届かないものを手に入れたいという精神的要求の表われにすぎない。これに対して異常な空想とは、セックスの最中にそうした映画スターを押さえつけて、刃物でめった切りにするというようなものだ。ふつうの男は、マドンナやシェールやジェーン・フォンダといったセクシーなスターには近づくことができないという事実を受け入れ、代わりの人を見つける。正常人は社会的な制約や節度といったものを認め、それによって自分の行動を律する。だが人格異常者は子供のときから行動を制限されることが少ないため、空想を実現できると思ってしまう。ジョディ・フォスターにあこがれた若者は大勢いたが、彼女のあとをつけたり手紙を送ったり二人の会話をテープにとったりする一方で、レーガン大統領の暗殺を計画したのはジョン・ヒンクリーだけだった。

　同様に、多くの子供がペットと遊び、野生の動物に興味を持つが、ふつうは動物をわざと苦しめようとはしない。だがある人格異常者は、傷ついた犬がもがいて死ぬまでにどれくらい走れるかを見るために、その腹を切り裂いた。猫の足に爆竹をくくりつけて、近所の猫を何匹も不具にした者もいる。

犯罪者が孤独な青年期を迎え、性的にも目覚めると、空想にふけることがますます多くなる。彼らは世間から不当な扱いを受けていると感じ、その怒りのはけ口を空想に求める。何人かの殺人犯は、思春期にハイヒールや女性の下着、絞殺に使うためのロープに執着したと報告している。ロープは他人に対してだけでなく、性的な刺激として自分自身にも使用した。エド・ケンパーは十二のとき、姉と「ガス室」ごっこをして遊んだという。姉がケンパーを椅子に縛り付けてガスのスイッチを押す真似をすると、彼が椅子の上でのけぞって「死ぬ」というものだ。セックスと死を結び付けたぞっとするようなわびしい遊びだった。別の殺人犯は、思春期に妹たちの目の前で、彼女たちの下着を使ってマスターベーションしたという。さらに別の男は、十五歳のとき、自分が入っていた矯正施設のバスルームに年下の少年を引きずりこんで、自分が十歳のときにされたように、アナルセックスとオーラルセックスを強要した。

殺人犯の空想の特徴は、視覚的な要素が強く、支配、復讐、性的虐待、服従の強制などがテーマになっている点だ。正常な人は性的な冒険について空想するが、彼らはセックスと暴力とを結び付ける。相手を汚し、辱め、支配しようとするアブノーマルな要求を、性的な冒険とないまぜにするのだ。ふつうの人の空想では、相手も自分と同じように楽しむことが前提になっている場合が多い。しかし人格異常者の空想では、本人が楽しめば楽しむほど、相手は危険な目に会うことになる。

これは重要な点だ。こうした空想では、相手は人格を剝奪され、物として扱われるのだ。「こう言うとすごく冷たく聞こえると思うけど」と、エド・ケンパーは申し訳なさそうに言ったことがある。「俺が求めていたのはだれかと特定の経験をすること、自分の思いどおりに相手を所有することだった。だから、その人を体から追い出す必要があったんだ」しかし、人間はいったん肉体から追い出されたら、二度と戻ることはできない。つまりケンパーは、自分の性的空想を実現するためには、相手を殺さねばならなかったと言っているのだ。

性的な空想については、ふつうの家庭でもあまり話し合われることはない。思春期の男の子に、おまえも年頃になったのだから女の子のことや女性の裸のことを考えてもいいのだよ、とアドバイスすることはまずない。だがふつうの家庭では、子供は両親が抱き合ったりキスしたり手をつないだりするのを見て、父親と母親が愛情によって結ばれた関係にあることを知り、自分もいずれそういう相手を見つけるだろうと考える。しかし殺人犯たちはこうした両親の愛情表現を見ることなく、また自分にも愛情を向けられずに育つ。したがってふつうの人がセックスを愛情表現の一部と考えるのに対し、彼らは性的な衝動を愛情とは無関係なものとしてとらえる。そこで相手を個人、あるいは人間とさえも考えず、

「寝る」とか「やる」ことしか頭にない青年になるのだ。

このころには、彼らはますます反社会的になり、世間を敵視するようになる。思考がすべて内に向かうため、外の世界とまともにかかわることが難しくなり、いっそう孤立化する。孤独なティーンエージャーは異常な空想にふけり、ごく軽い反社会的な行動をとることで、それをある程度実現しようとする。ばれないようなうそをつく、自分の生活に影響を及ぼさないように動物をいじめる、言いつけられないように年下の子を脅す、といったことだ。こうした行為は罰せられずにすむ。だが、その行為によって生じた効果は空想に組み入れられ、空想はさらに暴力的なものになっていく。一方、孤立化はさらに進み、空想を現実化しようとする試みもエスカレートしていく。

思春期の空想の実現の試みについて話すのは、殺人犯にとって難しいことが面接によってわかった。エド・ケンパーの空想癖はごく幼いころから始まっていたが、彼はそれを最初の殺人――十五歳のときに祖父母を殺害――と結びつけては語らなかった。祖父母を殺したのは、彼が農場の鳥や小動物を撃ち殺したことを二人が叱って、銃を取りあげたからだとケンパーは言った。田舎の子供は銃を与えられて狩りをすることがよくあるが、ケンパーが殺したのは猟獣ではなかった。彼は銃を取りあげられたことに腹を立てたのだが、殺害の理由はそれだけではなかった。祖父母は、銃さえ取りあげればケンパーの悪行がやむと考え、なぜ彼が理由もなく動物を撃つのか、その背後にどんな思いや空想があるのかを探ろうとはしなかった。この件について直接ケンパーに話をさせることはできなかったが、おそらく祖父母を殺害した理由の一つは、暴力的な空想を二人に知られたくなかったためだろう。

ジョン・ジャウバートは十三歳のとき、自転車に乗りながら女の子の背中を鉛筆で突き刺した。これが見逃されたために大胆になり、次はかみそりで切りつけた。調べたところ、ジャウバートは最初の攻撃の直前に友達を失っていることがわかった。年下の少年と、友好的でおそらく潜在的に同性愛的な関係を築いていたのだが、ジャウバートが夏に家を離れている間に、その友達が引っ越してしまったのだ。どこに行ったのかわからないから、あきらめなさいと母親は言った。ふつうの母親なら転送先の住所を調べるのを手伝い、手紙を書くように勧め、次の休暇に会いに行けるかもしれないなどと言って慰めるところだ。だがジャウバートの母親は、息子がこの友情から得ていた喜びを押しつぶしてしまった。ジャウバートが女の子を鉛筆で突き刺したのは、それからまもなくのことだ。彼はついに一線を越えて、犯罪を犯したのだ。いったん空想に駆り立てられて人を襲ってしまうと、その後の殺人行為への歯止めになるものは何もなかった。もし彼がつかまって罰せられ、家庭環境のストレスに対処するための適切な助言を与えられていたら、それ以上犯罪を重ねることは防げていたかもしれない。だが悲しいことに、こうした措置も反社会的行為のもとになった空想を消すことはできなかっただろう。

家庭や社会からかえりみられず、暴力的な空想にふけるようになっても、それだけではまだ実際に犯罪を犯すところまではいかない場合が多い。こうした状況にある若者は、いつ爆発するかわからない時限爆弾のようなものだ。彼らの行動をたどってみると、犯罪を犯す前に何らかのストレスがあり、それが重大な暴力行為のきっかけになっていることがわかる。ジャウバートの場合は、たった一人の友達がいなくなったことが、彼を最初の犯罪へと駆り立てた。その後空軍に入隊してからは、空軍基地での親しいルームメイトが別の部屋へ移ってしまったことに加えて、予期していなかった車の修理に多額の費用がかかったことがきっかけで、少年を誘拐して殺すという空想を現実に移すにいたった。

モンティ・リセルの犯罪がレイプから殺人へとエスカレートしたのは、彼が未成年者の矯正施設からハイスクールへ戻ったときだ。ハイスクールで一年上の学年にいたガールフレンドが卒業して大学へ進学し、彼に絶縁状を寄こした。リセルはその大学へ行って彼女が新しいボーイフレンドと一緒にいるところを見たが、すぐには行動を起こさなかった。家の近くまで戻って駐車場に車をとめ、ビールを飲んでマリファナを吸っていた。真夜中に、売春婦が一人で車に乗って現われた。リセルは銃を手に車に近づき、彼女を誘拐してレイプし、殺した。その後、彼は四人の女性を殺害した。

テッド・バンディは、ロー・スクールに入るのに必要な財政的援助を得られなかったことがきっかけで、最初の殺人を犯したことになっている。もしそうしたストレスがなく、ロー・スクールで学ぶことができ、性的要求を満足させてくれる女性と出会っていたら、彼は殺人を犯さなかっただろうと言う人もいる。攻撃的な弁護士になり、売春婦のもとを訪れ、サドマゾヒスティックな関係を結び、怒りを発散させるようにしていたら、犯罪者にならずにすんでいたというのだ。むろん、これが事実かどうかは確かめようがない。だがバンディののちの行状から判断する限りでは、ロー・スクールに行こうが行くまいが、性的空想を満足させる女性に会おうが会うまいが、やはり彼はどこかの時点で犯罪を犯していた可能性が強い。彼の頭の中では、性的欲望と、傷つけ破壊したいという要求とが混然一体となっていたのだ。

殺人の引き金になる出来事の多くは、職を失う、恋人と別れる、金に困るといった、だれにでも日常的に起こる類のものだ。ふつうの人はさまざまな方法で、それに対処する。ところが殺人犯の場合は、そうしたストレスに対処するための精神的メカニズムに欠陥がある。職を失うといった深刻な事態に直面すると、彼らは自分の中に引きこもってしまい、そのことだけしか考えない。そしてそれを解決する方法として、空想に頼る。したがって、たとえば恋人と別れた男は仕事が散漫になり、その結果首になる。収入も慰めも失った男は、以前なら対処できたはずのさまざまな困難な問題に直面して、動きがとれなくなる。犯罪のきっかけになるストレスは、いわば限界を越す最後の重荷なのだ。

空想を現実化するのは、基本的に自滅行為だ。それが悪いことで、つかまれば自分に大きな苦しみをもたらす行為であることを、犯罪者は知っている。だが、それまでの人生で起こったすべてのことが、彼を駆り立てて一線を越えさせてしまうのだ。自分は決してつかまらないだろうとたかをくくりはじめるのは、何度も犯行を重ねたあとだ。初めてのときは、さほど自信はない。

ついに犯罪を犯してしまうと、もう後戻りはできない。彼はおびえると同時に快い興奮を感じる。犯行の間、高揚した気分を味わい、それが気に入る。逮捕されて罰を受けることを予想して数日間びくびくして過ごすが、何事も起こらない。自分のしたことに恐れを感じ、衝動を抑えようとする場合もある。ウィリアム・ハイレンズは、新たな犯行を犯したいという衝動を感じはじめると、バスルームに鍵をかけて自分を閉じこめたという。だが結局バスローブ姿のまま窓から抜け出して、凶悪な犯罪を犯した。より一般的には、最初の殺人を犯したあと、犯人はますます利己的になり、罰を受けずにまた同じことができるという自信を持つ。最初の殺人のディテールを空想に組みこみ、将来の犯行の構想を練りはじめる。女を絞め殺す前にもっともてあそぼうか。被害者の身元がわからないように、死体をばらばらにしようか。少年に暴行を加える前に、何か言わせたりやらせたりしようか。あとで犯行を空想するときに使えるように、被害者の指輪を盗ろうか。家の近くではなく、別の町で被害者を物色しようか。現場で探さなくてすむように、手足を縛るものを持って行こうか。次は言うことをきかせるのにナイフでなく、銃を使おうか、という具合だ。

二回目の犯行からは、最初の犯行のときのようなきっかけは必ずしも必要ない。いったん一線を越えると、殺人犯は意識的に将来の犯行の計画を立てることが多い。最初の犯行には、たまたま起こった事件という性格がある。しかし次の犯行では、犯人はもっと念入りに被害者を捜し、より手際よく殺害する。暴力の度合いもエスカレートする。愛情のない家庭に育った孤独な少年は、こうして連続殺人犯へと変身していくのだ。

5　新聞配達少年の死

一九八三年の秋、私は年に一度開催される殺人セミナーで指導するため、母校のミシガン州立大学へ行った。九月の暖かな日で木々の葉は色づきはじめており、キャンパスは美しかった。ホテルに入ると、至急オフィスに電話するようにというメッセージを手渡された。このようなメッセージをもらうといつも背中がぞくっとする。何かよからぬことが起こったに違いないからだ。電話すると、ネブラスカ州オマハの近くのベルヴューで、ダニー・ジョー・エバリーという新聞配達少年が誘拐・殺害されたので、犯人の捜索に協力するためオマハへ行ってほしい、と上司に言われた。私はこのチャンスにとびついた。同じような二つの事件がすぐ頭に浮かんだ。ちょうど一年ほど前、デ・モインで今回ときわめて類似した状況、すなわち日曜の朝、新聞を配る途中で、少年が姿を消していた。ジョニー・ゴッシュというその新聞配達少年はそれ以来行方不明だった。ＦＢＩはゴッシュ事件になかなか介入しようとせず、ゴッシュ夫妻はそれを不満に思っている、と私に語っていた。もちろん少年の誘拐は州内で発生したことであり、法的にはＦＢＩに警察権がなかったのだが、アメリカの最高の法執行機関であるＦＢＩがもっと力を貸してくれるべきだと彼らが考えるのも無理からぬことだった。さらにそれより前に起こった同じような事件でアダム・ウォルシュという少年が失踪したときも、フロリダ警察はＦＢＩの介入を求めたが、ＦＢＩはそれを拒否した。これは地元の事件であり、州間移動の形跡がないかぎり、ＦＢＩには警察権がないというのがその理由だった。その後、アダム少年の首が運河に浮かんでいるのが発見され、州外ナンバーの車を持つ男が容疑者として浮かぶと、ＦＢＩは初めて興味を示した。だがアダムの父親はそのときになってようやくＦＢＩが介入の意志を示したことに不満を表明し、援助を拒否した。ＦＢＩは少年たちが行方不明になった段階から捜査に関与すべきであり、今後はこの種の児童誘拐事件でもっと早い時期から積極的に捜査を援助してほしいというゴッシュ夫妻とジョン・ウォルシュの意見に、私も賛成だった。

こうした事件へのＦＢＩの介入をはばんだのは、ＦＢＩに警察権がないことだった。連続殺人に関する連邦法は存在せず、誘拐に関しては、ＦＢＩが捜査に参与できるのは身代金の要求があったときだけと定められていたのだ。しかしウォルシュとゴッシュの事件以後、児童保護を要求する声が全国的に高まり、それが政治家を動かした。一九八〇年代初期に議会に提出された総括的法案で、レーガン政権は殺人、誘拐その他の重大な犯罪に対してFBIに警察権を与えることを要求した。ダニー・ジョー・エバリーが誘拐される少し前に、この法案が可決されていた。したがって、あらゆる方法でこの事件を援助しようという意欲がFBI全体にみなぎっていた。

ダニー・ジョーが行方不明になったことが伝えられると、ただちにFBIオマハ局から特別捜査官ジョニー・エヴァンズがベルヴューに派遣され、事件が解決するまで捜査に協力することになった。エヴァンズは積極的に関与して事件を徹底的に解明することを決意し、地元と州の警察、および軍当局と緊密に連絡をとって捜査にあたった。これは当時としては珍しい協調作業だった。

私がこの事件に介入するよう依頼されたのは、少年が誘拐されてから二日半後に、遺体が発見されたときだった。殺人事件の捜査が行なわれている最中に現場に行くのはそれが初めてだった。事件に関連したさまざまなことを直接自分の目で見て、地元の捜査当局と電話やテレタイプではできない意見の交換を行なうまたとないチャンスだった。私はいわば教室を出て、前線へと赴いたのだ。

ベルヴュー警察本部ではすでに特別捜査班が編成され、何十人もの捜査員が情報の収集と分析を行なっていた。ジョニー・エヴァンズは私が派遣されたことを喜んだ。彼はベテラン捜査官だったが、それまでに手がけたのは組織犯罪、銀行強盗、州間通商問題などがおもで、殺人事件、特に今回の新聞配達少年殺害のような残酷な事件は初めてだったのだ。

ベルヴューは典型的な中西部の都市の郊外にある、中産階級の住む静かな整然とした町だ。日曜日の明け方、ダニー・ジョー・エバリーは目を覚まして服を着ると――はだしで歩くのが好きだったので、両親の注意にもかかわらず靴ははかなかった――自転車で近くのコンビニエンスストアへ行き、自分が配達する新聞を受け取って折りたたんだ。ダニーは金色がかった髪に明るい目をした十三歳の少年だった。身長百五十八センチに体重四十五キロ。父親は郵便局の職員で、ダニーより少し年上の兄も新聞配達をしていた。

その日の朝七時ごろから、ダニーの配達地域の責任者のもとに、朝刊が配達されないという苦情の電話が近くの購読者からかかりはじめた。責任者は配達区域を点検したが何も見つからなかったので、ダニーの父親に連絡した。父親も付近を捜したが、ダニーは見つからなかった。最初の三軒には新聞が配達されていたが四軒目はまだで、その家の近くの柵にダニーの自転車がたてかけてあった。残りの新聞は袋に入ったままで、格闘した形跡はなかった。ダニーは忽然《こつぜん》と姿を消したのだ。通報を受けた警察は、ＦＢＩのオマハ局に連絡した。付近一帯の大規模な捜索が開始され、水曜日の午後、砂利道に沿った丈の高い草むらの中で、ダニーの遺体が発見された。自転車が見つかった地点から四マイルほど離れた、アイオワとの州境からわずか数マイルの場所だった。

私は遺体が発見された場所を見に行った。犯罪現場写真からもいろいろなことがわかるが、現場に行くことには明確な利点がある。現場の状況を完全に把握し、写真ではわからない細部の関係を頭に入れることができる。たとえば、現場が砂利道と袋小路の近くであることはすぐわかる。しかしそばに十字路があり、道の一つが川に続いていることは、写真だけでははっきりしない（死体発見現場の周辺四分の一マイルほどの範囲まで撮影していれば別だが）。なぜ犯人、あるいは犯人たちは死体を川に捨てなかったのか？　川に捨てれば流されてしまうか、そうでなくてもずっと見つかりにくい。発見現場は人々が野外パーティーをしたり、ビールの空き缶を投げ捨てるような場所だった。道に沿って丈の高い雑草が生い茂っていたが、注意して見れば道路から見渡せる。死体を捨てたときにまだあたりが暗かったとしたら、犯人は通りがかりの車のヘッドライトに照らし出される恐れがあるし、死体も発見されやすい。

被害者はナイフで刺し殺されたとしか一般には知らされなかったが、事実はそれよりはるかに残酷だった。少年は殺害されただけでなく、めった切りにされていたのだ。死体は草むらに倒れたか投げ捨てられたかのように、うつぶせに横たわっていた。手足は後ろで縛られ、さらに手術用テープで固定されており、口にもテープが貼られていた。身につけているのはパンツだけで、胸と背中に無数の刺し傷があり、首も深く切られていた。肩の肉がえぐり取られ、左のふくらはぎには死後つけられたと思われる十字模様の傷がある。顔に殴られた跡と、体じゅうに小石大のへこみがあった。

検死報告書によると、被害者のテープを貼られた口の中から小石が発見されたことから、遺体は一度以上動かされた可能性があるということだった。また、ダニーは誘拐後しばらく生かされており、遺体発見時に近い時刻に殺されたらしかった。被害者が性的虐待を受けたり、パンツを脱がされたりした形跡はなかった。

現場に行って警察官や目撃者などの関係者と話をすることは、事件を理解する上できわめて重要だった。ダニーの兄は、新聞配達中に黄褐色の車に乗った若い白人の男に何度かあとをつけられたことがあると語った。詳細はおぼえていないが、十代の少年を尾行しているように見える男性ドライバーの車を見たことがあるという目撃者が、ほかにも何人かいた。

私はこれらの情報を念頭に置いて、予備的なプロファイルを作成した。プロファイルでは、ダニー・ジョー・エバリーを殺した犯人は十代の終わりから二十代初めの若い白人の男性、と予想した。読者がすでにご存知のとおり、連続殺人犯のほとんどは白人の男性であることに加えて、事件が発生したのは白人がおもに居住する地域だったからだ。この地域に黒人やヒスパニック、あるいはアジア系の男が入ってくれば、人目につくはずだ。犯人が若いと予想したのは殺害方法に未熟な点があったため、また遺体が道路の近くに捨てられていたことは犯人にとってこれが初めての殺人であることを示していると考えたからだ。もちろん犯人(またはその友人)は運転免許証を持っているわけだから、一定以上の年齢であることは確かだ。しかし犯行の手口には三十代の男のような手腕は見られなかった。犯人はダニーと顔見知りで、少なくとも彼に近づいて自動車またはバンに自発的に乗りこませることができる程度に彼を知っていた可能性があった。犯人が一人か複数かははっきりしなかった。凶暴な犯人のほかに若い白人男性が一人か二人いたのかもしれない。一人が少年をバンの後ろに誘い入れ、二人目が彼を押さえつけ、最初の男が車を運転して走り去ったという筋書きも考えられる。犯人がダニーに性的暴行を加えようとしてダニーがそれに抵抗し、抵抗している間に殺された可能性もある。ただし、遺体には防御創はなかった。遺体が道端に捨てられていたことから、犯人は殺害後にパニックに陥り、もっと秩序だったやりかたで遺体を処分するかわりに大急ぎで捨てたとも考えられる。「人や車がたまに通る道に遺体を遺棄したことは、犯人が遺体をもっと遠くの森林地域まで運ぶだけの体力を持っていないことを示すと思われる」と私は書いた。犯人はこの場所をよく知っていて、以前に何度かここを通っていると思われた。縛られていたにもかかわらず、なわの下に擦過傷がなかったことや、検死報告書の内容から、被害者はしばらくは縛られず、殺害される前のある時期には比較的丁重な扱いを受けた可能性さえある、と私は考えた。

犯人については、初めてここに来た者や通りがかりの者ではなく、地元の人間であると判断した。独身でハイスクールより上の教育は受けていない。失業中か、あるいは程度の低い、簡単な職についている。犯行にはある程度の知性は感じられたが、殺害の全段階を事前に計画したと思えるほどの聡明さは見られなかった。犯人がハイスクールより上の教育は受けていないと考えたのはそのためだ。しかしなわの縛りかたや結びかたから判断すると、手の器用な人間だと思われた。傷の性質やテープの使用、なわの縛りかたなどのほかに重要なのは、実際に性行為が行なわれた形跡がなかったことだ。ほとんどの場合、これは犯人が異性または同性と合意の上での性体験を持ったことのない若い男であることを示す。現代の米国社会ではこれは珍しいことであり、犯人が成長期に心理的問題を抱えていたことを意味する場合が多い。犯人は少年を下着一枚にしておきながら、それ以上のことはしなかった。私は犯人の心理的志向を次のように推測した。「主犯は長期にわたる性的問題を抱えており、子供のころから倒錯した奇妙な性的経験を重ねてきた」犯人が被害者に対して性行為は行なわないがめった切りにする事件を数多く調べた結果、犯人は突然このような残忍な殺人を犯すのではなく、その前に長期にわたって異常な空想を抱くことがわかっていた。そうした空想はもっと早い時期に何らかのかたちで表面化しているはずだった。私はプロファイルにこのように書いた。「犯人はおそらくポルノを愛読し、思春期に異常な実験をしていたと思われる。この実験は動物および幼い子供に対して強制的に性的な行為を行なうものである」第四章であきらかにしたように、思春期におけるこの種の行動は、大人になってから殺人を犯す人間によく見られる。この事件では被害者は性的暴行を加えられてはいなかったが、これ以前に犯人が幼い子供に対して性行為を強要した可能性はある。自動車あるいはバンの中にほかの人がいたために、犯人が性行為を行なうのをためらったのかもしれない。プロファイルにはさらにこのように書いた。「犯人は最近、ストレスとなる出来事を経験したのではないかと思われる。たとえばガールフレンドと別れる、職を失う、退学になる、家族といさかいを起こすといったことである」すでに述べたように、最初の殺人を犯す前に犯人はこうしたストレスを経験していることが多い。おそらくこの事件は最初の殺人だろうと私は考えた。「さらに、犯人が職についている場合には、エバリーが失踪する前後の数日間欠勤している可能性がある」これは、殺人犯との面接によって得た知識をもとに推測したものだ。バーコウィッツを始め多くの殺人犯は、殺人のときが自分にとって非常に重要だったので、犯行の前後はいつも行くところに顔を出さなかったと語っている。

犯人は朝六時に外に出ている。ということは、彼の行動を気にかける人がいないということだ。したがって、たぶん犯人は妻や過保護な両親とは一緒に住んでいない。もし犯人がしばらく少年を生かしておいたのだとすると、そのための場所がどこかにあったはずだ。少年がなぜ下着一枚という姿で発見されたのかははっきりしない。性的な理由以外にも、たとえば逃亡を防ぐためといった理由が考えられるからだ。被害者に加えられた傷が激しいと同時に不完全なところから、犯人ははずみで少年を殺し、死後に首の後ろを切ったのではないかという印象を受けた。おそらく首と手足を切断し、それらを別々に捨てるつもりだったのだろう。しかし困難だったのでこれをやめ、人里離れていると思われる場所に遺体を捨てたのだ。

遺体には重要と思われる特徴が一つあったが、それが何を意味するのかはわからなかった。足と肩に、説明のつかない傷があるのだ。なぜ犯人は肩の一部や足の内側の肉を切り取ったのだろう？　嚙んだあとを消すためにその部分の肉をそぎとったのかもしれないと思ったが、それを立証することはできなかった。しかしセックスが動機と思われるこのような犯罪では、犯人が性的に興奮して被害者を嚙むことがよくある。

遺体発見現場の状況から見て犯人は事件をコントロールしていないと思われるため、捜査活動に参加しようとするかもしれないと考えた。死体が捨てられていた場所の周辺や死体安置所、墓地、犯行現場の近くなどをうろつき、手伝うと見せかけて情報を手に入れようとするのだ。この可能性を考え、目撃者の記憶をもとに作成された似顔絵は公開せず法執行関係者の間だけにとどめておくよう提案した。しばらくの間、墓地、遺体発見現場、少年が誘拐された地点に見張りを置き、葬儀も監視したが、効果はなかった。

プロファイル作成に加えて、私は予備的ＶＩＣＡＰ（凶悪犯逮捕プログラム）分析とでも呼ぶべき作業を行なった。クワンティコのではなく頭の中にあるコンピュータを使って、この事件と他の事件とを比較したのだ。その結果、今回の事件とゴッシュ事件はそれほど似ていないという結論に達した。エバリーの遺体は発見されたがゴッシュはまだ行方不明のままだ。またゴッシュを誘拐した犯人は、エバリーを殺害した犯人よりずっと慎重であるように思えた。被害者がともに新聞配達少年で日曜の朝誘拐されたことをマスコミは相変わらず強調していたが、事件の詳細を知っており、犯罪を比較することに慣れている私は、二つの事件の犯人は別人であると考えた。

エバリーを縛るのに使われたなわが分析のためにFBIの検査室に送られたが、それと一致するサンプルは一つもなかった。このこと自体が重要な手がかりだった。なわが独特なものであれば、同じようななわを持っている者を容疑者と考えることができる。FBIは検査以外にもあらゆる方法で捜査に協力することを望み、催眠術チームを現地へ派遣した。エバリー少年の兄やその他の目撃者は、自分たちが見たことを思い出すため催眠術にかけられることに同意した。この作業からは新たな証拠はほとんど手に入らなかったが、どんな小さなことでも犯人を理解する上で役だった。エバリー誘拐殺人犯は再び犯行を犯すだろうと私は確信していたが——ジョニー・エヴァンズも同意見だった——それ以上私が現場でできることはなく、私はクワンティコへ戻った。

十二月初め、また別のセミナーで講演するためアラバマ州にいるとき、二度目の電話がかかってきた。ジョニー・エヴァンズからの切迫した調子の電話だった。オマハの近くで別の少年が誘拐され、三日後に惨殺された死体が発見されたという。恐れていたことが現実となったのだ。私はただちにオマハへ向かった。十二月二日金曜日の朝八時半、オファット空軍基地に所属する将校の息子、クリストファー・ポール・ウォルデンがサーピー郡にある学校へ向かっていた。少年は白人の男性と一緒に車に乗りこんでいるところを最後に目撃されていた。三日目の午後、誘拐地点から五マイル離れた森の中で、二人のバードハンターがウォルデンの遺体を発見した。ウォルデンもパンツ一枚という姿で刺し傷があり、頭が切断されるほど深く首を切られていた。遺体を見た法執行関係者はみな、この殺人がエバリー少年を同じように無惨に切りさいなんだ犯人と同一人物による犯行であることを確信した。死後につけられた傷の状況は、犯人が被害者をサディスティックに傷つける度合いがエスカレートしていることを物語っていた。クリストファー・ウォルデンはエバリー少年と同い年で身長も同じだったが、体重は七キロほど少なかった。

二人目の被害者がすぐに発見されたのは不幸中の幸いだった。大雪が降りはじめていたからだ。発見があと数時間遅れていたら遺体とその近くの足跡は完全に雪におおわれてしまい、春の雪どけまで遺体は発見されなかっただろう。そのときまでには同じような殺人事件がさらに数件発生していたかもしれず、今回の事件の手がかりはすべて劣化して使いものにならなかった可能性もある。

多くの場合、誘拐地点は殺害場所ではなく、また殺害場所は遺体発見場所ではない。遺体発見場所は犯罪現場と呼ばれ、ここに最も多くの証拠が残されている。誘拐場所や殺害場所は永久にわからないこともある。被害者は誘拐現場から誘い出され、殺害の事実および犯人と被害者との関係が発見されるのを防ぐため、遺体はさらに遠くへ運ばれる。エバリーはどこかで殺され、遺体は川の近くの草むらに捨てられた。第二の被害者はかなり森の奥へ入った地点で発見されたが、遺体が捨てられていた場所が殺害現場ではないかと思われた。遺体のそばの足跡はほとんど雪におおわれていたが、二人の人間がここまで歩いてきて、一人だけが歩み去ったことをはっきり示していた。ウォルデンの衣類は遺体の横にきちんと重ねられていた。あきらかに彼はここで殺されたのだ。これは重要な手がかりだった。これによって犯人は一人で、比較的小柄であることがわかるからだ。犯人はウォルデンを歩かせて森に連れこみ、そこで殺したのだ。

犯人が臆病な人間であることはあきらかだった。彼にとってこれらのローティーンの少年は、老女と同じようにリスクの少ない、か弱い相手だった。少年たちは幼すぎて、あるいはおびえきって、自分とほとんど体格が変わらず年も何歳か上というだけかもしれない相手に対しても抵抗する可能性が少ないからだ。一方、犯人が最初の殺人以来、犯行の手口を改善していることも認めざるをえなかった。私は犯人の心理状態を想像し、その思考パターンをたどってみた。その一部をここに再現してみよう。

最初のときはテープやなわなんかを持って行った。やつらはそれを分析するために

ＦＢＩの検査室に送ったかもしれない。もうあいったものを使うのはやめよう。そもそも使う必要がない。策略や心理的プレッシャー、脅しで相手を言いなりにさせることをおぼえたからな。今度はもっと森の奥深くに連れていこうか。最初のときみたいに脱がせた衣類を車に置いておくのはまずい。服を着たまま歩かせ、それから裸にして殺そう。

犯人がこのようなレベルまで計画したことを考え、私は彼の推定年齢を変更した。十代ではなく、二十代に違いない。被害者の服を脱がせたのはコントロールするためではなく、性的な行為であったことがはっきりした。これに加えて、実際に性行為が行なわれなかった（第二の事件で確認された）ことから、犯人は性的に異常であることを確信した。犯人が女性と合意のうえでの性体験を持ったことがあるとは考えにくい。もし同性愛体験があるとすれば、たぶん被害者と同じ年頃のときにそれが起こったのだろう。彼は自分と同年齢の相手とつきあうことはできないが、自分に同性愛の傾向があることを否定するために、デートはしているかもしれない。相手は彼が容易に支配できる、ずっと年下の少女だろう。この二つの殺人に見られるのは、自分自身に対する犯人の怒りである。彼は被害者の少年の中にかつての自分を見て、少年を殺害するというかたちでその怒りを表現しているのだ。日常生活では、犯人は自分のこと——自分に何がいつ、どのように起こったか——をあまり口にしないと思われる。肉体的に弱いかどうかはともかく、精神的に弱いことには疑問の余地がない。

第二の殺人は最初の殺人とは違っていると結論づけたのはそのためだ。最初の殺人は実験だったが、二度目の殺人では、犯人が人間の命を奪うことに魅了されている形跡が見られる。この殺人により、犯人は被害者に対して力を持ち、相手を支配できることを自分自身に証明したのだ。そのことを示すように、第二の殺人では切りつけかたが激しくなっている。

死亡後につけられた切り傷は、サディスティックな行為に対する犯人の病的な関心が増していることを示しており、これが今後の殺人における犯人の行動を特徴づけることになるのではないかと、私は考えた。

第一と第二の殺人の間に、ある手がかりが実は手がかりではなかったことが判明した。口の中に小石があったことが、遺体がどこか別の場所から運ばれたことの証拠と考えられていたが、これが間違いであるとわかったのだ。当初、検死官はエバリーの口の中から小石が見つかったと述べたが、その後これを撤回し、小石は別の事件のものでエバリー殺害事件とは何の関係もないと説明した。小石の件がなくなったことにより、最初の殺人は遺体発見時により近い時刻に行なわれたという推測が可能になった。

私は最初のプロファイルを修正した。犯人は若い男性一人で、共犯者はいない。遺体運搬能力から判断すると、犯人の体格は被害者とあまり変わらず、遺体を遠くへ運ぶのを避けるために現場で殺害した。犯人がベルヴューまたは空軍基地に住んでいることは確実だった。この地域一帯を熟知している様子から、よそ者とは思えない。実際、犯人は基地に勤めている人間ではないかと私は思いはじめていた。最初の事件のときに推測した知能や教育レベルから考えて、おそらく犯人は階級の低い航空兵だろうと予想した。コンピュータを使うような熟練者ではなく、事務か簡単な整備作業をする者。機械工という可能性が強い。遺体に嚙んだ跡を消すための傷があったことは、犯人が探偵物や警察物の雑誌の愛読者であることを示唆していた。こうした雑誌には、歯形から犯人の身元が割り出せることがよく取りあげられているからだ。傷のパターン、および両被害者がいとも簡単に誘拐されていることから、犯人はボーイスカウトやリトルリーグなどを通じて、あるいは何かのコーチというかたちで少年たちとかかわりを持つ者ではないかと思われた。

犯人は再び少年を襲うだろうと私は確信していた。しかも学校の休暇が始まろうとしていたので、犯行が早まるかもしれない。ジョニー・エヴァンズも同じ意見だった。子供たちは日が暮れるまで庭や通りや遊び場に出ていて、犯人はいつでも近づくことができる。私はマスコミによる大規模なキャンペーンを行なうことを提唱した。新聞、テレビ、ラジオを通じて、一人でなく大勢で遊ぶよう子供たちに警告するのだ。両親や保護者にはあやしい人や車に注意し、疑わしいものを見かけたらナンバーや特徴を書きとめて、捜査本部に電話するよう呼びかける。捜査本部の番号は大々的に宣伝されることになった。さらに警察は、児童が誘拐されたことが通報されると、サーピー郡全域が十一分以内に封鎖されるシステムをつくりあげた。こうしておけば子供が誘拐されても、森へ連れて行かれて殺害される前に犯人を逮捕できるかもしれない。マスコミ、および市民はこの作戦に全面的に協力してくれた。これが功を奏したのか、その年が終わるまで新たな少年殺害事件は発生しなかった。

この間に地元警察は性倒錯者を多数連行し、徹底的に尋問した。その中の一人が、二つの少年殺害事件の有力な容疑者として浮かび上がった。この男はうそ発見器にひっかかり、自宅で発見されたなわや手術用テープも疑わしく思えた。彼は公然とした同性愛者だったが、それ以外の多くの点でプロファイルに当てはまっていた。しかし二度目のうそ発見器によるテストはパスし、その他の点でも犯人ではないことが判明した。警察の注意を引くほど性的に異常な行動を示す者が多数いることに、市民は驚いた。結局エバリー・ウォルデン殺害事件の捜査の間に、五、六人の悪質な性犯罪者——たとえば少年を自分の車の中にひっぱりこんでいた小児性愛者——が逮捕され、各種の罪で有罪になった。

さらに、誘拐直前にウォルデンと若い男が一緒に歩いているのを見たという女性目撃者が催眠術にかけられ、二人がほぼ同じ体格だったことを思い出した。彼女はまた、二人が乗ろうとしていた車のナンバーの最初の数桁まで記憶にのぼらせた。法執行機関の緊密な協力のもとに、この数字はただちに州の自動車局へ伝えられ、コンピュータにより検索された。この数桁のナンバーを持つ車は州内に千台近くあったが、サーピー郡だけに限ると、その数はずっと少なくなった。警察がリストに載っている車のチェックを開始しようとした矢先に、事件は新たな展開を見せた。

一九八五年一月十一日の朝、教会の託児所の女性職員が、託児所のまわりをうろついている車に気づいた。運転しているのは小柄な若者だった。車はマスコミを通じて伝えられている特徴を備えてはいなかったが、若者のほうは部分的な人相書きと一致していた。

彼女が何かを書き留めているのを見ると若者は車を止め、託児所のドアをノックして中に入り、電話を使わせてほしいと言った。女性職員が断ると、彼は殺してやると脅し、車のナンバーを書いた紙をよこせと命じた。彼女は脇をすり抜けて教会の別の建物にかけこみ、警察に電話した。男は車で逃げ去った。

ナンバープレートから、車が近くにあるシボレーの販売代理店のものであることを警察はすぐにつきとめた。代理店に急行すると、女性職員が目撃した車はオファットの航空兵に貸し出されたものであることがわかった。航空兵は自分の車を修理に出しており、代理店の修理場にあったその車は数人の目撃者の描写と一致していた。またそのナンバープレートの最初の数桁は、催眠術にかけられた女性が思い出した数字と同じだった。警官が車の中をのぞくと、なわとナイフがあった。警察は慎重にことを運び、車の中を捜査する前に捜索令状を手に入れた。のちに、この車は自動車局のコンピュータが出した千台の車のリストの四番目に載っており、どっちみち数日後には調査されるはずだったことがわかった。

　車を徹底的に調べる前に警察はオファット空軍基地に通報し、FBI捜査官とともにサーピー郡警察の警部補と空軍の特別調査部の部員数名が、整備作業に従事するレーダー技術兵ジョン・ジョゼフ・ジャウバート四世の宿舎にただちに向かった。捜査官らは雑嚢の中になわが入っているのを見つけた。その他に猟刀一丁と、探偵物の雑誌が二十冊以上あった。その中の、特に読み古されてすりきれた一冊には、新聞配達少年が殺害される話が載っていた。二十一歳の童顔で小柄な――身長百六十八センチ、体重七十四キロ――ジャウバートは、地元のボーイスカウトの隊長補佐を務めていたことをふくめ、あらゆる点でプロファイルに一致していた。

　ジャウバートは何人もの捜査官により、長時間にわたって尋問された。最初彼は犯行を否定し、発見された証拠はすべて状況証拠であり、それで有罪にすることはできないと言い張った。雑嚢と車の中にあったなわが最初の被害者を縛ったなわと合致し、これはボーイスカウトの隊長が韓国から持ち帰ったきわめて珍しいなわであるという事実を突きつけられると、ジャウバートはボーイスカウト隊長と、自分が親しくしていた十四歳のボーイスカウトに話をさせてくれと言った。二人はジャウバートに会い、一月十一日夜半前に彼は二人の少年を殺したことを認めた。そして犯人しか知りえない詳細について語った。ジャウバートの自白には驚くようなくだりがいくつかあった。たとえば、最初の殺人のあと、彼はマクドナルドの店へ行って血を洗い流し、それから朝食を食べたと話した。また同じ日にボーイスカウトの会合に出かけ、そこで少年誘拐のことが話題になったが自分は会話に加わらなかったという。ジャウバートは被害者の少年たちに性的な行為を行なったことは否定し、彼らを知っていたことはさらに強く否定した。自分が知っている相手、たとえばボーイスカウトで一緒の少年には絶対にそんなことはしないというのだ。しかし二つの殺人のあと、彼は宿舎に戻って犯行の詳細を思い出しながら、マスターベーションを行なったという。ジャウバートは、託児所での一件のあと、その日のうちにつかまるに違いないと思ったし、つかまらずにいたらまた殺人を犯していただろうから、つかまってよかったと語った。

私はジャウバートについてもっと知りたかったので、裁判の過程を追った。自白したにもかかわらず、当初彼は無罪を主張した。だがのちにこれを変更して、罪を認めた。三人の判事からなる委員会が精神鑑定やその他の報告書をまとめ、犯行当時彼には善悪を判断する能力があったとして、電気椅子による処刑という判決を下した。しかし再三にわたる上訴の結果、ジャウバートは死刑囚監房に長期にわたってとどまることになった。

ジャウバートの生い立ちを入念に調査したところ、表面的にはふつうの子供時代を過ごしたように見えるが、実はごく幼いころからのちの殺人へつながる異常な衝動が存在していたことがわかった。彼はマサチューセッツ州で生まれ、メイン州ポートランドで育った。彼の記憶にある最初の空想は六、七歳ころのもので、ベビーシッターを背後から襲って首を締め、彼女をすっかり食べてしまうというものだった。この年齢でこのような凶暴な空想を抱くことは珍しい。これはきわめて刺激的なもので、ジャウバートは幼少期から思春期、さらに犯行当時までこの空想を忘れず、これに手を加えていった。彼の母親は病院に勤めており、父親はレストランのウェイターだった。ジャウバートが凶暴な空想を抱くようになったのと相前後して両親の仲がうまくいかなくなり、別居した。彼が十歳のときに二人は離婚し、ジャウバートと母親はメイン州へ引っ越した。ジャウバートがのちに精神科医に語ったところによると、母親は短気ですぐにかんしゃくを起こし、物を壊した。かんしゃくがおさまるまで自分の部屋に引っこんでいると、たいてい母親がやってきて謝る。彼女はまた絶えず息子をけなし、そのためにジャウバートは自分を取り柄のない人間だと思うようになった。母親はジャウバートが十二になるまでおしりを叩いておしおきをし、彼が公然とマスターベーションをすることをたびたび非難した。ジャウバートの空想は最初若い女性が対象だったが、のちに男の子、特に下着姿の十代の少年に変わった。少年を締め殺してナイフで刺すことを空想すると自慰の衝動が生じるのか、それとも自慰によって殺意が生じるのか、もうわからないとジャウバートは語った。

ジャウバートが思春期直前のころ、両親が彼の養育権をめぐって争い、結局父親が敗れた。ジャウバートは夏、父親に会いに行くために百マイル以上も自転車を走らせたことがあった。彼は公立のハイスクールへ行くのは危険だと思い、それを避けるために新聞配達を始め、稼いだ金をカトリック系ハイスクールの学費にあてた。母親にはそれを払う意志も能力もなかったのだ。ハイスクールでは同性愛者ではないかと疑われて悩んだ。ゲイと呼ばれるのを避けるために、ハイスクール最終学年のダンスパーティーに女の子を誘ったが、これが彼のハイスクール時代の唯一のデートだった。ジャウバートは陸上競技とクロスカントリーのチームに所属していたほか、ボーイスカウトにも入っていた。ボーイスカウトの活動には非常に熱心で、できるだけ長く隊にとどまるため、最高位のイーグルスカウト・バッジをもらうのを延期したほどだった。卒業アルバムには次のような言葉を書いている。「人生はたくさんの道が分岐するハイウェイのようなもの——道に迷わないように」

ハイスクール卒業後、彼はヴァーモント州にある軍隊組織の私立大学に進んだ。同州では飲酒が許される年齢が低いため、自由に酒を飲むようになり、そのために授業を欠席したり授業中に居眠りをすることが多く、成績は悪かった。酒を飲んだり寝ていないときは、コンピュータゲームのダンジョンズ・アンド・ドラゴンズに興じていた。彼は一年後の夏に家へ帰り、空軍へ入隊した。テキサスにある訓練学校でジャウバートはある若者と親しくなり、二人は同じ任務につき、一九八三年の夏からオファットの宿舎で同室するようになった。彼が探偵雑誌を集めはじめたのは、そのころからだ。オファットに住むようになって数週間たったとき、基地の同僚たちが二人を「ガールズ」と呼んでいる、とルームメイトがジャウバートに告げた。二人が同性愛だというほのめかしを気にして、ルームメイトは突然部屋を移ってしまった。このことがジャウバートにとって、犯罪へ走らせるきっかけのストレスとなった。友人が引っ越してから一週間足らずのときに、ジャウバートはダニー・ジョー・エバリーを誘拐し、殺害したのだ。

精神科医の質問に対して、ジャウバートは人を殺すのがどんな気持ちかよくわからない、殺すときは機械的に行動していた、と答えている。六歳のときから改良を重ねてきた空想を実行に移しただけで、ほとんど何も感じなかったというのだ。犯行後、部屋へ戻ってマスターベーションをしてからぐっすり眠った。うなされることはなかった。いったん空想にとらえられると、衝動を抑えることができない。最初の被害者を自分が意のままにコントロールしているとわかったときは、とても気分がよかった、と彼はある面接者に語っている。ジャウバートは頭がよく（IQ百二十五）、機敏で、注目を浴びることを少なからず喜んでいる、というのが、彼を面接した精神医学の専門家たちの一致した意見だった。ジャウバートは精神障害の基本分類コードで、301・20と分類された。すなわち、強迫的な衝動を伴う、分裂病質である。

この時期にジャウバートを鑑定した数人の精神科医の一人であるメニンガー・クリニックのハーバート・C・モドリン博士は、ジャウバートに関する次のような考察を法廷に提出した。

彼は愛情や好意がどんなものかを知らないように見える。あたかもそうした感情を経験したことがないかのようだ。姉との関係を説明するのに、「ぼくたちは憎みあってはいなかった」と言うのが精一杯だった。この頭のよい男が、両親のどちらについても語ることができなかったのは、驚くべきことだ。慢性的な人格の解離が起こっているかのように、あらゆる感情的体験から遊離してしまっている。彼自身この欠陥あるいは欠如にうすうす気づいており、殺人はひとつには強い感情を経験しようとする試みだったのではないか。

ジャウバートと彼の犯行についてはいくつもの疑問が残っている、とモドリン博士は述べている。なぜ被害者はどちらも十三歳だったのか？　なぜ彼は見知らぬ少年を被害者に選んだのか？　なぜ被害者をナイフで刺し、またいくつもの傷をつけたのか？　なぜ下着だけにしたのか？　なぜ早朝に誘拐したのか、などである。

私もそれらの疑問が気になっていたが、ある偶然の出来事により、ジャウバートと彼の犯行に対する理解が飛躍的に深まることになった。一九八四年の秋、私は少年殺害事件と犯人のジャウバートに関するスライドやその他の記録文献をクワンティコでの講義に使っていた。授業中にそれを見せたところ、受講者の一人が手を上げ、休憩時間に私に会いたいと言った。メイン州ポートランド市警のダン・ロス警部補で、オマハの事件がポートランドで起こったある未解決の殺人事件によく似ているという。

私は大いに興味をそそられた。ジャウバートがオマハで逮捕されたとき、私は彼がメイン州にいたときの住所を調べて、近くで同じような事件がなかったか確認するよう捜査当局に提案したのだ。当初はエバリー殺害が最初の犯行だと思ったが、ジャウバートについてもっと多くを知るようになると、この事件の前に予備的な犯行があるのではないかと考えるようになった。彼の空想の強さから見て、もっと早い時期に何らかの反社会的行為として表面化していないはずがない。突然空軍に入隊したのも、最初の犯行を犯したあとで目立たぬようそっと町を出るためだったかもしれない。しかしオマハの警察は事件の他側面の究明に忙しく、サーピー郡当局がポートランドに電話したときも、手ごたえはなかった。

ロス警部補は週末にポートランドに帰り、未解決の殺人事件についての資料を持ってきた。そのクラスにはジャウバートの捜査で私が一緒に仕事をしたことのあるサーピー郡の刑事も受講者として参加しており、私たちは三人で資料を調べることにした。

状況はのちの二つの事件に酷似していた。事件発生は夜明け前、被害者は少年一人、目撃者の話によると犯人は若者で、この地域をよく知っている人間。被害者は刺殺され、体には嚙んだ跡が残っている。事件が起こったのは一九八二年八月——エバリー誘拐殺人の一年ほど前で、ジャウバートが空軍へ入隊する直前だ。金髪に青い目の十一歳の少年、リッキー・ステットスンは、ハイウェイの高架道へ通じるいつもの道をジョギング中に、高架道の近くにある丘の斜面で刺殺された。遺体には切り傷があったが、のちの二人の被害者ほどひどくはなかった。犯人は被害者の衣服を脱がせようとしたが、途中までしかできなかった。犯罪現場の写真を調べると、遺体に残された歯形の写真も撮ってあることがわかった。

ジャウバートの記録をさかのぼって調べると、この殺害事件の何年か前に、彼はステットスンが刺殺された丘の斜面に隣接する区域で新聞配達をしていたことがわかった。またそのあとに、彼は犯罪現場の近くに工場がある会社で働いていた。自転車に乗った若者がジョギング中の少年のあとをつけているのを見たという人も何人かいた。しかしジャウバートの写真を見せられると、ほとんどの目撃者は、犯人はこの男のようだが何年も前のことなので百パーセント確かではないと言った。

ダン・ロスはネブラスカ州刑務所へ行き、ジャウバートの歯形を手に入れて、ベテラン法歯学者、ロウエル・レヴァイン博士に見せた。レヴァイン博士は、ジャウバートの歯形は被害者の体に残っていた歯形とほぼ一致しているという見解を示した。

ポートランドでの事件の捜査が進展するにつれ、それよりさらに前のジャウバートの一連の犯行があきらかになった。一九八〇年に刃物による傷害事件がいくつか起きており、いずれも未解決になっていた。一つは九歳の少年が被害者で、もう一つは二十代半ばの女性教師。どちらの被害者も重傷を負い、あやうく一命をとりとめていた。一九七九年には九歳の少女が、自転車に乗って通り過ぎた少年に背中を鉛筆で刺されていた。これらの容疑でジャウバートを起訴しても意味がないが、ステットスン殺害は解決する必要があった。結局ジャウバートはメイン州での殺人について起訴され、有罪になった。もしネブラスカでの刑が軽減されれば彼はメインへ移され、そこで終身刑に服することになる。

私自身がジャウバートと面接したのはそれから何年もたって、メインとネブラスカでの裁判の全手続きが終わってからだった。ジャウバートは刑務所生活でいくらか太り、やっと年のいった少年ではなく青年になったように見えた。彼が死刑囚監房でティッシュペーパーに絵を描き、その絵が没収されていることを刑務所当局から聞いていた。その絵はなかなかうまく描けていたが、内容はぞっとするようなものだった。一枚は道端で両手両足を一つに縛られている少年の絵で、もう一枚は跪《ひざまず》いている少年を男がナイフで突き刺している絵だった。

ジャウバートは最初のうち話をしたがらなかったが、この事件に私が長年興味を持っているのを知って、いくらか気持ちがほぐれたようだった。私が百人以上の殺人犯と面接して学んだテクニックも役立ったのかもしれない。

過去に経験したストレスについて尋ねると、自分が人に危害を加えるようになったのは友人を失ってからだ、と彼は話した。母親は友人を捜すのを手伝おうとせず、ジャウバートは悲嘆に暮れた。殺人にいたる反社会的行為を彼が始めるようになったのは、それからまもなくのことだ。面接中に、居所のわからないこの友達を捜すのをFBIに手伝ってもらえないだろうか、と彼は訴えた。やってみよう、と私は言った。

彼は犯行を認め、私たちは犯行の詳細について話しはじめた。私が特に聞きたかったのは、いまだに説明されていない歯形のこと、探偵雑誌のこと、そしてどのように被害者を選んだかという点だった。この三つは互いに関連している。

ジャウバートは、六、七歳のときからとりつかれているという人食いの空想について語った。この空想を実現したいという欲求が彼の殺人の原動力であり、ポートランドでの犯行ですでに見られたような死体を嚙む行為は、その空想の一部だった。エバリーの足にナイフでつけられた十字模様は私たちにとって謎だったが、これは足に残った歯形を消そうとする試みだったことがわかった。法歯学的検査によりこのような歯形から犯人を割り出せることを探偵雑誌で知ったのかと尋ねると、彼はそうだと答えた。その手の雑誌を読む理由の一つは、どうすれば身元を知られずにすむかを研究するためだったという。しかし最大の理由は、刺激を得るためだった。そうした雑誌にはヌードの描写ではなく、支配や拷問などの場面が描かれているだけだが、多くの殺人犯と同様、彼にとってもそれらはポルノだったのだ。

いつごろからそうした雑誌を読みはじめたかと聞くと、十一か十二のころから、と彼は言った。母親と一緒に行った食料雑貨店の棚で見たのが最初だったという。人が脅されたりおびえたりする場面に興奮をおぼえて雑誌を手に入れ、マスターベーションや絞殺、刺殺の空想をするときの小道具として使った。実際に殺人を犯す十年近く前から、彼の頭の中でこれらの雑誌は性的興奮や殺人と結びついていたわけだ。雑誌と空想、自慰行為が初めて一緒になったとき、ジャウバートはまだ思春期前だった。明け方自転車で新聞を配達する、金髪のほっそりした少年だったのだ。

六、七時間話をしたあとで、ジャウバートが私に言った。「レスラーさん、あなたには何もかも正直に話しました。だから今度はぼくの頼みをきいてください。犯罪現場の写真がほしいんです。ちょっと考えなくてはならないことがあるので」二十八歳のこの若者はこれらの犯罪のために死刑囚監房に入っていながら、その犯罪を思い出させるものがほしいという。たぶんマスターベーションの道具として使うのだろう。その依頼には応じかねると私は彼に告げた。そして、ジャウバートの恐ろしい空想は彼が死ぬまで消えることはないだろうという悲しい認識を胸に、面接を終えた。一九九二年現在、彼はまだ死刑囚監房に収容されている。

6　秩序型と無秩序型の犯罪

凶悪な犯罪に直面したとき、おおかたの人はその犯行が計り知れないもの、あるいは類例のないものと感じる。ふつうの人は残忍な殺人に慣れておらず、切り刻まれたり谷に投げ捨てられたりした死体を目にすることもない。地方の警察もこの点は同じで、こうした凶悪な事件に遭遇することはめったにない。だが、どんなに恐ろしい犯罪も不可解ではないし、似たような例がないわけでもない。同種の犯罪はこれまでにもあり、それらを分析すると識別可能ないくつかのパターンが見られる。一九七〇年代末には、行動科学課はこうした犯罪を分析するうえでかなり経験を積んでいた。一般の警官は、内臓を抜かれた死体やカニバリズム（人肉嗜食）の痕跡といったものを目にすることはまずない。しかし各地の警察から変わった事件の分析を依頼されるため、私たちはそうした犯罪の現場を見るのに慣れている。したがって恐怖や嫌悪感にとらわれずに、犯人についての手がかりを探すことができる。

しかしいくら知識を蓄積しても、それを必要としている相手、つまり凶悪犯を逮捕するために私たちの協力を求める警察官たちにそれを伝えられなければ何もならない。警察や他の法執行関係者のために犯罪者の型を特徴づけるにあたって、精神医学の用語を使わない表現法が必要だった。精神医学の訓練を受けていない警察官に、犯人は精神病的人格者らしいと告げてもあまり意味がない。警察官が理解できるような、また犯人捜査に役立つような言い方をしなければならない。そこで、犯罪現場には犯人が精神病的人格者であることを示す特徴が見られるというかわりに、そうした現場には「秩序」が見られ、おそらく犯人は「秩序型」だろうという表現を使うようになった。一方、犯人が精神異常者の場合には、現場は「無秩序」で、犯人は「無秩序型」である。

秩序型と無秩序型という分類は、二つのまったく異なるタイプの連続殺人犯の基本的な分けかただ。こうした分類の多くがそうだが、これもすべての事件にあてはめるには単純すぎる。犯罪現場や殺人犯によっては秩序型と無秩序型の両方の特徴が見られるが、これは「混合型」と呼んでいる。たとえば、エド・ケンパーは完全に秩序型の殺人犯だが、被害者を殺害したあとに死体を切断したことは、無秩序型の犯人を思わせる。この章では、典型的な秩序型および無秩序型の犯罪者の特徴をそれぞれ説明する。だが、ある点が秩序型の犯罪者の特徴だと言っても、それは絶対的なものではなく、そういう場合が多いという意味であることを心にとめておいていただきたい。たとえば、秩序型の犯人が被害者の死体を隠すという点について言えば、面接調査や犯行現場の分析で見るかぎりでは、これは四分の三の事件にあてはまる。つまり、おおむねそうだとは言えるが、必ずそうだと言いきることはできない。プロファイリングの「原則」はすべてこんなふうだ。秩序型と無秩序型の区別自体ははっきりしているが、これらの殺人犯についてさらに詳しいことがわかるにつれ、それぞれの型の特徴は増えていく。

犯人が秩序型か無秩序型かを突きとめたいときは現場写真を見て、可能な場合は被害者についての情報を調べる。たとえば、その被害者が犯人にとってリスクの少ない相手だったかどうかを見る。被害者が力のない、かよわい人物だったら、リスクは少ないわけだ。被害者がどこでねらわれたかという点も見る。モンティ・リセルはひと気のない夜明けの駐車場で売春婦を誘拐したが、そのとき彼は、いなくなったことがしばらく気づかれない相手を選んだ。犯人が意識的にそうした被害者を選んだか否かは、犯人像を分析するうえで重要な手がかりになる。

一般に犯行は四つの段階に分けられる。最初が犯行前の段階で、犯人の「犯行に先立つ行動」が問題にされる。時間的にはこれが一番初めに来るが、これについての知識が得られるのは最後である場合が多い。第二の段階は犯罪の遂行で、これには殺害のほかに誘拐、拷問、レイプなどがふくまれる。第三の段階は、死体の処理だ。被害者が発見されることに何の関心も示さない犯人もいるが、さまざまな手を打って死体が見つからないようにする者もいる。第四の段階は、犯行後の行動で、場合によってはこれは非常に重要だ。犯人が殺人の捜査に参加しようとしたり、犯行のもとになった空想を継続させるために、何らかの方法で犯行との関係を保とうとすることがあるからだ。

秩序型の犯人の最大の特徴は、犯行を計画することだ。秩序型犯罪ははずみで犯されたのではなく、前もって計画されている。計画は犯人の空想から生まれる。前の章で述べたように、そうした空想ははっきりした反社会的行為として表面化する何年も前から、犯人の心の中でその強さを増している。

秩序型犯罪の被害者の大半は犯人とは面識がなく、たまたま犯人にねらわれた人だ。つまり、犯人がある地域を見張ったりあたりをうろついたりして、自分が考えている被害者のタイプに合致する人を物色する。年齢、容姿、職業、ヘアスタイル、生活様式などが、決定の要素になる。デイヴィッド・バーコウィッツは、駐車した車の中に一人、あるいは男性と一緒にいる女性を探した。

秩序型の犯人は、被害者をコントロールするために策略を用いたりだましたりすることが多い。この型の犯人は口がうまく、犯行を犯すのに都合のよい状況にうまく被害者を誘いこめるだけの、高い知能を持っている。秩序型犯罪者にとって最も重要なのは相手や状況をコントロールすることで、法執行関係者は犯罪のあらゆる側面でこのコントロールという要素が見られるかどうかを調べる。秩序型犯罪者は、たとえば売春婦に五十ドル紙幣をやる、ヒッチハイカーを車に乗せてやる、車が故障したドライバーの手助けをする、母親のところに連れていってやると子供に持ちかけるといった手を使う。犯行は計画的だから、犯人はどうやって被害者を見つけるか時間をかけて考え、策を練っている。ジョン・ゲイシーはシカゴのゲイがたむろする地域で若者に声をかけ、一緒に家に行って自分とセックスすれば金をやる、と約束した。テッド・バンディは自分の魅力を活用すると同時に、警察関係者であるかのように装って、若い女性を車に誘いこんだ。秩序型殺人犯にとって被害者は人格を備えた存在だ。犯人は被害者を殺す前に会話その他のやりとりをして、相手を人間として扱う。

無秩序型の殺人犯は気まぐれに被害者を選ぶので、しばしば自分にとってリスクの高い相手、つまりコントロールしにくい相手を選んでしまう。したがって被害者が激しく抵抗したことを示す防御創が、死体に見られる場合がときにある。さらに、無秩序型殺人犯は、被害者の人格には何の関心も示さない。被害者がどういう人かを知りたいとは思わず、すぐに相手の意識を失わせたり顔をおおったり傷つけたりすることで、その人格を抹殺しようとすることが多い。

秩序型殺人犯の犯行は計画的に行なわれるため、あらかじめ計画することのできる犯行のすべての側面に、犯人の論理が示されている。一方、無秩序型殺人犯の行動には、論理が欠如している。犯人がつかまって自分なりに犯行を説明しないかぎり、彼がなぜその被害者を選び、その犯行を犯したのかわからないことが多い。

秩序型犯人は犯行時に状況が切迫すれば、行動をそれに合わせる。エド・ケンパーは大学のキャンパスで若い女性を二人撃ったあと、瀕死の二人を車にのせたまま落ち着いて門のところにいる警備員のそばを車で通り抜けた。犯行時に彼はいらだってはいたが、ヒステリックに銃を乱射するような状態ではなかった。検問所を通り過ぎるという危険な行為を、うまくやり遂げることができた。これほど冷静でない犯人だったら、パニックに陥って猛スピードで門を通り過ぎようとして、注意を引いてしまったかもしれない。だがケンパーは何くわぬ顔で通り過ぎ、その晩自分の犯行を隠しおおせることができた。適応性があり、移動することができるのが秩序型殺人犯の特徴だ。彼らはまた、犯行を重ねるにつれてより巧妙になっていく。つまり、犯行がますます秩序だってくる。同じ手口の殺人が五件あった場合、最初の殺人に最も注目するよう警察にアドバイスする。なぜなら、最初の殺人は犯人の住居や職場、あるいは彼がよく行く場所の近くで行なわれた可能性が一番高いからだ。殺人犯は経験を積むほど、誘拐現場から離れた場所へ被害者の死体を移動する。最初の犯行はそれほど綿密に計画されておらず、二回目以降の犯行のほうが準備のあとを示している場合が多い。あとのほうの犯行により入念な計画性が見られる場合、犯人は秩序型殺人犯であることがわかる。

このように犯行の手口が巧妙になることは、犯人像を割り出すための重要な手がかりになる。犯行の手口が進歩したことからプロファイルを修正し、それがジョン・ジャウバートの逮捕につながったことは、前章で詳しく述べた。やはり犯行が巧みになり、より凶暴になっていったのはモンティ・リセルだ。彼は一連のレイプ殺人を犯した罪で逮捕され、有罪になったあとに初めて、十代のころに五、六件のレイプを犯したがつかまらなかったことを自供した。最初は彼が母親と一緒に住んでいたアパートの住人を襲った。その後少年用矯正施設に入っているときには、駐車場で女性を脅して彼女の家まで車を運転させ、そこでレイプを行なった。さらにその後は、車で州外に出て被害者を探した。犯行を重ねるごとに、自分がレイプ犯だと見破られる可能性が前より低くなるようにしている。彼がつかまったのは、そのパターンを逆行させたときだった。五件の殺人をふくむリセルの最後の六件の犯行は、いずれも彼が住んでいたアパートの中かその近くで行なわれたものだ。その最後の一連の殺人でも、手口はエスカレートしている。最初の三件では、被害者を殺すことに決めたのはレイプしている間だったが、あとの二件では最初から殺すことに決めていた。

犯行が計画的なものだったことを示す証拠の一つに、手錠、ロープといった、被害者の自由を奪うための道具がある。殺人犯の多くは、被害者を探すときに「レイプ用具」を持っていく。これがあれば襲おうとする相手を楽に拘束できるからだ。レイプ用具によって、被害者を服従させることができる。これは犯人の空想に不可欠な要素だ。あるとき、ブロンクスで起こった奇妙なセックス殺人の捜査に協力したことがある。被害者は屋上で殺されていたが、犯人は被害者を拘束するものを何も持ってきておらず、被害者の衣服とハンドバッグからそのための道具を取っていた。レイプ用具がないことから、私たちは無秩序型の犯人のプロファイルを作成することができた。

犯行に車が使われたか否か、それはだれの車かという点も重要だ。リチャード・トレントン・チェイスによる殺人がまだ解決されていなかったとき、犯人はおそらく歩いて現場へ行ったのだろうと考えた。現場の様子から見て犯人はあきらかに無秩序型の精神異常者で、車を運転しながら被害者をコントロールすることなどとてもできないと判断したからだ。そこで、犯人は最後の被害者の殺害現場から半マイル以内のところに住んでいるというプロファイルをつくり、それが犯人逮捕に役立った。チェイスと同様、無秩序型の殺人犯は現場まで歩くか、バスや電車などを利用する。それに対して秩序型犯罪者は自分の車を運転するか、被害者の車を使う。無秩序型犯罪者が車を持っている場合には、住居と同じように車も手入れがされておらず、汚れている。

自分、または被害者の車を使うのは、犯行の証拠を残さないためだ。同様に、秩序型の犯人は自分の凶器を現場に持参し、犯行後はそれを持ち去る。凶器に残った指紋や銃の特徴などから足がつくことをおそれるためだ。被害者や自分の身元が割れないように、現場の指紋を拭きとったり血痕を洗い流したり、その他さまざまなことをする場合もある。言うまでもなく被害者の身元がわからないほうが、犯人はつかまりにくい。秩序型殺人犯の被害者は裸にされていることが多い。衣服がないほうが、身元を突きとめにくいからだ。ナイフについた指紋を拭き取るのと、死体の首を切断して頭と胴体を別の場所に埋めるのとではかなり差があるようだが、どちらも被害者と犯人の身元が割れるのを防ぐために行なうという点では同じだ。

無秩序型殺人犯は被害者の家にあったステーキナイフをつかんで相手の胸を突き刺し、それを刺したままにすることもある。こうした犯人は、指紋などの証拠は気にしないのだ。死体がすぐに見つかる場合、犯人は無秩序型だと見当がつく。秩序型殺人犯は殺害現場から離れたところへ死体を運び、見つからないように隠す。隠しかたはときに、きわめて巧妙だ。テッド・バンディの被害者の多くは、いまだに見つかっていない。何人もの少年を誘拐し、拷問して殺したボブ・バーデラという殺人犯は、被害者の死体を切り刻んで、犬に食べさせた。このような被害者の身元は、不明のままだ。

秩序型犯罪者は、警察をまどわすために犯行現場に何らかの細工をすることがある。こうした行為はかなりの計画性を要するもので、これを実行する犯人が論理的な思考の持ち主であることを示している。無秩序型犯罪者には、犯罪現場に細工を施すような能力はない。ただし、無秩序型犯罪者による犯行の現場があまりに混沌とした状態のため、現場で何が起こったのかについて最初のうちさまざまな矛盾した説が出される場合がある。

犯罪の現場を見ると、残された証拠、あるいは証拠の欠如から、犯人が秩序型か無秩序型かを見分けられる。無秩序型の犯罪現場は犯人の混乱した精神状態を示しており、彼の妄想を反映した衝動的で象徴的な要素が見られる。被害者は発見されることが多く、たいてい恐ろしい傷を負っている。犯人が被害者の人格を抹殺するため、その顔を破壊したり、死体を切断することもある。無秩序型犯罪者の場合には、犯行現場と死体のある場所が同じであることが多い。犯人が死体を移動したり隠したりするだけの明晰さを持ち合わせていないからだ。

秩序型犯罪者はしばしば被害者の持ち物を記念として、あるいは身元がわかるのを防ぐために持ち帰る。秩序型殺人犯が逮捕されたあと、その住居から被害者のものだった札入れ、装身具、クラスリング、衣類、アルバムなどが発見されることがよくある。これらはふつう、高価な宝石類のようなそれ自体に価値のあるものではなく、被害者を思い出すよすがとなるものだ。犯人は犯行後の空想に織りこむため、また自分の成果の証として、こうした戦利品を持ち去る。ハンターが壁に飾ったクマの頭を見て、それをしとめた満足感にひたるように、秩序型殺人犯はクローゼットに下がったネックレスを見て、犯行時の興奮をよみがえらせる。同じ理由から、犯行の写真を撮る殺人犯も多い。犯人が装身具のような戦利品を妻やガールフレンド、母親にあげることもある。もらった相手がそれを身につけると、犯人だけがその意味するところを知っているというわけだ。無秩序型殺人犯は戦利品を持ち去ることはしない。だが死体の一部や一房の髪、衣類などを記念に取っていくことはある。

実際に性行為が行なわれない場合でも、こうした犯罪にはすべてセックスがからんでいる。一般に秩序型殺人犯は被害者が生きている間に性的な行為を行なう。その状況をフルに利用してレイプし、拷問してから殺害するのだ。ふつうの状況では性的に不能な犯人でも、殴ったり切りつけたり首を絞めたりしているときには性行為が可能で、それを実行する。無秩序型殺人犯は性行為を行なわないことが多く、行なう場合は被害者が死んでいるか、完全に意識を失っているときが多い。無秩序型の犯人は電撃的に襲って、すぐに殺す。だが秩序型の犯人は、被害者を生かしておいてなぶることで、自分のエロティックな関心を持続させようとする。このタイプの犯罪者が求めるのは、被害者を支配することだ。ジョン・ゲイシーはレイプする間に相手が苦しむのを見て楽しむため、実際に殺害する前に、殺す一歩手前でやめることをくり返した。秩序型犯罪者は被害者が服従し、おびえて言いなりになることを望む。相手が抵抗すると秩序型犯罪者の攻撃的な行動はエスカレートすることが多い。初めはレイプすることだけが目的だったのに、抵抗されたために相手を殺してしまう場合もある。

犯行の第三と第四の段階では、秩序型殺人犯は被害者の死体を隠すか、身元がわからないようにしようとする。そしてその後、捜査の進展を追う。そうするのは、自分が状況をコントロールしているという空想を長引かせるためだ。ある極端なケースでは、犯人は救急車の運転手だった。彼はレストランの駐車場で被害者を誘拐し、別の場所でレイプし殺害した。おおかたの秩序型殺人犯とは違って、彼は死体を完全には隠さず、死体を見たと警察に電話で通報した。警察が死体の発見場所に急行する間に、彼は急いで病院へ戻る。救急車を出動させるようにという連絡が警察から入ったときに、自分でそれに応じるためだ。彼は死体を捨てた場所に救急車を運転していき、自分が殺した人の死体を回収して病院へ運ぶことに喜びを感じたのだ。

秩序型と無秩序型の殺人犯は、性格がまったく異なる。それぞれの性格がどのように作られ、その結果どんな行動が出てくるかといったことは、犯罪を捜査するうえで重要だ。無秩序型犯罪者は、父親の仕事が不安定で子供のしつけが厳しく、家族がアルコール、精神病などの深刻な問題を抱えている家庭で育っている。これに対して、秩序型犯罪者が育った家庭は父親の仕事は安定しているがしつけが甘く、そのために子供は何をしても許されるという思いを抱くようになることが、殺人犯の面接調査によってわかっている。

無秩序型犯罪者は、育つ過程で心の痛みや怒り、恐怖などを心の内に閉じこめる。ふつうの人も社会の中で生きていくために、こうした感情をある程度抑えるが、無秩序型犯罪者の場合は内面化の程度がはるかに強い。彼は鬱憤《うっぷん》を晴らすことができず、自分の感情を発散させるための言語的、身体的能力も持ち合わせていない。自分の胸の内の鬱屈した感情についてカウンセラーにうまく話すことができないので、カウンセリングを受けてもあまり効果がない。

無秩序型犯罪者が抑圧された怒りを抱く理由の一つは、一般的に彼らがハンサムでないことだ。他人から見ても魅力的とは言えず、自分自身に対する評価もきわめて低い。何らかの病気や障害のために他の人と違っている場合もあり、そのことを不快に思っている。障害を受け入れる代わりに自分を欠陥のある人間と思いこみ、そのような行動をとるため、ますます精神的な痛みや怒り、孤独感がつのる。無秩序型犯罪者はほとんど完全に社会から孤立し、一人で生きる。秩序型犯罪者の多くがある程度魅力のある存在で、外向的、社交的なのに対し、無秩序型犯罪者は他人とつきあうことがまったくと言っていいほどできない。したがって、彼らが異性と一緒に住んでいることはまずなく、ルームメイトもいないのがふつうだ。だれかと一緒に住んでいる場合には、相手は親、特に片親というケースが多い。それ以外の人は彼らの奇妙な行動を受け入れられないからだ。そこで無秩序型犯罪者は世捨て人のように孤独に生きることになる。こうした犯罪者は、自分を拒絶した社会をはっきり拒絶する。

無秩序型犯罪者は、知能程度に比して低い能力しか発揮できない。一般に彼らは秩序型犯罪者より知能が低いが、大多数は知的障害者ではない。だが、学校でも職場でも、その知能から期待される水準より低い成果しかあげられない。仕事を持っている場合でも、ごく単純な労働であることが多く、まわりの人とうまくやっていけないため、それも長続きしない。彼らは自分が能力を発揮できないことを知っている。

無秩序型犯罪者とは逆に、秩序型犯罪者は心の傷や怒り、恐怖を内面化せず、むしろ外に出す。学校では目立つ行動をとり、攻撃的で、ときに意味のないことをする。ひと昔前には殺人犯はみな子供時代に乱暴で破壊的だったと考えられていたが、それが当てはまるのは秩序型犯罪者だけだ。無秩序型犯罪者は、学校ではまったく目立たない存在だ。彼が恐ろしい犯罪を犯して捕らえられると、かつての教師やクラスメートは彼をほとんどおぼえていない場合が多い。近所の人たちも彼のことを、一度も問題を起こしたことのないいい子で、あまり人とつきあわず、おとなしく礼儀正しかったと言う。一方、秩序型犯罪者のほうは乱暴者、クラスの道化役、人に注目されるような行動をとる子としてみんなの記憶に残っている。孤独な一匹狼ではなく、むしろ社交的で人と一緒にいることを好む。バーでけんかをふっかけたり、あぶない運転をしたりして、つねにトラブルメーカーとして知られる。自分の知力に応じた職業につくことができるが、往々にしてもめごとを起こして首になる。

秩序型殺人犯は、自分がだれよりもすぐれていると思いこんでいる。ゲイシーやバンディ、ケンパーは、自分をつかまえられない警察と、自分を理解できない精神科医をばかにしていた。彼らはいわば自信過剰で、実際はさほど聡明でもなく、途方もない犯罪を犯したという以外にきわだった点がないにもかかわらず、自分が抜群に頭がよく有能だと信じている。

秩序型犯罪者はセックスの相手には不自由せず、過去に何人ものセックス・パートナーとつきあっている。口がうまく、人をだますのが得意なため、女性（場合によっては男性）を誘うのに成功することが多い。彼らは一見魅力があり、人の心理を見抜くのがうまい。しかし、長期にわたる正常な関係を維持することはできない。大勢のパートナーがいるが、長続きする相手は一人もいないのが特徴だ。ほとんどの秩序型殺人犯は女性に対して強い怒りを抱いている。彼らは、特定の女性が自分を性的に興奮させることができない、と考えることで怒りを表わす。秩序型のレイプ犯の多くは、相手が彼をオーガズムに導くことができなかったという理由で、女性に暴力をふるう。

秩序型犯罪者はガールフレンド、自分自身、家族、そして社会全般に対して怒りを抱いている。自分はつねに不当な扱いを受け、不利な立場に置かれてきたという思いがある。自分はこれほど才能があるのに、なぜ百万長者になれないのだ、あるいは――チャールズ・マンソンが望んだように――なぜロック歌手になれないのだ、と不満に思う。社会が共謀して、彼が成功するのをはばんできたと感じるのだ。マンソンは、もし若いときに刑務所に入れられていなかったら、自分の歌は人気が出ていただろうと思っていた。マンソンの説教によって彼の崇拝者たちは、自分たちが犯す殺人が階級闘争を促進すると思いこむようになった。エド・ケンパーは、被害者を富裕な人たち、あるいは中産階級から選ぶことで、彼らに打撃を与えているつもりだった。殺人によって、彼らは個々の被害者だけでなく、社会に対して反撃したのだ。

連続殺人犯の経歴や犯罪についての私たちの調査の中で、秩序型と無秩序型の犯罪者の特徴をそれぞれ典型的に示している二人の殺人犯がいる。秩序型のほうはジェラルド・ジョン・シェイファーで、彼の犯行には秩序型殺人犯と結びつけられる行動パターンがはっきり見られる。

一九七三年に、フロリダのブレヴァード郡警察は、何人かの女性が行方不明になった事件を捜査するための特別捜査隊を編成していた。そこへ思いがけない手がかりが得られた。おびえきった二人の若い女性が沼の多い森からよろめき出て、通りかかった車に助けを求めたのだ。町の警察署で、二人は誘拐された顚末を語った。

二人はヒッチハイクをしており、パトカーのように見える車に乗せてもらった。運転者はこざっぱりした身なりのごくふつうの男性だった。彼は約束どおり二人を目的地まで乗せていくかわりに森の中へ連れこみ、銃をつきつけて縛りあげ、これまでに何人もの女性にしたようにレイプして殺してやると言った。ところが二人を縛ってから彼は腕時計を見て、「あっ、行かなきゃ。また戻ってくるからな」と言うと、車にとびのって走り去った。女性たちはやっとの思いで縄をとき、道路までたどりついた。二人は置き去りにされた地点まで警察を案内し、どのように縛られたかを実演してみせた。男は二人の両手を頭上で縛り、そのロープを木にかけ、二人をそこから吊るそうとしたという。

付近を捜索し、地面を掘り返したところ、半ば腐乱した死体の一部や女性の衣類が見つかった。発見されたジーンズには特徴のある手縫いの模様がついていたが、それは行方不明の少女がはいていたジーンズの模様と一致していた。この証拠が見つかったため、警察は逃げ出してきた女性たちの話をいっそう真剣に聞いた。二人は犯人の車と彼の身体的特徴を、詳しく描写することができた。たとえば、その車のバンパーにはひっかけるところがついていた。それをおぼえているのは、犯人がロープの片端をそれに結びつけ、ロープを木にかけてもう片方の端に女性たちをくくりつけたからだ。車で引っ張り上げて、彼女たちを木から吊り下げてやる、と犯人は言った。車の窓には友愛会のステッカーが貼ってあった。

話を先に進める前に、これまでにこの話の中に出てきた秩序型犯罪者の特徴をいくつか指摘したい。まず犯人は被害者と話をして、相手を個人として扱った。そして自分の車を使い、巧みな言葉で相手を信用させて車に乗せた。彼は被害者を脅すための武器を現場に持参して、あとでそれを持ち去った。またレイプ用具を用意しており、あきらかに女性たちを拷問し殺害する前に彼女たちをレイプするつもりだった。そして殺したあとは死体を隠し、処分しようと考えていた。犯行の途中、被害者を縛りあげてから、あとで戻ってきて始末してやると言いおいて別のことに対処するためそこを立ち去ったことは、融通性と適応力があることを示している。

容疑者としてジェラルド・シェイファーがあげられた。彼は近隣の管区の警察官だったが、以前に別の警察組織を辞めていることがわかった。前の仕事で、彼は交通違反を犯した女性ドライバーの車を止め、車のナンバーからその女性についての情報を得て、あとでデートに誘えるように電話番号を調べていたことが発覚していた。シェイファーが被害者を縛ったまま森の中に残して現場を去ったのは警察の点呼に答えるためで、その後制服姿でパトカーを運転して現場に戻るつもりだったのだろう、と警察は判断した。シェイファー自身の車は二人の被害者の描写と一致していた。自宅を捜索したところ、例のジーンズをはいていた行方不明の少女の殺害、および二人の女性の誘拐と殺人未遂で彼を起訴するのに十分な証拠が見つかった。

シェイファーは犯行を全面的に否認したが、生存している被害者の証言や証拠により有罪になり、現在もフロリダの刑務所に服役している。彼が何人の女性を殺したのかはいまだに不明だ。三十五人という推定もある。だがシェイファーが犯行を認めず、警察の捜索に協力しないため、行方不明ののち発見されたいくつかの死体が彼の犯行に結びつけられるのか、また彼に殺された被害者の死体でまだ発見されないものがあるのかどうか、わからない。

犯罪者の心理を探る研究者の立場からすると、シェイファーの自宅はまさに宝の山だった。彼の犯行の証拠だけでなく、シェイファーがどういう種類の犯罪者かを示すものが多数あったからだ。女性の衣類や装身具が見つかった。これらはあきらかに、彼が犯行をよみがえらせるために使った戦利品だ。これらの物について聞かれると、シェイファーはパトロール中にそうしたものを道路沿いで見つけると福祉事業に寄付することにしているが、見つかった分はまだ寄付する暇がなかったのだと答えた。彼はネックレスの一つをガールフレンドにあげていた。シェイファーの自宅にはソフトコアのポルノと探偵雑誌が何冊も積み上げられていた。それらを調べると、彼は女性が首を吊られたり絞め殺されたりする話に特に興味を持っていることがわかった。

首吊りとそれによって苦痛を与えることがシェイファーの空想のおもな要素であることが、彼自身の書いた話と、ピンナップ写真への書きこみが示していた。いずれもテーマは同じだ。たとえば、若い女性が両手を後ろにして木にもたれている、ごくふつうのピンナップ写真があった。だがシェイファーはそれに線を書き足して、女性の体に弾丸による穴があいていて、彼女が両腕をロープで縛られ、排泄しているところを描いていた。筋肉が弛緩するため、首吊りによる死はしばしば脱糞という現象を伴うのだ。三人の裸の女性がポーズをとって一人の男性と向き合っている写真には、吹き出しの中にこのような言葉が書かれていた。「この女たちは俺を満足させるだろう。もし満足させられないなら、村の広場でロープの先にぶらさがって、村人を楽しませることになる」横たわっている若い女性の写真に細工をして、彼女が首を吊られているように見せたものもあった。また、シェイファー自身が撮ったと思われるスナップ写真もあった。彼の被害者の女性たちが実際に首を吊られている写真だ。

こんな具合に、シェイファーの家と彼の生活には、秩序型犯罪者の特徴が数多く見られた。決まったガールフレンドがいて安定した職業についており、犯行の戦利品をとっておき、ポルノ雑誌などを使い、自分の犯行で空想を実現しようとした。彼はヒッチハイクをしている若い女性を被害者に選んだらしい。そういった女性は、姿を消してもしばらく気づかれないことが多いからだ。

裁判の間、シェイファーは報道関係者とふざけたりして、社交的にふるまった。これはすべて間違いで、自分は免罪になるというのが、記者たちに対する彼のお得意のせりふだった。訴訟手続きの最中に新聞に載ったある写真には、四人の警官がシェイファーに付き添っているところが写っている。五人の中で笑顔を浮かべ、きちんとした身なりをして落ち着いているのはシェイファーだけだ。とらえられ、裁判にかけられているのに、秩序型犯罪者らしく、なおも状況をコントロールしようとしているのだ。

ハーバート・マリンは、一九六〇年代末にサンタ・クルーズのハイスクールを卒業するころまではまともだったというのが、子供時代の彼を知る人たちの一致した意見だ。比較的背が低く小柄だったが、ハイスクールのフットボールの代表チームのレギュラー選手だった。成績もよく、男女を問わず人気があり、だれに対しても礼儀正しく、「将来、最も成功しそうな生徒」に選ばれていた。だが最終学年になるころには彼の内面に変化が起こり、ハーブ・マリンは下降線をたどりはじめた。妄想型分裂病がその原因だ。マリファナとLSDを試みたことで、症状はさらに悪化した。

ハイスクールを卒業したあと、マリンの性格はしだいに変化していった。これは妄想型分裂病患者によく起こる現象だ。精神分裂病は世間から誤解されていることをここで指摘しておきたい。分裂病は精神病の中でももっとも多く、その中で一番一般的なのが妄想型分裂病だ。妄想型分裂病患者で暴力的な傾向のある者はきわめて少なく、大多数は他人に何の害も及ぼさない。分裂病患者の中で他人に危害を加える危険のある人の割合は、一般人の中に見られる危険人物の割合より低いぐらいだ。しかし、妄想型分裂病患者の犯す犯罪があまりにすさまじいため、それが報道されると、すべての精神病患者に非難の目が向けられることになる。

一九六〇年代末、カリフォルニア北部ではハイスクールを卒業した若者の多くが「自分を見いだそう」としており、マリンの性格が変化したことも、同じ年頃の若者と比べてさほど特異なことにも見えなかった。彼は大学へ進学したが、続けることができなかった。一時期は長髪にビーズというスタイルを試みたが、求めていたセックスの経験がそれでは得られないとわかると、髪を切って背広にネクタイという、ビジネスマン風の格好をするようになった。こうしてさまざまなことを試み、それが失敗するごとに精神病院へ入った。だが、自分や他人を傷つける恐れがないと判断され、いつも短期間で退院した。結婚しようと決めると、彼は町やパーティーで会った女性に結婚してくれと頼んだ。女性たちに断られると、自分はホモなのではないかと思い、サンフランシスコのゲイのたむろする地域へ行き、通りにいる男たちに自分と一緒に住んでくれるよう頼んだが、受け入れられなかった。あるときはカトリックの教会で立ち上がり、これはまともなキリスト教ではないと叫んだ。それから司祭になる勉強を始めたが、途中でやめた。ジムへ行き、ボクサーになる訓練を始めたこともある。彼は試合で凶暴なまでの激しさを発揮したので、ものになりそうだとトレーナーに言われたが、これもしばらくしてやめてしまった。

良心的兵役拒否者として登録した一年後、マリンは軍隊に入隊を申し込んだ。父親は軍人だったが、海兵隊以外は彼の入隊を拒否した。海兵隊では基礎訓練は受けたが、その後精神障害があることがわかり、任務につかないまま除隊した。ある時期、やはり精神障害のある年上の女性と同棲し、その間に東洋の宗教と神秘主義に興味を持った。これらについて学ぶためハワイへ行ったが、成果はあげられなかった。本土へ帰ってくると、彼はハワイで精神病院へ入っていたと友達に話した。

このころマリンは二十代半ばで、まったく社会に適応できなくなっていた。あらゆることを試み、さまざまな人と接触したが、どこにも、だれにも受け入れられなかった。ときおり仕事はしたが、同じ仕事を数週間以上続けることができず、引き続き両親の援助を受けていた。このころには、妄想型分裂病がかなり進行していた。

一般に、分裂病患者はさまざまな分野から情報を得てそれを自分の頭の中で組み立てる。それによって情報の本当の意味がねじ曲げられ、幻想が生まれる。マリンはカリフォルニアで将来地震が起こるという情報をどこかで手に入れ、自分がそれを防ぐという幻想を抱いた。過去五、六年カリフォルニアが大きな地震を免れているのは、ベトナム戦争により大量の死傷者が出たためだと彼は信じるようになった。血の生けにえをささげなければ自然は猛威をふるうというのだ。しかし一九七二年の十月にはベトナム戦は終結に向かおうとしており、マリンは大惨事の到来を心配した。自然へささげる生けにえの人間の数をふやさないと、カリフォルニアは大地震に襲われ、海中に沈んでしまうと彼は考えた。父親がテレパシーによって人を殺せと彼に命令するようになったのはこのためだ、とマリンはのちに語った。

無秩序型犯罪者では、最初の犯行を犯すまで一度も反社会的行為をしたことがない者が多い。こうした犯罪者は、殺人を犯す前に特に暴力的だったり社会に敵意を抱いたりしてはおらず、犯罪を犯すような傾向もない。マリンもこの型にあてはまる。彼はマリファナの所持により何度か尋問されたことはあるが、合法的に銃を手に入れて人を殺しはじめるまでは、レイプ、強盗、窃盗はもちろん、けんかやスピード違反をしたこともなかった。

これから述べる殺人事件にはある程度一貫性があるように感じられるかもしれないが、マリンが殺人を犯した当時には、警察はそれぞれの殺人を互いに結びつけることができなかった。理由は二つある。それらの殺人の凶器と手口に共通性が見いだせなかったこと、および被害者の年齢、性別などの特徴や死の状況が異なっていたことが一つ。もう一つは、エド・ケンパーが同じ時期にほぼ同じ地域で犯行を重ねていたことだ。

ハーバート・マリンの最初の被害者は五十五歳の男性ヒッチハイカーで、放浪者だった。マリンは彼がハイウェイを歩いているのを見かけて、車で通り過ぎたのだろう。そして路肩に車をとめ、ボンネットを開けて中をのぞきこんだ。そこへ男性が近づき、手を貸すから乗せてくれと言った。男がボンネットの下に首をつっこんでエンジンを見ている間に、マリンは車の中から野球のバットを取り出して、男の頭を叩き割った。そして死体をハイウェイのそばの森の中に引きずっていき、そこに放置した。死体は翌日発見された。

最初の殺人の二週間後、マリンは父親から命令を受けた。生けにえとして二番目の被害者を殺すように、また環境が急速に汚染されていて地震が近づいているという仮説が正しいかどうか確かめよというのだ。そこでマリンはハイウェイで女性ヒッチハイカーを車に乗せ、運転しながらその胸にナイフを突き刺した。そして森の中で彼女を裸にして両足を広げ、環境汚染についての仮説を調べるため、腹を切り裂いた。そして内臓を取りだし、よく見えるように近くの木の枝にぶら下げて、調べた。死体は数カ月たって発見されたが、そのときにはすでに白骨化していた。そのため、警察は第一と第二の殺人に関連があるとは考えなかった。

無秩序型犯罪者は車を運転しないと前に述べた。だがマリンは無秩序型だが車を運転した。これは、私たちがあげた特徴がすべての殺人犯にあてはまるわけではないことを示す一つの例だ。ある意味で、プロファイリングがいまだに科学ではなく技術にとどまっているのはこのためだ。犯罪現場の分析が楽にできるように、照合表を作成してほしいという要望に私たちプロファイラーが応じることができない理由もそこにある。マリンは車が運転できるという点で、典型的な無秩序型殺人犯とはわずかに異なるが、その他の点では無秩序型の特徴を数多く備えている。被害者も凶器も行き当たりばったりで選び、死体を切り刻み、死体の発見やその身元の判明を防ごうとしないなどの点だ。二番目の被害者の死体が何カ月も発見されなかったのは単なる偶然で、犯人の計画や策によるものではない。

森の中でヒッチハイカーの死体を切り刻んだ四日後、マリンは父親の命令の妥当性について疑問を抱き、サンタ・クルーズから十五マイルのところにある教会へ行き、カトリックの司祭に告解を行なった。マリンがのちに語ったところによると、彼は生けにえにするために人を殺すようにという父親の命令について、司祭に話した。司祭は、「ハーバート、きみは聖書を読むかね？」と尋ねた。

「はい」

「戒律の、なんじの父と母を敬えというくだりを読んだことがあるね」

「はい」と、マリンは答えた。

「それでは、お父さんの言いつけにしたがうことが大切だと知っているだろう」

「はい」

「それは非常に大切なことだから、私は次の生けにえになることを志願しよう」と、司祭は言った（と、マリンはのちに語っている）。

マリンは司祭を殴ったり蹴ったりナイフで突き刺したりしたあげく、血を流している司祭を告解室に置き去りにして外へ走り出た。

二人がもみあっているところをある信者が目撃し、助けを求めに走った。マリンは逃亡し、司祭は死んだが、信者は犯人の人相を警察に告げた。ただし、犯人は背が高くやせていると描写したので、捜査の助けにはならなかった。

マリンは自分の人生がどこから狂いだしたのかを考え、ハイスクール時代にチームメイトから初めてマリファナをもらったときからではないかと思いはじめた。精神病が悪化するのに伴い、マリンはドラッグをやめていた。そして今、自分の人生がうまくいかないのはドラッグのせいだという結論に達した。彼はかつてのチームメイトが以前住んでいたサンタ・クルーズ郊外の、人里離れた地域へ行った。そこである家のドアを叩いた。その家には夫婦と子供たちが住んでいた。夫は非合法のドラッグの売買にかかわっていたが、そのときは留守だった。妻がドアを開け、捜している人はこの先に住んでいるとマリンに教えた。マリンの記憶によると、この女性は司祭と同じように、自分と子供たちを生けにえにしてくれと彼に頼んだという。マリンは女性と子供を銃で撃ち殺した。それから、元チームメイトの家を訪ねた。

チームメイトはマリンを家に招き入れ、二人の間で口論が始まった。元チームメイトもドラッグの売人をしており、家の中にはドラッグの売買に必要な装具が散乱していた。なぜ自分にマリファナを勧めて人生を狂わせたのかというマリンの問いに元チームメイトが答えられなかったため、マリンは彼を撃った。男は瀕死の重傷を負いながら階段を這い上がり、バスルームへ入った。そしてシャワーを浴びている妻に向かって、ドアの鍵をかけるよう叫んだ。しかしマリンはドアを蹴破り、妻も撃ち殺した。近所同士の二軒の家で五人が殺されており、どちらの家もドラッグの売買にかかわっていたことを知ると、警察はこの殺人がドラッグにからんだもの、取引上のいざこざか復讐が動機と考えた。この事件が、司祭と二人のヒッチハイカー殺害と関連があるとは思わなかった。

一カ月後、マリンは森でキャンプしている四人のティーンエージャーのテントに現われ、何をしているのかと尋ねた。キャンプをしていると少年たちが答えると、マリンは自分は森林警備員だと名乗った。そして、おまえたちは森を汚染しているからすぐに出ていくように、そもそもここはキャンプをすることが許されていない地域だと告げた。少年たちはマリンを追いだした。テントの中に二二口径のライフルがあったことも役立ったのかもしれない。マリンは、彼らが出ていったかどうか見るために明日また来ると言ったが、少年たちはそのままそこへとどまった。翌日、マリンは戻ってきて、テントの中のライフルで少年たちを撃ち殺した。四人の死体は翌週になって発見された。

そのときには、マリンはまた殺人を犯して逮捕されていた。人を殺せという父親の命令が再び下されたのは、マリンが車を運転しているときだ。そのとき、彼は通りの向こうでヒスパニックの男性が庭で草とりをしているのに気づいた。マリンはUターンして戻ってきて車をとめ、ライフルを取り出してボンネットの上で構え、男性を撃った。犯行は射殺された男性の隣人の目の前で行なわれた。マリンは落ち着いて現場から走り去ったが、隣人は彼の車のナンバーを書き留めて警察に通報した。この情報が無線で流された数分後にパトロール中の警官がマリンを発見し、車をとめさせて彼を逮捕した。つかまったとき、マリンは抵抗せず、そばに置いてあったライフルに手を伸ばそうとはしなかった。車の中には、数週間前のサンタ・クルーズ郊外での殺人に使った二二口径銃もあった。

マリンの法廷での態度と、十三人を殺害した四カ月間の行動には、無秩序型殺人犯の特徴がはっきり表われている。裁判の間、マリンは暴れるため、鎖で拘束されなければならなかった。彼は当面の問題とはまったく関係のない、支離滅裂なことを紙に書いては判事に提出した。十三件の殺人を結びつける論理は、マリンの狂った頭の中にしか存在しなかった。だが陪審員は犯行時に彼が正気だったと判断し、すべての点で有罪という判決を下した。

刑務所でマリンに面接したとき、彼は礼儀正しく従順だったが、あまり話をしたがらなかった。こちらが質問しようとしても、すぐに「もう部屋へ帰ってもいいですか？」と言い出す。殺人を犯したのは環境を救うためだ、と彼は言った。マリンが重い精神病にかかっていることは一目瞭然だった。マリンが筋金入りの犯罪者らと一緒に刑務所に入れられているのはばかげたことで、彼は精神病院へ収容されるべきだった。

秩序型と無秩序型の殺人犯はどちらが数が多く、より危険だろうか？　これは難しい問いだが、私たちが行なった調査と、現代社会についての経験にもとづく推測により、その答えに近づけるかもしれない。殺人犯についての私たちの調査では、全体の三分の二が秩序型、三分の一が無秩序型と判断された。私たちの調査対象者のように刑務所に入っているのはごく一部だが、すべての殺人犯についてもこの割合は当てはまるのかもしれない。

おそらく大昔から現代にいたるどの時代にも、無秩序型殺人犯はある決まった割合で社会に存在したのではないかと思う。こうした完全に正気を失った犯罪者は、何かの拍子にみさかいなく人を殺す。つかまるか殺されるかしないかぎり、それがやむことはない。無秩序型殺人犯に関しては、打つ手はあまりない。いつの世にもこうした殺人犯はいる。しかし近年私が切実に感じるのは、秩序型殺人犯の数と割合が増えているということだ。社会が流動的になり、大勢の人を一度に殺せる武器が手に入りやすくなるにつれ、反社会的な人物が残忍な殺人の空想を現実のものにする機会が増えるのだ。

7　プロファイリングとは何か

一九七四年に行動科学課に着任すると、私はハワード・ティーテンとパット・マレイニーのもとでプロファイリングの技術を学びはじめた。マレイニーは一九七二年から、ティーテンは一九六九年からプロファイリングの仕事にかかわっていた。ティーテンは、ニューヨークの精神科医、ジェイムズ・A・ブラッセル博士から指導を受けていた。ブラッセル博士は一九五六年に、「狂った爆弾男」がどのような人物かを正確に言い当てて、国じゅうを驚愕させた人物だ。狂った爆弾男は八年間に三十二個の爆弾をニューヨーク市内のあちこちに仕掛けていた。ブラッセルは犯罪現場や犯人の手紙、その他の情報を分析し、犯人は東欧からの移民で年は四十代、コネチカット市に母親と住んでいると警察に告げた。さらに、犯人は几帳面な性格で、母親を熱愛しており――犯人の書くWの先端が丸みをおびていて乳房のように見えることから――父親を憎んでいると予想した。逮捕されるときに、おそらく犯人はダブルの背広を着てきちんとボタンをとめているだろう、とまでブラッセルは予言した。実際、犯人のジョージ・メッツキーは連行されたとき、ダブルの背広のボタンをとめて着ていた。メッツキーは母親ではなく二人の未婚の姉と住んでいたが、その他のほとんどの点で彼の人物像はプロファイルにあてはまっていた。

一九六〇年代に、精神科医と心理学者から成るチームが「ボストン絞殺魔」の犯人像について見当はずれの予想をしたため、プロファイリングの評判が一時下がったことがある。しかし、見知らぬ人に対する凶悪な犯罪――解決するのが最も困難な犯罪――が増加するにつれ、プロファイリングの必要性も高まってきていた。一九六〇年代の殺人事件では、犯人が被害者と何らかの関係がある場合がほとんどだった。ところが一九八〇年代になると、犯人が被害者をあまりよく知らない「通り魔殺人」が、殺人事件の二十五パーセントを占めるようになった。こうした犯罪が増えたのは、社会が流動的で非人格的になり、暴力やあからさまなセックスが横行するようになったため、と社会学者は考えている。

当時、プロファイリングは現在にも増して科学とは呼び難いものだった。それはいわば徒弟関係により、何年もかかって苦労して身につける技術だった。ＦＢＩの中でさえ、それはきちんと任命されて携わる正規の仕事ではなかった。警察が自分たちの手に余ると思われる事件をまわしてきたり、賢明な警察官が協力を求めてきたときに、ほんのひと握りの人がそれに応じて行なっていたにすぎない。幸運なことに、私が初めてプロファイリングにかかわったのは、ティーテンとマレイニーが難しい事件に取り組んでいるときだった。それはモンタナ州で起きた未解決の誘拐事件で、同州に配属されていたFBI捜査官のピート・ダンバーによって私たちのもとに持ちこまれた事件だった。前年の六月に、ミシガン州ファーミントンから来たジェイガー一家がキャンプ中に、何者かがナイフでテントを切り裂いて、七歳の娘スーザンをさらっていったのだ。ティーテンとマレイニーが、誘拐犯人の予備的なプロファイルを作成していた。犯人はその地域に住む若い白人の男で、一人で行動することが多い。夜、あたりをうろついているときにジェイガー一家を見かけたのだろう。おそらくスーザンは殺されていると二人は予想したが、遺体が発見されなかったので、家族は希望を持ち続けていた。

捜査の初期の段階でデイヴィッド・マイアホーファーというベトナム帰りの二十三歳の青年が容疑者として浮かんでいた。情報提供者がその男のことをダンバーに教えたのだが、ダンバーはたまたまマイアホーファーを知っていた。ダンバーによると、彼は「身だしなみがよく、ていねいで非常に頭がよく……礼儀正しい」人物だった。マイアホーファーはティーテンとマレイニーの作成したプロファイルにあてはまっていたが、彼を誘拐と結びつける証拠がなかったため、起訴されなかった。ジェイガー夫妻はミシガンへ帰り、ダンバーも事件から手を引いた。

ところが一九七四年の一月に、マイアホーファーの求婚を断ったボーズマンに住む十八歳の娘が行方不明になり、ふたたびマイアホーファーが容疑者として挙げられた。彼は自白薬を飲み、うそ発見器にかけられることを自ら申し出た。彼は二つの犯罪に関してどちらのテストもパスし、弁護士はマイアホーファーが無条件に釈放されることと、今後当局が彼に近づかないことを要求した。

しかしこの第二の事件から得られた情報により、プロファイラーたち——今回は新入りの私も参加した——はプロファイルを修正することができた。このプロファイルはマイアホーファーが犯人であることを示唆するものであり、私たちの信念は彼が自白薬とうそ発見器によるテストをパスしたという事実にもぐらつかなかった。こうしたテストは真実を見分けるよい方法だと一般には考えられている。確かに、ふつうの人が対象の場合にはそう言える。しかし精神病質者《サイコパス》（精神病ではないが、正常から逸脱した人格の持ち主）は自分の中の犯罪を犯す人格と、抑制のきく人格とを分離することができる。したがって精神病質者がこうしたテストを受けると、抑制のきく人格のほうが犯罪についての知識をすべてシャットアウトするため、しばしばテストをパスするという結果になる。マイアホーファーは、あるときには抑制がきき、あるときにはまったく抑制がきかなくなるのだ。マイアホーファーが犯人に違いないので、テストの結果がどうであれ、彼から目を離さないように、と私たちはダンバーに告げた。

犯人は犯行時に感じた興奮を再現するため、被害者の家族に電話をかけるかもしれない、とティーンとマレイニーは考えた。そこでダンバーは、電話のそばにテープレコーダーを置いておくようジェイガー夫妻に指示した。

事件の一年後、スーザンが誘拐された日に、ミシガンのジェイガー家に、スーザンを預かっているという男から電話がかかった。「あざけるような、気取った調子の話し方でした」と、電話に出たミセス・ジェイガーはのちに新聞記者に語っている。その正体不明の男は、スーザンをヨーロッパのある国に連れ去り、そこでジェイガー家ではとてもできないようなぜいたくな暮らしをさせてやっている、と話した。「私は向こうが期待しているような反応を示しませんでした」と、ミセス・ジェイガーは語った。「心からその男を許してやろうと思いました。私が同情と思いやりを見せたので、相手は心底びっくりしたようです。警戒を解いて、しまいには泣きだしました」

電話の男はスーザンが死んでいることは認めず、逆探知する前に電話を切ってしまった。テープを分析したFBIの声紋鑑定家は、あざけるような声がマイアホーファーのものだと断定した。しかし、当時モンタナの裁判所は声紋鑑定家の証言を、容疑者の家を調べるための捜索令状を発行するのに十分な証拠とは認めなかったので、当局はマイアホーファーに対して手の出しようがなかった。

マレイニーはミセス・ジェイガーとマイアホーファーの会話のテープを聞き、大胆な手を提案した。「マイアホーファーは女性に支配されるタイプではないかと考えたんだ」と、彼はのちに語っている。「そこでモンタナへ行って、やつに会ったらどうかとミセス・ジエイガーに勧めた」ミセス・ジェイガーはモンタナにあるマイアホーファーの弁護士の事務所で彼と対面した。しかしマイアホーファーは落ち着きはらって、完全に感情を抑制していた。だがミシガンへ戻ってからまもなく、ミセス・ジェイガーのもとに「ミスター・トラヴィス」と称する男からのコレクトコールが、ソルトレイク・シティーからかかってきた。トラヴィスは、スーザンを誘拐したのは自分だと話した。ミセス・ジェイガーは相手の言葉をさえぎって、「あら、こんにちは、デイヴィッド」と言った。

この一件についてのミセス・ジェイガーの宣誓供述書が証拠として認められ、ダンバーはマイアホーファーの自宅を捜索するための令状を手に入れることができた。捜索の結果、二人の女性被害者の死体の一部が発見された。こうした証拠をつきつけられたマイアホーファーは、この二つの殺人が自分の犯行であることを認めた。また、それより前に起こって未解決になっていた、地元の少年の殺害事件も自分の仕業であると自供した。自供したあと、マイアホーファーは独房へ入れられ、翌日首を吊って自殺した。

クワンティコで作成されたプロファイルが事件解決に役だったことはあきらかだった。もしこのプロファイルがなかったら、情報提供者によって名指しされた容疑者にダンバーがこれほど関心を持つこともなかっただろう。その後第二の殺人が起こり、マイアホーファーがうそ発見器と自白薬によるテストにパスしてからは、ダンバーはクワンティコのプロファイルに助けられて粘り強く捜査を続け、マイアホーファーが犯人だという確信を深めた。そして、女性に対するマイアホーファーの心理的弱さを見抜き、ミセス・ジェイガーが彼をゆさぶることができるだろうとマレイニーが判断したことが、最終的にマイアホーファーを陥落させることになったのだ。

早い時期に経験したこの事件により、私はプロファイリングの持つ力と可能性とを知った。プロファイリングによって有力な容疑者が確定され、現地の捜査官がそれに助けられて、はたしてそうするべきかどうか疑わしい状況にもかかわらず、その容疑者を追い続けたのだ。さらにマイアホーファーの事件は、私たちが経験を積めば積むほど、また凶悪犯についての情報を多く集めてそれを理解すればするほど、プロファイリングの腕が上がることを教えてくれた。

まったく同じ犯罪、または犯罪者はこの世に存在しない。プロファイラーは犯罪にあるパターンがないか探し、それによって犯人の特徴を予想する。それは事実をもとにした作業で、分析的、論理的な思考プロセスを伴う。何が起こったかについてできるだけ多くの情報を集め、なぜそれが起こったかを経験にもとづいて推測し、それらの要素から犯人像を導き出す。一言で言えば、「何が」と「なぜ」から、「だれ」を割り出すのだ。

プロファイリングの目的は、潜在的容疑者の範囲をせばめ、犯人である可能性が最も低い人たちを除外して、ある程度目星をつけて捜査にあたれるようにすることだ。かなりの確信を持って犯人は男性だと言うことができれば、人口の半分が容疑者から除外される。「成人男性」と言えばさらに範囲がせばめられるし、「独身の白人男性」となると、なお数が少なくなる。こうして選別していくと、またたくまに捜査の対象がしぼられる。項目が増えるごとに、潜在的容疑者の数は減っていく。犯人は職についていない、以前に精神病の治療を受けたことがある、犯罪現場から歩いて行ける範囲に住んでいる、という具合だ。

私はクワンティコでも地方でも、何回となくプロファイリングについての講義を行なった。その際、プロファイリングの原則をくり返し教えるのだが、生徒たちは決まってもっとはっきりした指針がほしいと言う。どんな質問をすればいいか、犯罪現場の特徴で最も重要なのは何かといったことを説明した教科書はないか、と聞く。警察官やＦＢＩの捜査官でさえ、チェックリストをほしがる。犯罪現場から得たこれこれの証拠を機械に入れてボタンを押せば、完全なプロファイルが出てくる、というようなシステムを期待しているらしい。そのうちそれを可能にするコンピュータプログラムが開発されるかもしれない。だがわれわれが五、六年研究しているにもかかわらず、まだそれは実現しない。いまのところ、プロファイリングは経験豊かな人間、特に心理学を勉強したことのある人が行なうのが最もよい。これは大変な努力を要する作業だ。頭を使って、複雑なパズルを解いていかなくてはならない。

パズルの核心にあたるのが犯罪現場で、手に入る最も有力な証拠はたいていここで見つかる。私たちはそれを徹底的に分析してその犯罪の性質を理解し、それによってその犯罪を犯したのがどんな人物かを探る。特殊学級の女性教師が殺害された現場であるブロンクスのアパートの屋上を例にとってみよう。現場で見つかったものはほとんどすべて被害者のものだった。被害者を絞殺するのに使われたハンドバッグ、陰毛にさしこまれた櫛、遺体に卑猥な文句を書くのに犯人が使ったフェルトペンなどだ。そのことは、犯人がどんな人間かを判断するうえで非常に重要だった。これにより、犯人はあらかじめ計画したのではなく、いきあたりばったりに犯行に及んだのではないかと推測された。事件によっては、犯人がテープ、なわ、銃といった、被害者を拘束するための「レイプ用具」を自分で持ってくる。

私がプロファイラーとしてかかわったこの殺人事件では、こうしたレイプ用具が使われなかったことが大きな特徴だった。十月のある午後、ブロンクスにある公営アパートの屋上で、そこの住人で特殊学級の教師をしている若い女性の全裸死体が発見された。フランシーン・エルヴソンは身長百五十センチ足らず、体重も四十五キロ以下の小柄な女性だった。両親と一緒にそのアパートに住み、近くにある託児所で障害児の指導をしていた。その日の朝早く、仕事のために自宅を出るのを目撃されたのが最後だった。

遺体はきわめて不自然なかたちに置かれていた。捜査官たちはそれが何を意味するのかわからなかったが、両親にそのことを話すと、そのかたちはヘブライ語のアルファベットのチャイという文字を表わしているらしいことがわかった。フランシーンはその文字を型どったペンダントを首に下げていたという。ペンダントはなくなっていた。しかしこれは反ユダヤ人主義者による犯罪ではなく、残忍なセックス殺人だった。遺体の頭の両わきに、被害者がつけていたイアリングが置かれていた。両手首はストッキングでゆるく縛られ、パンティーが頭にかぶせられ顔をおおっていた。残りの衣類はそばに置かれており、犯人はその下に脱糞していた。被害者は顔面を殴られ、ハンドバッグの革ひもで首を締められ、死後にめった切りにされていた。乳首が切り取られて胸の上に置かれ、体中に血が塗りたくられていた。内腿には嚙んだ跡があり、傘とペンが膣に突き刺してあり、陰毛に櫛がからませてあった。腿と腹部には、「ファック・ユー。おれを止められるものか」とインクで書かれていた。

遺体には精液と、被害者のものではない黒い陰毛が一本付着しており、この陰毛がしばらくの間、警察を混乱させることになった。ニューヨーク市警の殺人課刑事トマス・フォウリーから私たちのもとへ現場写真その他の情報が送られてきたとき、警察はすでに二十二人を容疑者として挙げており、その中には犯人の可能性がきわめて高いと思える者も何人かいた。ニューヨークは人口が多く、面積も広いため、犯罪者となりうる異常で凶暴な人間が数多くいるから、これは不思議ではない。ある有力な容疑者は犯行のあったアパートに住み、性犯罪で投獄されたことのある男だった。もう一人は以前そのアパートの管理人をしていた黒人で、アパートの鍵を返さずに持っていた。三人目は事件の朝、学校へ行くときに階段にフランシーンの財布が落ちているのを見つけた十五歳の少年で、彼はその日だいぶ時間がたってから財布を父親に渡して、持ち主に返してくれと頼んでいた。

現場写真や他の証拠を調べたところ、私は黒い陰毛は事件とは無関係という結論に達した。別のプロファイラーはその意見に反対だったが、私はこの犯罪は精神異常者によるものと考えていた。遺体に加えられた暴力の激しさがそのことを物語っていた。また、レイプ用具がなかったことは、犯人が事前に計画したり被害者を尾行したりしていないことを示す。あらかじめ相手にねらいをつけて襲う犯人は、被害者を拘束するための道具を持ってくるものだ。これはあきらかに衝動的な犯行で、犯人がたまたま被害者と出会ったために起こったのだ。現場はグループによる犯行のように見せかけている部分もあったが、犯人は一人だと思われた。私たちのプロファイルによると、犯人は白人の男で年齢は二十五から三十五。被害者と顔見知りで、そのアパート、あるいは近くのビルに住んでいるかそこで働いている。犯人はおそらく精神異常者で、リチャード・チェイスの場合と同様発病から十年はたっており、ついにそれがめった切り殺人というかたちで顕在化したのだろう。重度の精神病患者が犯人の場合は、自分の家からさほど遠くない場所でこうした犯罪を犯すのがふつうだ。犯人が現場の近くに一人で、または口うるさくない片親と一緒に住んでいる、と私が考えたのはそのためだ。遺体に書かれた文句や遺体の扱いかたから見て、犯人はあまり教育のない人物と思われた。おそらく学校を中退しており、遺体をどうやって切り刻むか、どんな文句を書くかといったことは自分が集めたポルノ雑誌などから学んだのだろう。犯人に精神病の病歴があることは確実だと思われたので、過去一年以内にどこかの精神病院を退院している可能性もあった。また、殺人を犯すきっかけとなった、何らかの大きなストレスがあったことも推測された。それまでに大規模な捜査が行なわれていることを考えると、犯人はすでに尋問されている可能性が高いと思われた。

このプロファイルにより、フォウリーと部下たちは捜査の方向を修正した。犯人は白人らしいということで、アパートの元管理人についての捜査はしばらく中止した。また、性犯罪の前科がある男もいまは幸せな結婚生活を送っており、職にもついていて過去のことはすでに清算しているようなので、容疑者リストからはずした。一方、前に一度リストからはずされた男が、容疑者として再浮上した。事件のあったアパートの四階（被害者と同じ階）に父親と二人で住んでいるカーマイン・カラブロという男で、精神病の病歴があった。警察は事件の直後に父親から話を聞いていた。それによると父親は十一年前に妻をなくしており、そのとき息子は十九歳だったという。殺人が起こったとき息子は精神病院に入院していたと父親は語り、警察はこのアリバイを確認していなかった。そこで今回はこれがはたして事実か、念入りにチェックされた。

カーマイン・カラブロはハイスクールを中退し、近くの精神病院に一年以上入院したのち、芝居の裏方をしていたが、最近その仕事を解雇されていた。警察に対して最初、自分は失業中の俳優だと話したが、のちに失業中の裏方だということを認めた。カラブロが父親とともに住んでいるアパートの部屋には、膨大な量のポルノがあった。警察が精神病院を調べると、そこの警備態勢が実にずさんであることがわかった。カラブロがこっそり病院を抜け出て殺人を犯し、戻ってきたとしてもだれも彼がいないことに気づかなかっただろう。事件当時彼は腕にギプスをはめており、このギプスで被害者を殴って気絶させたのではないかと警察は考えた。しかしカラブロの身辺を警察が捜査しはじめたころには、ギプスはとっくに捨てられていた。だが幸い、彼が犯人であることを立証するのにギプスは必要なかった。被害者の遺体に歯形という重要な手がかりが残っていたのだ。ロウエル・レヴァイン博士をふくむ三人の法歯学者がそれを調べ、噛みあとがカラブロの歯形と一致することを突きとめた。カラブロは有罪になり、二十五年から無期の刑を宣告された。

捜査により、カラブロはそれまで何回にもわたって自分自身を傷つけており、数度の自殺未遂も経験していることがわかった。また多くの人が、女性に対する彼の自信のなさを指摘した。女性と正常な関係を持てないことが、この犯罪を犯すきっかけになったようだ。

エルヴソンの遺体が検死官のもとに移送されるときに使われた遺体袋は、以前に黒人の男性を運ぶのに使われたもので、移送の前にきちんと清掃されていなかったことがのちに判明した。説明のつかなかった陰毛はエルヴソンの遺体についていたものではなく、以前の殺人事件に関係したものだった。

エルヴソン‐カラブロ事件が解決したあと、フォウリーの上司が新聞記者にこのように語った。「連中（プロファイラーたち）はやつ（犯人）を実に正確につきとめていたから、なぜついでにやつの電話番号も教えてくれなかったのか、ＦＢＩに聞いてやったよ」この賛辞を私たちは気に入った。だがこの事件により、難事件で容疑者の範囲をせばめるのにプロファイリングが役立つことをニューヨークの警察関係者が気づいてくれたことに、私たちはより大きな満足を感じた。

法廷では、カラブロは最後まで犯行を認めなかった。しかし、事件のプロファイルについての情報を盛りこんだ記事がサイコロジー・トゥデイ誌に掲載されると――記事には犯人の名前は書かれていなかった――カラブロから私たちあてに手紙が届いた。彼が直接私たちに手紙を書き、記事に要約されていた事件について言及したことは、カラブロが初めて自分の犯行を認めたことにほかならない。手紙には、私たちが作成した心理学的プロファイルのいくつかの点が「私個人としては正しいと思います」と、書かれていた。

ヴァージニア州リッチモンドで講演するため、ＦＢＩの車で州間高速道《インターステート》を走っているとき、ただちにクワンティコへ戻るようにという無線連絡が入った。これから大事な講演をすることになっているのだがと言うと、レーガン大統領が暗殺されたからぜひ戻ってきてほしいという。私はUターンをしてクワンティコへ向かった。途中でラジオを聞いたところ、幸い大統領をはじめ被害者たちは撃たれたが命に別状はなく、回復する見込みだということを知った。私は運転しながらニュースに耳を傾けるとともに、サーハン・サーハンやアーサー・ブリーマー、サラ・ジェーン・ムーアといった暗殺者たちと面接したときのことを思い出した。アーサー・ブリーマーとの面接は、サーハンとの面接とあらゆる点で似ていた。この二人はまったく同じ行動パターンを示し、どちらも完全な妄想型分裂病だった。ブリーマーは外観も奇妙だった。引きこもった状態のときのハワード・ヒューズとでも言おうか——髪は伸びほうだいでひげはぼさぼさ、目はきょときょとして落ち着きがない。自分の全財産を詰めこんだ紙袋を二つ持ち歩いていた。だがジョージ・ウォレス知事を暗殺しようとしたときには、ある程度自分の行動をコントロールできる状態にあったようだ。クワンティコへ戻る途中、デイヴィッド・バーコウィッツのことも頭に浮かんだ。彼は暗殺者ではなかったが、暗殺犯人と同じ性格的特徴を備えていた。ブリーマーがウォレスをねらったように、バーコウィッツも特定のタイプの被害者をねらった。

クワンティコへ着くと、本部とのホットラインで、この暗殺事件を担当しているFBI捜査官のフランク・W・ワイカートと話をした。当局はすでに犯人のジョン・ヒンクリーを拘留しており、彼が泊まっていたモーテルの部屋を捜索するにあたってどんな物を探せばいいかを助言してほしいということだった。私はヒンクリーについてどんなことがわかっているのかを尋ねた。

ヒンクリーは二十代半ばの白人男性、デンヴァーの大学生で独身、かなり裕福な家庭の出身らしいことがすでにわかっていた。銃を乱射したあと、シークレット・サービスにあっさり取り押さえられ、いまはおとなしくなっている。FBIが彼のモーテルの部屋の鍵を押さえていた。

ヒンクリーはすでに拘留されていたが、捜査のこの段階ではまだショックとパニックがおさまっておらず、さまざまな手違いが起こる危険があった。そもそもワシントンDCはいくつもの警察が管轄権を持っている地区であり、それぞれが証拠を手に入れようとモーテルに踏みこむかもしれない。証拠がきちんとしたかたちで押収されないと、裁判所に証拠と認められない恐れがある。そうなると、ヒンクリーを起訴することが難しくなる。それを防ぐには、検察当局が探すべき物を具体的に挙げた捜索令状を手に入れることが大事だった。要は、捜索がいきあたりばったりに行なわれているのではないと示すことだ。

したがって、ここでは単なるプロファイル以上のものが必要だった。この暗殺者の心の中に入りこんで彼がどんな人間かを探り、その人格を示すどんな証拠を残しているかを推測しなければならない。私はワイカートにこのように話した。ヒンクリーについてのこれまでの情報から判断すると、彼は精神異常型の暗殺者だと思われる。ただし、自分が何をしたのか、自分に何が起こっているのかわからないほど障害がひどくはない。雇われた殺し屋、あるいは何らかの陰謀を企てているグループのメンバーではなく、一人で行動する内向的な人間である。大学のキャンパスでよく見かけるタイプ——女性とつきあうのが苦手でデートをしたことがなく、スポーツのチームやクラブにも参加せず、成績もぱっとせず、空想にふけることに喜びを見いだしている。したがって、ヒンクリーの泊まっていたモーテルの部屋や彼の車、デンヴァーにある自宅で捜すべきものは、そうした孤独な生活と空想癖を示す証拠である。

捜索にあたっては、彼の空想に関係したもの——日記、スクラップブック、読み物など——を確保する。読み物はごくあたりさわりがないように見えるものもふくめて、すべて押収するべきである。それらはヒンクリーの人格を理解する手がかりになるからだ。たとえば、雑誌の記事や本でアンダーラインがしてある箇所があれば、ヒンクリーがどんなことを重要だと思っていたのかがわかる。テープレコーダーとテープは捜すべきものの筆頭だ。このような孤独な人間は、日記がわりにテープに録音することがよくあるからだ。ヒンクリーの足跡を少なくとも半年、場合によっては一年前までさかのぼってたどる必要があるから、クレジットカードや領収書も重要だ。ブリーマーのような暗殺者はねらった相手を尾行したが、ヒンクリーも同じことをしたかもしれない。ホテルの領収書に電話の記録が残されているかもしれない。もしヒンクリーが電話用クレジットカードを使っていれば、それからも彼の行動や関心がわかるだろう。

私が挙げた十数種の品物のリストにもとづいて捜索令状が作成され、捜査当局はそれによってヒンクリーが使用したモーテルや他の部屋から、それらの品物を押収した。私が重要だと考え、捜すように提案したものはほとんどすべて見つかった。たとえば、ヒンクリーとジョディ・フォスターの会話を録音したテープだ。レーガン大統領夫妻の写真がついた絵はがきもあった。ヒンクリーがフォスターにあてたもので、このように書かれていた。

ジョディへ。この二人、似合いのカップルだよね? ナンシーは実にセクシーだ。いずれきみとぼくがホワイトハウスに住むことになる。世間のやつらはさぞうらやましがるだろう。その日がくるまで、どうかヴァージンでいてくれ。きみ、ヴァージンなんだろう?

ジョン・ヒンクリー

ヒンクリーはこれを送りはしなかったが、書くことは書いた。押収されたものの中には、フォスターにあてた手紙もあった。これからレーガンを撃ちに行く。もう帰ってこられないかもしれないが、ぼくがきみのためにこれをしたことをわかってほしい、という内容だ(他の品物に加えて、この手紙はレーガンへの攻撃が計画的な犯行だったこと、また自分がやろうとしていることが違法だとヒンクリーが知っていたことを示す証拠とされた)。その他に日記や、余白に書きこみをした紙があった。その一つにはこう書かれていた。「すべてが旋回する／それでも娘たちは／笑い、わたしの名前をばかにする」ジョディ・フォスターが主演した、暗殺者を描いた映画「タクシードライバー」の注釈つきの脚本もあった。私は電話で得た情報から、ジョン・ヒンクリーは女性とうまくつきあえず、空想の世界に住んでいる孤独な男という人物像を描いたが、見つかった資料はみなこれを裏付けていた。

私たち法執行関係者が決して忘れることができないのは、殺人とは被害者の家族、友人、仕事仲間などに深い傷を残す、残酷な犯罪であるということだ。シカゴのジェイムズ・キャヴァナ博士から連絡を受けたとき、できるだけのことをして協力しなければという思いにかられたのも、この基本的な認識のためだった。キャヴァナ博士は法精神医学に関係した問題を扱うシカゴのメディカルセンターの医学部長で、犯罪者性格調査プロジェクトの顧問を務めていた。博士の教え子であるローリー・ロセッティという若い女子医学生が、メディカルセンターに近い鉄道線路の脇で殺されているのが発見されたということだった。ロセッティは聡明で優しく、オールAの成績をとっていた優秀な学生で、女性のためにキャンパスでの護衛《エスコート》サービスの復活を要求する運動を終えたところだった。その要求は、予算不足のために受け入れられず、彼女の努力は徒労に終わっていた。ロセッティはセンターのだれからも好かれており、スタッフもキャヴァナも彼女の死に大きなショックを受けていた。

送られてきた資料から、事件の概要を知った。十月の土曜日に、ロセッティは数人の学生と一緒に午前一時半ごろまで部屋で勉強していた。その後、本やバッグを抱えて男子学生と二人で、自分の車を取りに下の駐車場へ行った。男子学生を乗せて駐車場の別のフロアへ行き、そこで彼をおろした。男子学生はドアをばたんと閉めたので、彼女はドアがロックされていると思いこんだのだろう。その男子学生や他の人が警察に語ったところでは、ロセッティはいつもそのことに細心の注意を払っていたという。メディカルセンターはイリノイ・サークル大学のキャンパスの端の、治安の悪い環境にあったので、センターへの行き帰りには用心していたのだ。

同じ日の朝五時半に、メディカルセンターから半マイルほど離れた、黒人の貧困層の居住地域に隣接する鉄道の陸橋のそばで、ロセッティの遺体と車が見つかった。検死によると、彼女は顔面をめった打ちにされ、みぞおち周辺にも外傷を負った上、数回にわたって性的暴行を受けていた。自分の車にひかれた形跡もあった。車のドアとトランクは開いており、彼女の空の財布が現場に落ちていた。

容疑者は挙がっていなかったが、警察は被害者とプラトニックな関係にあった男友達に関心を持っていた。この青年はロセッティとより親密な関係になることを望んだが拒否されていた。彼は金曜の夜と事件があった日の朝、突然町に姿を現わしていた。警察はまた、メディカルセンターでロセッティと面識があった人たち――たとえば、駐車場に自由に出入りできる管理人――や、彼女が住んでいた地域も調べていた。さらに、鉄道線路やそばの陸橋の近くでトラックを運転していた人たちを捜そうとしていた。要するに、捜査をあらゆる方向に進めていたのだ。プロファイリングの見地から言えば、この事件はさほど難しくはなかった。犯罪現場周辺の航空写真と検死報告書などの資料に目を通したあと、私は事件の担当刑事に口頭でプロファイルを伝えた。

プロファイルは、ロセッティが駐車場を出てから起こったと思われる状況にもとづいて作成したものだ。彼女はおそらくこのすさんだ地域を通り抜ける途中、赤信号で止まったのだろう。そこへ何人かの男が近づいて車の行く手をさえぎり、一人がドアを引っ張った。ロセッティはドアがロックされていると思っていたが、実は開いていた。この連中がどこかひと気のない場所まで車を運転して行かせ、そこで彼女をレイプして殺し、金を奪った。

これは日和見的な事件だという気がした。盗みがおもな目的で、性的暴行は付随的なものだった。被害者を殺害したのは犯人の身元を明かさないためで、これは犯人グループの異常性を表わしている。大量の精液が検出されたことから、犯人は一人ではないと思われた。この事件には、集団による犯行の特徴がいくつも見られた。私は警察に、黒人の若者のグループを捜すようにアドバイスした。三人から六人の男のグループで、年齢は十五から二十くらい。刑務所に入っていたことがあり、ロセッティが拉致された場所と殺害現場である鉄道陸橋の近くに住んでいる。白人の中流階級の居住地域では、若者は同じ年齢のグループで行動することが多い。しかし黒人の居住地域では、さまざまな年齢が混ざっているグループが多く、年下の者が年上の若者について行動する。この殺人は、セントラルパークでジョギング中の女性が若者の集団に襲われるという事件よりずっと前に起こったものだ。セントラルパークの事件では、犯人の若者たちが「ワイルド」な状態だったと説明された。当時私がこの表現を知っていれば、ローリー・ロセッティ殺害を描写するのにこの「ワイルド」という言葉を使っていただろう。アナルセックスが行なわれた形跡があることから、グループの中の少なくとも何人かは、投獄された経験があると考えた。刑務所ではこうしたセックスが一般的だからだ。

警察はロセッティと個人的にかかわりのあった人たちを中心に捜査を行なっていた。もしこれを続けていたら、事件の核心からますます遠ざかっていただろう。プロファイルによって警察は捜査の方向を修正し、それによって事件の解決を早めることができた。プロファイルにもとづいて、警察は犯罪現場に近い黒人居住地域にポスターを貼り出した。女子医学生から金を奪ったこと、またはロセッティ殺害に何らかのかたちでかかわったことを自慢している黒人の若者がいたら通報するように、情報提供者には謝礼金が与えられる、という内容だ。すぐにいくつかのあだ名が警察に伝えられ――シム・シャムというのがその一つ――そのあだ名を持つ若者が連行されて尋問された。四人の容疑者のうち最年少者は十四歳だった。尋問の結果彼は犯行を認め、他に十七歳と十六歳の容疑者もそれぞれ自供した。この二人はすでに合わせて二十数件の前科があり、どちらも少年院に収容された経験があった。四人目の容疑者の捜索が行なわれている間に、事件の全貌があきらかになった。夜を一緒に過ごしたあと、四人は金がなくなり、金を奪うことのできそうな車を捜していた。十五分ほど待ったところで、白人の女性が一人で乗っている車が信号で止まった。グループのうち二人が車の前に立ちはだかり、もう一人がロックしていないドアがないか調べた。彼は開いているドアを見つけて乗りこみ、仲間のために他のドアを開けた。四人はロセッティに運転させて陸橋のところへ行き、護身のために車の中に入れてあった先のとがった棒で彼女を刺した。そして車のボンネットの上に彼女を乗せてレイプしてから、殴って気絶させた。ロセッティが身動きするとビニール袋に入れたコンクリートの塊で頭を殴った上、車で轢いた。その後四人は歩いて家へ帰った。

四人目の容疑者（十八歳）もその後自首してきた。あとになって容疑者の何人かが、自白は警察によって強要されたもので、それを撤回すると主張した。だが陪審員はそれを信用せず全員が有罪となり、三人が刑務所へ、一人が少年院へ送られた。ロセッティが要求していた護衛システムは復活された。むろん犯人たちが有罪になろうと、警備が強化されようと、ローリー・ロセッティが戻ってくるわけではない。だが犯罪者が罪の報いを受け、新たな被害者が出るのを防ぐための態勢が整えられたことがコミュニティ、ロセッティの家族や友人、そしてキャヴァナ博士とメディカルセンターのスタッフにとって、せめてもの慰めとなった。

FBIがプロファイリングを行なう事件の多くは、犯人がすでに逮捕されているがその犯行がきわめて特殊であるため、警察がその取扱いについての助言を求めてきたものである。一九八五年十一月の感謝祭前のある朝、裸で両手両足に手錠をかけられた十代の少女が、フロリダ州マラバーの近くの道路沿いを、助けを求めながら這っていた。少女は多量の血を失ってふらふらしていた。数台のトラックが通り過ぎたあと、一台の車がとまった。「わたしをあの家に連れ戻すつもりじゃないでしょう?」と、少女はおびえきって尋ねた。車を運転していた男性は、助けてあげるからと言って、少女を車に乗せた。少女はそこから二、三軒先にある家を指さし、「あの家をおぼえておいて」と、彼に頼んだ。その家には手入れの行き届いた芝生と何本もの木、それにプールと中庭があった。男性は少女を家に連れて帰り、警察に連絡して救急車を呼んだ。少女は体内の血液の四十から四十五パーセントを失っており、両手と両足首と首のまわりに縛られたあとがあることが、病院で確認された。

元気を回復すると、十九歳の少女は警察に事情を話した。それによると、前の日に友達の家に行くため、ブレヴァード郡でヒッチハイクをしていたところ、ジャケットにネクタイ姿の男性が車に乗せてくれた。男性は、目的地の近くまで乗せてやるが、取ってきたいものがあるので家に寄ると言った。家に着くと、中に入るように言った。少女が断ると、彼は車の後部にまわって彼女の後ろに乗りこみ、ナイロンのひもで首を締めて気絶させた。

意識が戻ると、少女はキッチンのカウンターに縛りつけられ、手足の自由を奪われていた。ビデオカメラとライトがセットされていた。男は彼女をレイプし、それをビデオに撮った。それから少女の腕と手首に注射針を刺して注意深く血を採り、自分は吸血鬼だと言いながら、それを飲んだ。それが終わると少女に手錠をはめてバスタブの中に入れ、その後戻ってきてまたレイプして血を採った。翌朝、また同じ行為をくり返したあと、男は彼女に手錠をはめ、あとでまた襲ってやる、もし逃げようとしたら自分の弟が来ておまえを殺すだろうと言った。男が家を出て行ったあと、少女はバスルームの窓を押し開けて、道路へ這い出た。もしそのとき逃げておらず、それ以上血を採られていたら死んでいたかもしれない、と医師は証言している。

少女が警察に教えた家は、ジョン・ブレナン・クラッチリーのものだった。NASAの請負業者であるハリス・コーポレーションに勤める、三十九歳のコンピュータエンジニアだ。結婚して子供が一人いたが、妻と子供は感謝祭の休暇の間、メリーランド州にある妻の実家に行っていた。捜索令状が出され、翌朝二時半にクラッチリーの家の捜索が行なわれた。クラッチリーは逮捕され、証拠になりそうなものが押収され、家の写真が撮られた。当初、少女はクラッチリーを告訴することをしぶったが、彼を有罪にすれば他の女性が犠牲になることを防げるとレイプ専門のカウンセラーに説得され、告訴に踏み切った。彼女がレイプについてのうそ発見器によるテストを受けてパスしたため、クラッチリーは被害者に対する性的暴行、誘拐、加重暴行のほか、マリファナと麻薬の備品の所持により起訴された。

警察はビデオカメラ、被害者を縛ったひもが結ばれていた天井のフック、マリファナ、暴行に使われた道具類などの証拠品は押収したが、ビデオテープの一部はすでに消されてしまっていた。被害者によれば、このテープに暴行の一部始終が写っていたはずだった。捜索のあと、警察が何を押さえ、何を逃したのか、また今後の捜索でどんな物を捜すべきかがわからなくなった。そこでこの段階で警察が私に協力を求めてきた。

私はこの事件にかかわることができてよかったと思った。警察は自分たちが危険なレイプ犯をとらえたと思っていたが、私はクラッチリーについて調べた結果、警察に拘留されているのは連続殺人犯ではないかという疑いを抱いたのだ。

今日、警察が抱えている最大の問題は、特殊な事件への対応の仕方がわからない点だ。具体的には、犯罪現場でどんな物を捜せばいいのかがわからない。証拠になりそうな物が最初の捜索ですべて押収されないと、犯人やその仲間が、事件解決の決め手になるような重要な証拠を隠したり、処分してしまう危険がある。この事件では、二回目の捜索でどんな物を捜すべきかを警察に教えるのが、そもそもの私の仕事だった。たとえば警察が撮ったクラッチリーの家の写真には、十センチ近い高さに積み上げられたクレジットカードの山が写っていた。だが二回目の捜索が行なわれたときにはこれらはすでになかった。おそらく処分されてしまったのだろう。

これらのクレジットカードや、クローゼットの中のフックにかかっていた十数個のネックレス（おそらく戦利品だろう）、家の中で見つかった二人の女性の身分証明書などから見て、ヒッチハイク中の少女を誘拐したのはクラッチリーの最初の犯行ではないと思われた。これらの身分証明書について聞かれると、二人の女性を車に乗せてやったところ車に身分証明書を忘れていき、それを返す機会がなかったのだとクラッチリーは答えた。ネックレスについては妻のものだと主張し、例のヒッチハイクをしていた少女は「マンソン・ファミリーの女」のような変態で、自分から倒錯したセックスを求めたのだと述べた。

事件の前年、ブレヴァード郡の人里離れた地域で女性の死体が四体発見されていた。警察はクラッチリーがこれらの女性を殺した可能性はないか調べたが、彼をこれらの死体と結びつける証拠を見つけることができなかった。二回目の捜索では、クラッチリーの敷地内の発掘とハリス・コーポレーションでの彼の部屋の捜索もあわせて行なうよう私は提案した。この捜索により、クレジットカードがなくなっていること、およびクラッチリーが海軍の兵器と通信についての膨大な量の極秘情報を違法に手に入れていることがわかった。こうした情報の一部はフロッピーディスクに入っており、それらは暗号によって保護されていたが、当局はそれを解読した。その他に、十二・五センチ×七・五センチの大きさのカードが七十二枚あった。それぞれに女性のファーストネームと電話番号、クラッチリーが評価したセックスの能力が書かれていた。警察がこれらの女性に電話したところ、クラッチリーに暴行されたり縛られたりしたことをほのめかした者も何人かいたが、大半は彼と倒錯したセックスを楽しんだだけだと答えた。クラッチリーの妻もそうした行為を行なっていたと思われるふしがあった。

私はクラッチリーの過去の行動を調べるよう主張した。調査により、一九七八年にヴァージニア州フェアファックス郡で、秘書をしていたデボラ・フィッツジョンが殺害された事件で、クラッチリーがデボラの最後の目撃者だったことがわかった。デボラは失踪する前、彼のトレーラーにいたことがわかっており、警察はクラッチリーがデボラ殺害とつながりがないか捜査していた。（起訴はされなかった）この事件以外にも、クラッチリーが住んでいた地域で女性が行方不明になったり、人里離れた場所で死体が発見されたりしている例が何件かあることがつきとめられた——ただし、これまでのところ、どれもクラッチリーとの関連ははっきりしていなかった。

一九八六年四月、裁判が始まる前、クラッチリーは血を飲んだこと（重大な身体傷害）および麻薬所持に対する告訴を取り下げてもらうことと引き替えに、誘拐とレイプに対して罪を認めた。

この段階で私は州検事から、再び事件に関与してほしいという依頼を受けた。誘拐とレイプを犯した者に科される刑は通常、初犯の場合に十二年から十七年で、刑務所での素行がよければそれが軽減されることもある。つまり、クラッチリーは四、五年で出所する可能性もあるわけだ。これは州民の利益に反するので、クラッチリーに対してもっと重い刑罰が適用されるようにしたいというのが、州検事の意向だった。私もその考えに同意し、刑の宣告に先立つ審問の前に、事件についての調査を始めた。

クラッチリーの家族はみな高度の教育を受けていたが、クラッチリーは五、六歳になるまで母親に女の子の格好をさせられるなど、育てられかたに異常な面があった。思春期に精神科医によるカウンセリングを受けたことがある、とクラッチリー自身も語っている。友人や前妻は、彼が人を支配するのが好きで、自分の命令にしたがわせようとしたこと、彼が性的なサディストだったことを証言した。彼がグループ・セックスにかかわっていたと言う人もいた。クラッチリーがバイセクシュアルであることを示す証拠もあり、カードに書かれていた女性たちの一部の話から、彼がさまざまな性的な実験をしていたこともあきらかだった。こうした過度の実験は、連続殺人犯の行動によく見られるものだ。

刑の宣告に先立つ審問で、私はクラッチリーに対して通常より重い刑が科されることを強く主張した。これが実行されるためには、検察側が十分な理由を提示することが必要だ。この事件では、被害者に対して肉体的、精神的に大きな危害が加えられたこと、過度に残虐な行為が行なわれたこと、犯行が計画的だったこと、抵抗できない相手を痛めつけたことが理由として挙げられた。ビデオカメラが用意されていたことや家族が不在だったことは、犯行が計画されたものだったことをはっきり示していた。被害者が大量の血液を失ったあともくり返し暴行を加えたことは、抵抗できない相手に対する残虐な行為であることはあきらかだ。またクラッチリーが何度も襲ってやると被害者に言ったことは、肉体的のみならず精神的な危害にあたる。

さらに私は、ジョン・クラッチリーが連続殺人犯のあらゆる特徴を備えていることを証言し、そのように考える根拠を示した。クレジットカードの束や他の「戦利品」は行方不明の女性たちのものと思えること、クラッチリーが性的な実験を好んだこと、この事件の被害者がさらに血を採られていたら死亡していたと思われること、ヴァージニア州で起こったフィッツジョン事件のことなどを具体的に挙げた。当時テッド・バンディの死刑執行が近づいており、バンディがさまざまな手によって処刑を引き延ばしていることがフロリダのクラッチリー事件と並んで新聞紙面をにぎわしていたが、私はクラッチリーとバンディが多くの点で似ていることも指摘した。

判事は私の主張を聞き入れ、結局クラッチリーはいくつかの罪状に対して、五十年の仮釈放つきで二十五年から無期の刑を宣告された。

一九八九年の十月、私は引退する準備を進めており、プロファイリングの仕事はだいぶ前から他の人にまかせていた。だがＦＢＩでかつて一緒に仕事をした人や、私が教えた人が全国におり、彼らに助力を求められた場合は必ず応じることにしていた。かつて私がかかわった犯罪を彷彿《ほうふつ》とさせる事件に再び取り組むことになったのは、そのようないきさつからだった。

ハロウィーンの直前のあるウイークデーの午後、オハイオ州ベイ・ヴィレッジの警察署の真ん前にある小さなショッピングセンターから十二歳のエイミー・ミハレヴィッチが白昼、姿を消した。「行方不明者」のポスターに載っているエイミーは、典型的なアメリカの十二歳の女の子だった。青い目に茶色の髪、顔にそばかすがあり、大きなイアリングをして青緑色のジャンプスーツを着ている。その写真を見ると、これは何かの間違いで、エイミーはまもなく角を曲がって家に帰ってくる、と期待せずにはいられなかった。しかし、現実にはその可能性は低かった。

この事件はかつての私の同僚であるＦＢＩクリーヴランド局の捜査官ジョン・ダンが担当していた。ダンが私に事件への協力を求めたので、私はベイ・ヴィレッジへ出かけた。

ＦＢＩは早い時期からこの事件に介入しており、私が現地に到着したときにはダンがすでに郊外の警察署に特別捜査隊の本部を設置しており、二十名ほどの局員が、地元警察に協力していた。

エイミーが誘拐されたことは確かだったが、それ以外にはっきりしていることは何もなかった。身代金の要求はなく、遺体は発見されておらず、格闘のあともなかった。おもな証人はエイミーの弟で、彼の話によると、姿を消す数日前、エイミーは自宅で男の人からの電話を何度か受けた。電話の内容は次のようなものだったらしい。「おじさんはきみのお母さんの同僚だ。お母さんが昇進したので、みんなでお祝いをあげたい。放課後ショッピングセンターでおちあって、おじさんがプレゼントを選ぶのを手伝ってほしい。これは秘密だからだれにも言わないように。お母さんにプレゼントのことを知られたくないから」

弟には話してもいいかとエイミーが尋ねると、男はだめだと言った。弟はおしゃべりだから話さないほうがいいと思う、とエイミーは言ったが、電話を切ると結局彼に話した。ショッピングセンターでエイミーが車に乗った男と話しているのを数人が目撃しており、彼らの証言をもとに男の似顔絵が描かれ、エイミーの行方を尋ねるポスターとちらしに載せられた。男は白人で比較的若いというだけで、ほかにきわだった特徴はなく、眼鏡をかけていたかどうかもはっきりしなかった。

ダンと私は一緒にプロファイルの作成にとりかかった。もしジョン・ジャウバートが刑務所に入っていなかったら、犯行は彼の仕業ではないかと疑っていたところだ。ジャウバートの場合は女の子ではなく少年が犯行の対象だったが、この事件の犯人の特徴の多くは、ジャウバートと共通していた。年齢は二十代後半から三十代前半。内向的で孤独。これまでの人生はあまりうまくいっておらず、結婚はしていない。高い教育を受けてはいないが、頭は悪くはない。子供のそばにいることを好み、軍隊経験はない。エイミーを巧みにだまして車に乗せていることから子供の心理をよく知っていると思われるが、子供と一緒にいることを好むタイプの人間は、男同士の絆が重んじられる軍隊のような状況は避けると推測されるからだ。男女両方の子供に興味を持っているとも考えられるが、女の子だけをねらっている可能性のほうが高いだろう。いずれにしても、男女を問わず大人とつきあうのは苦手だと思われる。エイミー誘拐はおそらく初めての犯行だろう。その地域で同じような誘拐事件の記録はなく、また電話をかけたりたくさんの人に目撃されるおそれのある駐車場のような場所で誘拐するなど、多くの危険を犯している点からそう考えられる。犯人はエイミーをだまして車に乗せ、お金あるいはカードを取ってくると言って彼女を家に連れていき、クッキーとミルクでも出してしばらく一緒に遊んでいたのかもしれない。そのうちエイミーが不安になって抵抗しだし、その時点で殺害を決意したとも考えられる。警察には、捜査に参加しようとする人物に注意するように指示した。これだけでは助けになりそうもなかったが、ほかにこれといった手がかりはなかった。

一月にベイ・ヴィレッジに戻ると、警察はプロファイルに多少ともあてはまる容疑者を四、五人つかんでいた。一人はエイミーが乗馬のレッスンを受けていた馬場の厩務員だったが、この男は精神障害の程度がひどく、エイミーをうまくだまして車に乗せるような能力はないと思われた。警察が彼を連行して自白薬によるテストを受けさせたところ、あっさりパスした。二人目は警察官で、三人目は消防士だった。この二人も犯人像とは一致しないと私は考えた。このような職につき、それを続けるためには、教育、鍛錬、適応力が必要で、男同士の連帯を重んじなければならないからだ。

四人目の容疑者は、警察署にやってきてエイミーの写真の載ったビラを配るのを手伝いたいと申し出た若い男だった。ビラ配りの手伝いを申し出た人はほかにも大勢いたが、ストルーナックというこの男があやしいとダンは感じていた。ストルーナックは三十代前半で独身、一人暮らしをしており、安売り店の在庫管理係をしていた。ハイスクールを卒業していたが大学へは行っておらず、軍隊経験もなかった。薬を飲む必要があるほどひどいにきびに悩まされており、女性と親密な関係を築くことができないのはそのためだと思われた。ビラ配りに加えて、ストルーナックはエイミーの母親に見舞いのカードを出していた。封筒には「気遣う友より」と書いてサインしてあり、中には安物のブローチが二個と、手紙が入っていた。片方のブローチはミセス・ミハレヴィッチがつけ、エイミーが戻ったらもう一つのブローチを彼女にあげてほしい、という内容だった。

ストルーナックが容疑者として有力という意見には私も賛成だった。ブローチの出所を調べると、ストルーナックが働いている店で売られていることがわかった。

ダンと私は、ボランティアとして警察の仕事に協力してもらったことに感謝するためという名目で、ストルーナックに会いに行った。彼は安い長屋式のワンルームアパートに住んでいた。小さなキッチンとバスルームに折りたたみベッドがある。ボランティアの仕事について話したあと、私たちはストルーナック自身のことについて質問した。ガールフレンドはいるかと聞くと、彼はいると答えた。そのガールフレンドは、前の結婚でできた幼い子供が一人いる女性であることがのちにわかった。二人の間に性的な関係はないと思われた。

しばらくして、私たちは調子を変えて追及しはじめた。なぜあなたはそんなに熱心に捜査にかかわろうとするのか？　エイミーを連れ去ったのはあなたではないのか？　彼の行為に弁明の余地を与えようと、私はこのように言った。もしかして、エイミーに何かトラブルが起きたのではないか。たとえば、転んで頭を打ったとか。それで、あなたはこわくてそのことをだれにも打ち明けられずにいるのではないか？　ストルーナックはそれを強く否定し、エイミーの失踪には自分は何ら関係がないと言い張った。

その家を捜索する権限は私たちにはなかったが、ストルーナックがトイレに立ったすきに、私はできるだけあたりを調べた。エイミー、あるいはほかの子供の「記念品」がアパートの中にないかという点に重点を置いた。彼がエイミーをこのアパートで殺し、その後どこかに遺体を運んだのではないかという気がした。彼が事件に関係しているという証拠がわずかでも見つかれば、ただちに特別捜査隊が来て排水管の中を見たり、ブラシについた髪を採集したりできるよう手配してあった。だがそうした手がかりが何一つないまま、私たちはアパートを出た。帰り道、絶対にこの男が犯人だと思うとダンに言うと、彼も同じ意見だと言った。だが、証拠がなかった。

三週間後、五十マイルほど離れた場所で、エイミーの遺体が発見された。まだ青緑色のジャンプスーツを着ていたが、一度脱がされ、死後にまた着せられた形跡があった。遺体は、クリーヴランドとシンシナティを結ぶ主要ハイウェイであるインターステート七十一号線の出口のそばの野原に捨てられていた。遺体の保存状況は良好で、おそらくそこに捨てられてから一週間とたっていないと思われた。エイミーが殺されたのは十月で、遺体は寒さのため元の状態を保っていたのだろうというのが、検死官の見解だった。

エイミーの遺体が発見されたことが新聞に出たその日に、ストルーナックはコーラに乾性ガスを混ぜたものを飲んで、自殺した。

警察がストルーナックの死を知ると、ダンと私はすぐに彼のアパートを捜索するよう勧めた。警察は令状を手に入れて彼のアパートへ行ったが、ときすでに遅かった。通夜もすまないうちに、ストルーナックの家族が徹底的にアパート内を掃除し、衣類はすべて福祉施設に寄付してしまっていた。

エイミー・ミハレヴィッチ誘拐殺人事件は、いまだにベイ・ヴィレッジ警察の事件簿に未解決として記録されている。おそらく真相は永久に謎のままだろう。しかし過去二年間、この地域で同種の犯罪は起こっていない。一番重要なのはそのことかもしれない。

8 偽装――ごまかしのパターン

犯罪現場が巧みに「偽装」されているために、捜査がかき乱される場合がある。この章ではそうした事件のいくつかを紹介しよう。プロファイリングの経験を積み、殺人犯の精神構造と犯行の手口を調べることにより、ある種の秩序型犯罪者が警察を攪乱するためにさまざまな工夫をすることがわかるようになった（無秩序型の凶悪犯は、故意に警察をまどわすような工夫をすることはまずない）。

大半の読者は、犯罪の偽装について推理小説などからすでに知識を持っておられるだろう。夫がかっとなってつれあいを殺し、その後強盗が押し入って妻を殺害したかのように現場を偽装するといった事件も、よく耳にする。ほとんどの場合、警察はそうした偽装をたやすく見抜く。本章で扱う事件は同じパターンだが、はるかに手がこんでいる。実際、これらの事件では警察はすっかりだまされていた――少なくともしばらくの間は。

一九七八年の冬、ジョージア州コロンバスで、年配の女性が七人、相次いで殺されるという事件が起きた。被害者のうち数人はレイプされ、全員が自宅で襲われてナイロンストッキングで絞め殺されていた。この「ストッキング絞殺魔」は、町じゅうを恐怖に陥れた。犯罪現場で採取された法医学的証拠から、犯人は黒人の男らしいということはわかっていたが、警察は容疑者の範囲をそれ以上せばめることができなかった。

コロンバス市警と警察本部長は市民から大きなプレッシャーをかけられていた。幸い、本部長はよくある田舎の無骨な法執行官というタイプではなく、犯罪科学の修士号まで持つ人物だった。だが、彼はこの事件に対する統制権を失うことを恐れて、メディアが要求するようにジョージア捜査局とＦＢＩの援助をあおぐことを躊躇していた。

その後、本部長のもとに陸軍の便箋に手書きされた奇妙な手紙が届いた。内容の一部を以下に記す。

拝啓

われわれは七名のメンバーから成る組織だ。この手紙を書いたのは、コロンバス市の女性を一人、人質にしていることを知らせるためだ。彼女の名前はゲイル・ジャクソン。検死官の話では絞殺魔は黒人だということだ。われわれはそいつをつかまえるため、あるいは警察にもっと圧力をかけるためにこの町にやってきた。来てみて、圧力が必要だということがよくわかった。現在ゲイル・ジャクソンはまだ生きている。だがもし一九七八年六月一日までに絞殺魔がつかまらなければ、警察はウィノントン・ロードでゲイル・ジャクソンの死体を発見することになるだろう。もし一九七八年九月一日になっても絞殺魔がつかまらなければ、犠牲者の数を二倍にふやす……日曜までに返事をすること。これははったりではない……われわれの名前は、「悪の軍勢」である。

軍隊用の便箋が使われていることにあまりこだわらないように、と手紙の主は注意していた。こんな便箋はだれでも手に入れることができる、というのだ。手紙が言わんとしていることははっきりしていた。白人男性のグループが自警団を結成して攻撃に出て、年配の婦人を殺害している黒人の犯人がつかまるまで、黒人女性を殺していく、という内容だ。続いて届いた何通かの手紙は、「悪の軍勢」の本拠地がシカゴであることをあきらかにし、警察本部長がラジオかテレビを通じてこの組織と連絡をとることを要求していた。また、ゲイル・ジャクソンを生かしておいてほしければ一万ドル出せとも書かれていた。本部長は最初手紙を無視したが、その後手紙を書いた者を探り出すためにそれを新聞社へ送った。警察はまた、ストッキング絞殺魔を追っている要員の一部を、悪の軍勢の捜索にまわした。警察はこの七人の白人グループを見つけだすことに精力を注ぎ、こうした白人至上主義者のグループについて何か情報がないか、シカゴ警察に問い合わせたりした。やがて、コロンバスに隣接しているジョージア州の大規模な軍事基地、フォート・ベニングの憲兵隊のもとに電話がかかってきた。電話の主は、自分は悪の軍勢の代表だと名乗り、われわれはゲイル・ジャクソンを殺すつもりだが、なぜ警察は手を打とうとしないのか、と尋ねた。

その二日後の一九七八年三月末、私はジョージア州アトランタで友人のジョージア捜査局副局長トム・マグリーヴィーと食事をしたときに、コロンバスの連続絞殺事件のことを聞いた。マグリーヴィーはコロンバス警察の本部長がついに州の法執行機関に援助を依頼したため、事件にかかわることになったのだ。彼は悪の軍勢からの手紙を私に見せ、協力を求めた。手紙のほかに、憲兵隊への電話の録音テープもあった。

それらを調べた結果、七人の年配の白人女性が殺害されたことへの報復としてゲイル・ジャクソンという女性が七人の白人男性グループに殺されようとしている、という状況はまったくでたらめだという結論に達した。いくつかの証拠が、事実はこれと正反対であることを示している。おそらく犯人は黒人の男性一人だろう。手紙の調子や電話の声のなまりから、そう推測された。それがわかれば、あとは簡単だった。手紙は、最も有力な容疑者、つまりゲイル・ジャクソンをよく知っている人物から警察の注意をそらそうとする試みであると思われた。さらに、このような手紙を書く理由がもう一つあった。犯人がすでにジャクソンを殺しているため、警察の捜査が身辺におよぶのを避けるためである。犯人はジャクソンの死を隠すために手紙を書いたという可能性が強かった。FBIの言語心理学のコンサルタント、マリ・マイロン博士も、手紙と電話の声について私と同じ意見だった。

四月三日、フォート・ベニングの憲兵隊のもとに三回目の電話がかかった。ゲイル・ジャクソンの遺体がフォート・ベニングから「百メートル」のところで見つかるだろうという内容だ。ただちに捜索したところ、電話で伝えられたとおり遺体が見つかり、マグリーヴィーを通じて私にその旨の連絡が入った。ジャクソンは売春婦で、基地周辺のバーではよく知られた存在だった。検死により、遺体は死後五週間たっていると判定された。つまり私が予想したとおり、彼女は手紙が書かれた時点より前に殺されていたことになる。

情報がふえたので、前より詳しいプロファイルを作成することができた。プロファイルをつくるための最もよい方法は被害者について調べることだ。この被害者は犯人にとって危険が大きいか小さいか？　どんな場所によく行っていたか？　毎日どんなことをしていたか？　どんな生活をしていたか？　そのようなライフスタイルではどんな人とつきあうことが多かったか、といったことを考える。ジャクソンはほかにもいくつかの名前で知られる黒人の売春婦で、フォート・ベニングの基地に所属する黒人の軍人相手に商売をしており、基地の近くの通りやバーによく出没していた。ジャクソンを殺した犯人はおそらく彼女ときわめて親しい関係にあり、ジャクソンのことを調べたら必ず名前が挙がるという人物だろうと思った。彼がジャクソンを誘拐して殺害した犯人を自分とはまったく違う人物、つまりシカゴ出身の七人の白人として描くことによって、警察の捜査を正反対の方向へ導こうとしたのは、そのためだろう。

犯人は黒人の男性一人だと私は考えた。年齢は二十五から三十。フォート・ベニングに所属する兵士――おそらく憲兵か砲兵だろう。犯人が軍の関係者だと考えたのは、手紙や電話で「メートル」を使い、自動車《オートモービル》のことを「車両《ヴィークル》」と呼んでいるからだ。文法の間違いなどがあるところから、大学教育は受けていない、したがって士官ではないと思われた。高等教育を受けておらず、下士官兵の階級としては中程度以上ではないと考えると、年齢は必然的に二十代後半ということになる。

悪の軍勢からの最後の手紙には、アイリーン――手紙の主はラストネームは知らないらしかった――という別の黒人女性の名前も挙げられており、警察が手を打たなければ、彼女も殺されることになると書かれていた。私はこの女性もすでに殺されているだろうと判断し、基地内の公衆電話をすべて監視するように勧告した。これは実行され、録音装置もセットされたが、実際に電話が入ると電話を受けた憲兵があわてて、テープレコーダーを作動させるのを忘れてしまった。電話による指示にしたがったところ、基地内のライフル射撃場で二人目の黒人女性アイリーン・サーキールドの死体が発見された。彼女も売春婦だった。

私の作成したプロファイルと、被害者が二人とも売春婦だったという事実を念頭において、ジョージア捜査局の麻薬取締官が、フォート・ベニングの周辺にある黒人兵士のよく行くナイトクラブの客たちに話を聞いてまわった。二人の売春婦をどちらも知っているという客が数人おり、彼女たちのひもだったという男の名前を挙げた。プロファイルが配られてから二日後、軍および民間の警察が、基地の砲兵隊に所属する四等特技下士官、ウィリアム・H・ハンスを逮捕した。手紙の筆跡、電話の声、犯罪現場で採取された靴の跡などの証拠をつきつけられたハンスは、手紙を捏造《ねつぞう》したこと、および二人の女性を殺害したことを認めた。二人は売春と末端での麻薬取引を通じて、彼とかかわっていたということだった。ハンスはさらに、前年の九月にもフォート・ベニングで女性を殺していることを自供した。その後、ハンスが以前に配属されていたインディアナ州のフォート・ベンジャミン・ハリソンで起こった若い黒人女性の殺害も、彼の犯行であることがあきらかにされた。

当初私は、年配の白人女性絞殺事件の犯人もハンスではないかと思っていたが、法医学的証拠からこの可能性は否定された。コロンバス市警とジョージア捜査局はハンスの空想の産物を追うことから解放され、こちらの事件の捜査に専念した。地道な捜査のおかげで有力な手がかりが手に入った。初期の犯行で、犯人は被害者の家から拳銃を盗んでいたが、その拳銃についての情報が得られたのだ。拳銃はミシガン州カラマズーからいくつかの都市を経て、現在アラバマ州の小さな町にあることがわかった。銃を所持していた男は、コロンバスに住む甥のカールトン・ゲーリーからそれをもらったと話した。ゲーリーは黒人で、ニューヨークで殺人を犯して投獄されたが逃亡し、サウス・カロライナにひそんでいくつかのレストランを襲ったあと、生まれ故郷のコロンバスに戻っていることがわかった。

ゲーリーに絞殺された何人かの被害者の家で、ゲーリーの母親がメイドとして働いていたことがあった。ゲーリーは逮捕されて有罪になり、死刑を宣告された。ウィリアム・ハンスと同様、彼はいまなお刑務所に服役中である。

「悪の軍勢」事件からまもなく、私は軍の要請を受けて人質救出についての指導を行なうためにドイツに行き、その帰りに同僚のジョン・ダグラスとともにイギリスのブラムシルへ寄った。ブラムシルはロンドンから百マイルのところにある警察大学で、英国の法執行関係者のための主要訓練施設だ。いわばクワンティコの英国版である。訪問の目的は犯罪捜査に関する交換プログラムの実施を提案することだった。私たちは大学の管理者たちと会い、いくつか講演を行ない、授業を見学した。

犯罪現場の写真を見るだけで事件について多くのことがわかるという私たちの主張に対

して、イギリス人たちは半信半疑だった。ある晩、警察官たちが一日の終わりによく行く地元のパブで、このことが話題になった。ダグラスと私はそこで、大学の講義に出席している警察官のジョン・ドマイルとビールを飲んでいた。ドマイルは当時、切り裂きジャック以来という凶悪な連続殺人事件の捜査を担当していた。ヨークシャーの切り裂き魔と呼ばれる犯人は、過去四年間にヨークシャーで八人の女性を殺害していた。被害者の大半は売春婦だった。襲われたが命は助かったという被害者が三人いたが、犯人は中肉中背の白人の成人男子という以外の特徴はおぼえていなかった。警察は容疑者もつかんでいなかった。犯人は一九二四年から一九五九年までに生まれた男という情報が各地の警察署に伝えられていたが、これは犯人の年齢が二十から五十五の間というだけで、たいした手がかりにはならない。

ドマイルが事件について話してくれた。犯行はのちのテッド・バンディの手口を思わせるものだった。被害者を棍棒でなぐり、死にかけている相手に性的暴行を加え、死後にナイフで死体をめった切りにするのだ。

ドマイルの話では、この一年間に捜査の責任者ジョージ・オールドフィールド警部のもとに、「切り裂きジャック」からの手紙が二通と録音テープ一本が郵便で送られてきていた。三通目の手紙は、有力な新聞社が受け取った。これらの手紙に刺激されて、捜査はさらに強化されていた。引退を間近に控えたオールドフィールドは、再び殺人が起こる前に犯人をつかまえろという強いプレッシャーをかけられた。彼は録音テープを電子的に分析し、場所を特定するためにバックに聞こえる音を増幅して、それらの情報を一般に公開して市民の協力を求めた。このテープによって犯人を突きとめるために、多大な時間と費用が費やされた。市民がある番号に電話するとテープの声が流され、その声や田舎の炭坑夫を思わせるなまりに聞きおぼえのある人はそのことを報告するというシステムがとられたほか、何百人もの警官がテープレコーダーを持って殺人が起こった地域をまわり、市民にテープを聞かせて意見を聞いた。ラジオやテレビでもテープの声が流された。

私たちは、犯罪現場の写真を見せてもらえればそれにもとづいて犯人のプロファイルを作成すると申し出たが、そのときには写真が手に入らなかった。だがテープのコピーを持っている人がいて、それを聞かせてくれた。声の主は大人の男で、ゆっくり落ち着いた調子で話していた。バックの音はかなり大きく、テープは二分ほど続いた。

俺はジャックだ。まだ俺をつかまえられないようだな。あんたを尊敬してるよ、ジョージ。でも四年前に殺しを始めたときもいまも、俺をつかまえられる見込みがないのは同じだな。部下どもがあんたの期待に応えてくれないんだな、ジョージ。役に立たないってわけだ。連中が俺のそばまで来たのは一回だけ。二、三カ月前、チャプルタウンにいたときだ。さすがの俺もちょっと心配した。でもそのときも刑事じゃなくて制服警官だったがね。また殺しをやると三月に警告した……でも行かれなかった。今度はいつやるかはっきりわからないが、今年じゅうにやるのは確かだ。九月か十月、チャンスさえあればもっと早い時期にやる……あの手の女はどっさりいるからな。あいつら、いつまでたっても懲りないんだよな、ジョージ……俺はもうしばらくやるぜ。まだつかまるつもりはない。もしあんたたちが迫ってきたら、つかまる前に首を吊るかもしれない。あんたと話せて楽しかったよ、ジョージ……

「ジャック」はまた、テープに入っている「おぼえやすいメロディー」を聞くようにオールドフィールドに勧めていた。その曲は「友達でいてくれてありがとう」というレコードからの抜粋だった。

テープを聞き終わるころには、大勢の人が私たちのテーブルに集まってきていた。まわりのイギリス人たちに促されて、私はドマイルに言った。「もちろん、このテープの声の主が殺人犯ではないってことはお気づきでしょうね」

ドマイルはこれを聞いて仰天したようだった。テープは警察を混乱させるためのいたずらで、それをやったのは殺人犯以外の者という私の意見に、ジョン・ダグラスも同意した。私たちは集まった人たちに、なぜテープがいたずらだと考えるかを説明した。テープの主が言っていることが、ドマイルが話してくれた事件の様相と一致しない、というのがその理由だった。犯行の様子から判断すると、犯人は警察とやりとりするような外向的なタイプではなく、内向的でおとなしく、女性に憎しみを抱いているような男だと思われる。被害者をすぐに気絶させ、死後に遺体を切り刻んでいるところに、女性に対する憎しみがうかがわれる。

テーブルのまわりの声がしだいに挑戦するような響きを帯びてきた。テープを送った男が殺人犯ではないなら、犯人はどんな人間なのか説明しろと言う。その場でプロファイルをつくれというわけだ。犯罪現場の写真がないから無理だと言って断ったのだが、みんなは事件についてもっと詳しく話したあと、ぜひやれと言ってきかない。そこで私たちはビールをあおって勢いをつけ、挑戦を受けることにして話しはじめた。殺人犯はあきらかに二十代後半か三十代前半で、学校を中退しているか高等教育を受けていない人物だ。犯行現場付近にはだれにも気づかれずに行く事が可能だった。人目につかずにすんだのは、タクシーやトラックの運転手、郵便配達人、警官など、さまざまなところへ行くのが不思議ではない職業についているからだろう。まったくひとりぼっちではなく、女性と関係を持ったこともある。だが被害者に対して性行為が行なわれていないことから見て、おそらく何年も前から重大な精神障害を抱えていると思われる。

このおおまかなプロファイルを聞き終わると、ドマイルはヨークシャーへ来て犯罪現場写真を見るように誘ってくれた。だが私たちはクワンティコへ帰らねばならなかったので、できるだけ早い機会に犯罪現場写真を持ってアメリカへ来てくれるよう頼んだ。結局ドマイルは資料を持ってこなかった。オールドフィールドが私たちのプロファイルに同意せず、資料をこちらに見せることに強硬に反対したことをのちに知った。彼は事件についての私たちの説明、および自分が惑わされていたことがテープによってあっさり判明したことや別人を捜すために多大の労力が無駄に費やされたという事実を受け入れることができなかったのだ。

その後――さらに何人かの被害者が出てから――オールドフィールドは捜査の責任者をはずされた。殺人犯の追跡にかかった費用は約一千万ドル、警察が尋問した人は二十万人、捜索した家と車はそれぞれ三万軒と十八万台にのぼっていた。「ヨークシャーの切り裂き魔」の事件がようやく解決したのは、一九八一年になってからだった。売春婦がたむろする地域での警官の型どおりの尋問にある男がひっかかり、その後彼を十三件の殺人と七件の暴行事件に結びつける証拠が見つかったのだ。私たちが推測したとおり、ピーター・サトクリフは三十五歳の既婚の男で、土木工事会社のトラック運転手として各地をまわっていたことがわかった。サトクリフが逮捕されて有罪を宣告されたあと、粘り強い捜査によってようやく録音テープのいたずらをした犯人が突きとめられた。犯人は引退した警察官で、ジョージ・オールドフィールド警部を憎んでおり、彼をじらすためにテープを送ったのだった。

一九八〇年二月の末、オハイオ州の小さな町ジェノアで、十代の少女デブラ・スー・ヴァインが夜八時に友達の家を出て、二ブロック離れたところにある自宅に向かった。彼女は家に帰り着かなかった。翌朝父親が失踪届けを出した。警察がデブラの家と友達の家との間を捜索したところ、デブラのミトンが片方見つかった。同じ日の朝、ヴァイン家に滞在していた叔母が、十代後半か二十代前半の白人とおぼしき男で南部あるいはニューイングランドのなまりのある人物からの電話を受けた。電話の主は、「娘さんを預かっている。返してほしければ八万ドル寄こせ。さもないと二度と娘の顔を見られないぞ」と言った。デブラと話がしたいと叔母が言うと、相手は電話を切ってしまった。

ジェノアの独特の電話システムから考えて、電話は長距離ではなく地元からかかったものだと思う、と叔母は警察に話した。翌日、今度はデブラの父親が、メキシコなまりのある男からの電話を受けた。男はデブラを預かっていると言い、五万ドルを要求した。ヴァイン氏が娘と話したいと言うと、自分を信用してもらうしかない、金の受け渡しの方法はあとで指示すると言った。電話の会話は録音された。

身代金の要求が行なわれたため、FBIが事件に介入することになり、FBIクリーヴランド局が捜査に参加した。翌日――デブラが誘拐された三日後――事件は大きな進展を見せた。ジェノアの西二マイルほどの郡道のそばでデブラの衣服の一部が見つかり、その翌日、同じ地域にある別の郡道で残りが発見されたのだ。セーターの近くに、地図を手書きしたくしゃくしゃの黄色いリーガルパッドが落ちていた。地図は衣服が見つかった付近を描いたもので、それにつけられた印は、川にかかった橋のそばを捜索しろと指示していると思われた。橋へ行くと、タイヤの跡と、だれかが何かを橋まで引きずって行ったことを示す足跡が二組見つかった。警察犬はこれらのにおいをかいで興奮したが、川を捜索しても何も出てこなかった。

警察はここに遺体が捨てられていると確信して、川の周辺の捜索を続けた。ヴァイン家にかかってきた電話を録音するためにテープレコーダーがセットされたが、誘拐犯からのメッセージはその後なかった。

私はＦＢＩクリーヴランド局から協力を依頼され、事件についての詳細を知った。衣服が見つかるまでの経緯を聞き、地図を見て、身代金を要求する電話のテープを聞くと、ただちに結論に到達した。手がかりはすべて偽りで、捜査を混乱させるためにしくまれたものだ。

あきらかに偽装と思われる状況に直面したときは、犯人がこちらに思いこませようとしているのと逆のことに目を向ける必要がある。電話の主がデブラはまだ生きており、引き続き身代金を要求すると言っていることから、デブラがすでに殺されていることはほぼ確実と思われた。こうした犯罪の通常のパターンから考えて、おそらくデブラは何者かにつかまってレイプ、あるいは性的虐待を受け、その過程で殺されたのだろう。誘拐は計画的ではなくとっさに行なわれたもので、殺人も思いがけなく起こった可能性が強い。被害者を殺した後犯人はパニックに陥ったが、やがて気を落ち着けて警察を遠ざけておくための計画を練ったのだろう。被害者の身辺の捜査が行なわれれば自分が有力な容疑者として挙げられると犯人は考えた。衣服や地図を置き、川のそばにタイヤや引きずった跡をつけたのは、捜査を正反対の方向へ導くためだ。「犯人は、被害者が絶対に見つからないところへ警察を導こうとしているんです」と、私は話した。

電話もいんちきのように思われた。特にヒスパニックのなまりがいかにもわざとらしく、あやしかった。テープは詳しい分析のためにFBIの言語心理学コンサルタントのもとへ送られたが、他のさまざまな証拠から見て、これも偽装の一部だと私は確信していた。ここは人口わずか二千人の町だ。おそらく犯人は警察に目をつけられる可能性の高い人物で、あらゆる手を使って捜査を自分の身辺から遠ざけておかないと、必ず容疑をかけられると考えたのだろう。

私は犯人のプロファイルを作成した。彼は二十代後半から三十代前半の白人の男だろう。デブラをやすやすと通りから連れ去っている点から、がっしりした体格だと思われる。おそらく反社会的な人物で、人格の欠陥を埋め合わせるために体を鍛えたり、高性能の車を運転したり、カウボーイブーツをはいたりする。男っぽく攻撃的なタイプで、身なりは非常にきちんとしており、女好きのする男という評判をとっているかもしれない。これがとっさの犯行だとすれば、犯罪に先立つストレスは、たぶん女性とのトラブルに関連したものだろう。犯人は侮辱されたと感じ、その反動で最初に見かけた魅力的でか弱い、若い女性を襲った。身代金の要求、地図、現場の偽装などから考えて、彼が警察の捜査に詳しい人物であることは間違いない。犯人は警官か私立探偵、あるいはガードマンだったが、六カ月から九カ月前に解雇されて現在は失業中だと推測された。これまでに何度か窮境に陥っており、そうした出来事のために一番最近の職を失ったのかもしれない。少なくとも一度離婚しており、前妻かガールフレンドとトラブルを起こしていると思われることから、この出来事が女性との関係を破綻させる原因になったとも考えられる。おそらく失業中に何らかの違法行為を犯して、逮捕されているだろう。人格的欠陥のために職を失う人物の場合、トラブルは単独ではなく重なって起こることが多い。基本的な支えとなる職を解雇されたあとは特にそうだ。この男は職と妻、あるいはガールフレンドを失って大きな怒りを抱き、そのために犯罪に走ることになったのだろう。元法執行官として、彼は警察の車に似た乗り物を運転していると思われる。黒っぽい色の新型のセダンで警察の無線を傍受できるCB無線などの装置が備わっており、リアフェンダーまたはボンネットの中央にアンテナがついているような車だ。

私のプロファイルにもとづいて、二人の容疑者が挙げられた。一人は三十一歳の元警察官で、十八歳の女の子と同棲したために最近ジェノア警察を解雇されていた。もう一人は近隣地区の警察に勤めた経験のある男で、最近は鉄道警察に所属していたが九カ月前に解雇されていた。第一の容疑者は捜索に参加し、過剰なほど捜査に協力的だった。これは犯罪を犯した者によく見られる行動だ。犯人は警察の裏をかくために、警察がどこまで知っているかを探ろうとするのだ。しかしこの元警察官はうそ発見器によるテストをパスし、アリバイがあることもわかって、容疑者からはずされた。

第二の容疑者はジャック・ゴールという男で、彼はさまざまな点でプロファイルにあてはまっていた。ゴールは前妻と共同でミシガン湖にリゾート用のキャビンを何軒か持っており、それを売ろうとして前妻ともめていた。鉄道警察を解雇されたあと、彼はミシガンで窃盗罪で逮捕されていた。ゴールの車はCB無線のついた新型のシボレーモンテカルロだった。ゴールがあまりにぴったりプロファイルに一致するので、彼の行動を監視することになった。

数週間後、被害者の父親が再び自宅で、メキシコなまりの男からの電話を受けた。まもなく身代金の置き場所についての指示があるだろう、と男は言った。この電話の録音テープを聞いたジェノア警察の捜査官が、電話の主はジャック・ゴールに違いないと証言した。ゴールは以前によくメキシコなまりで話をして、仲間の警察官を笑わせていたというのだ。

翌日、四月十日に四回目の電話がかかり、これはジェノアから数マイルのところにあるウールコの店の外壁に設置された公衆電話からかけたものであることが突きとめられた。犯人が再びその電話を使うことを期待して、その公衆電話は監視下に置かれた。この簡単な作戦が直接事件の解決につながることになった。

翌日の午後、公衆電話のそばにバンをとめて見張っていた捜査官は、ゴールが近づいて電話をかけるのを目撃した。同じ時間に、ヴァイン氏が自宅で電話を受けた。電話の相手は、やるのは今夜だ、夕方詳しい指示をする、と言った。この電話は録音され、同時にゴールが電話しているところも写真に撮られた。電話を切ったあと、ゴールはシャツのポケットから折りたたんだ紙を取りだし、電話ののっている台の下にそれをはりつけた。指紋から身元が割れないように、慎重に白手袋をはめていた。

その後ゴールは車で走り去った。捜査官たちは数ブロックほどあとを追ったが、彼が尾行されることを警戒している様子だったので、それ以上は追わなかった。ゴールの自宅がどこかわかっており、そこも監視されていたので尾行を続ける必要もなかった。夕方、ヴァイン氏のもとに再び電話がかかってきた。ウールコの公衆電話のところに行け、そこに次の指示が用意してある、という内容だった。電話台の下に、指示を書いたメモがテープではりつけられていた。ゴールはこれをふくめて九枚のブロック体で書いたメモを、それぞれ同じような場所に隠していた。ヴァイン氏と車の中に潜んだ捜査官たちは、公衆電話から公衆電話へと数時間にわたって走りまわった。途中で車を変えるようにという指示もあった。こうして郡内をひっぱりまわされたあげく、最後に金の入ったスーツケースを置く場所が指示された。そこへ行けば娘を取り戻せる場所がわかるというのだ。この追跡の全過程はＦＢＩの航空機と高性能の監視装置によって見張られていた。ヴァイン氏は最後に、川の近くの人里離れた場所にスーツケースを置いた。しかしだれもそれを取りにこなかったし、デボラも戻ってこなかった。川へ行ってから五時間後に、ヴァイン氏はスーツケースを取り戻して、家に帰った。

この残酷なゲームに警察が応じたのは、もしかしてデボラが生きているかもしれないというわずかな期待があったためだが、結局すべてが徒労に終わった。ゴールがこんな芝居を打ったのは、アリバイをつくるためだと思われた。ヴァイン氏が公衆電話から公衆電話へと数時間にわたってひっぱりまわされている間、ゴールの車はずっと自宅の私道にとめてあったからだ。しかしヴァイン氏の行動はすべて九枚のメモによって指示されたものだから、車を使わなかったことでゴールにアリバイができるわけではなかった。

デボラの遺体は見つからなかったが、この一連の動きによってゴールを恐喝罪で起訴するのに十分な証拠が得られたため、当局は彼を起訴した。ゴールはただちに有罪を宣告され、刑に処せられた。その後デボラの遺体が発見されたため、警察は殺人についてもゴールを取り調べた。デボラの遺体が見つかったのはジェノアの近くだったが、偽の地図に記されていた地点とは正反対の場所だった。遺体は電気毛布に包んであり、この毛布がかつてミシガンでゴールが盗んだものであることが証明できるのではないかという期待が持たれた。現在ゴールはまだ殺人罪では起訴されていないが、恐喝罪により服役中である。

本章で扱われている事件の大半が殺人やレイプなどの凶悪な犯罪だが、これほど血なまぐさくなく、もっと一般的で新聞には載らないような事件でも、偽装によって証拠が隠されている場合がある。FBIを引退した数カ月後、一九九一年に私はこうした興味深い事件に取り組んだ。西海岸の主要都市に住む心理学者が、無法者のグループに家を荒らされた被害者に二十七万ドルの保険金を請求された保険会社から、調査を依頼された。犯罪現場から正確な状況をつかむのが難しかったため、その心理学者は現場を分析し、犯人のプロファイルをつくるよう私に頼んできた。

私は法執行機関での三十年間に、軍の基地や施設、官公庁の建物、個人の家など、無法者が入りこむことのできるあらゆる場所で何百回となく破壊の現場を見てきたので、こうした事件には自信があった。私は心理学者から送られてきた現場のカラー写真と警察の報告書を机の上に広げ、それらに目を通しはじめた。徹底的に荒らされた家の写真が数十枚あった。かつては美しかったと思われる郊外の家で、無法者の手で見る影もなく破壊されていた。家の所有者は保険会社に二十五万ドルを越える保険金を請求していた。これはかなりな額であり、保険会社が被害について外部の者の意見を求めるのももっともだった。

写真を見て警察の報告書を読むと、その家がめちゃめちゃに荒らされていることがまずわかった。スプレーで落書きされ、貴重品が倒されたり壊されたりして、ドアの側柱が破壊されている。被害は居間、廊下、キッチン、主寝室、そして浴室にも及んでいた。壁、家具、絵画、衣類、花瓶、ひすいの彫刻などが壊され、汚されていた。カーテンはむしりとられ、版画をおさめた額のガラスは割られている。壁や家具など、いたるところにスプレーで落書きされている。落書きは「くそったれ」、「あほう」、「サック」（吸う）、「カント」（女性性器）といった一語のものが多かったが、「ファック・ミー」という二語のものもあった。

こうした場面を目にしたことがある人は多いと思われるが、おそらく実生活ではなく映画やテレビの中でだろう。破壊行為をするのはおおむね十代の少年で、理解してもらえないために反抗的になり、こうしたかたちで社会に怒りをぶつけるという設定だ。これはフィクションによく見られるテーマだ。

しかし写真から私が得た印象はこれとは違っていた。一見しただけではわからないが、よく見るとこの現場の破壊の跡には不自然さが感じられたし、十代の少年の行為とは思えない点も多かった。こうした犯罪を犯す連中は集団で行動することが多い。こうしたグループは強いリーダーが一人と、それにしたがう何人かの未熟で力のない手下から成っていることが多い。ときには反社会的な思春期の少年が単独でこうした犯罪に走ることもある。

社会全般、あるいは特定の権威ある個人に対して、攻撃をしかけるのだ。破壊は手あたりしだいに行なう。卑猥な言葉を書きなぐったり、現場でわいせつな行為をすることもある。犯人の興味の対象やライフスタイルをもっともよく反映しているのは落書きだ。思春期の少年が犯人の場合、ミュージック・グループに関係した落書きが多い。悪魔的、オカルト的なものを表わす五線星形や逆さの十字架などの印が混じっていることもある。精神的な不満を抱いている若者は、しばしばこれらの図形が象徴するものや音楽に引きつけられるのだ。ときにはこうした落書きとともに、現場で性的な行為が行なわれたことを示す跡が見られる。そうした行為は、犯行時の犯人の精神状態を反映している。彼は自分が荒らしているその場所では、何をしてもよいと感じる。そこで女性の下着を取ってきてマスターベーションしたり、じゅうたんの上に排泄したりクローゼットの中に小便したりする。窃盗行為もよく見られる。犯人は家の中にある食物や酒をその場で飲み食いすることが多い。こうした行為にも、何をしても許されるという犯人の意識が反映されている。十代の少年が犯人の場合、破壊は徹底的に行なわれ、どんな貴重なものや愛情のこもったものも被害をまぬがれないのがふつうだ。

しかし写真で見たところ、この事件では破壊のパターンが通常と違っていた。あらゆるものが一様に壊されているのではなく、選んだ形跡が見られるのだ。絵画の一部は確かに損傷を受けていたが、カンバスだけが傷つけられ、凝った額は無傷というものも何枚かあった。本格的な被害を受けているのは、さして貴重とは思えない絵ばかりなのだ。インディアン・アートの版画は、妙な傷つけられかたをしていた。私はたまたまそうした版画が非常に高価なものであることを知っていたが、それらは額のガラスだけが壊され、中の版画には傷がついていなかった。もっとも興味深かったのは、幼い少女を描いた大きな油絵がまったく損傷を受けておらず、無傷のまま残っていたことだ。いくつかの花瓶や彫像、ひすいの彫刻などは、慎重に床に倒されたような感じで、どれも壊れてはいないようだった。ティーンエージャーによる通常の犯行なら、こうした美術品が被害をまぬがれるはずがない。そのうえ、棚に並べられた植物はどれもさわられた形跡がなかった。

キッチンと浴室は広い範囲にわたって荒らされてはいたが、カウンターの表面や鏡、器具類、備品などは本格的な被害を受けていなかった。ドアノブは壊されていたが、ドアそのものは無事だった。天井はいくらか損傷を受けていたが、壁が蹴りつけられたり破壊されてはいなかった。思春期の少年の犯行では、壁を蹴るという行為がよく見られる。カーテンは生地が傷んだりしわになったりしないように、そっと床に置かれたように見えた。衣類の一部は損傷を受けていたが、切り裂かれた衣服は流行のものや高価なものとは思えなかった。犯人は、高価なものや精神的な価値のあるものには、ほとんど手をつけていないように見えた。

スプレーされたペンキの跡もやはり中途半端で、本格的な破壊行為のパターンとは一致していなかった。ペンキがスプレーされているのは、拭きとったり塗り直したり、家具の場合は張り替えることができるものに限られているように思われた。美術品や、壊れやすい貴重品などにはペンキがついていない。この家ではまた、フェティシズム的な性行為が行なわれた形跡もなかった。

最後に、落書きの問題があった。ティーンエージャーが破壊行為を行なう場合には、一語だけのわいせつな言葉を書くことはあまりない。こうした犯罪を犯す現代の若者は、むしろ何らかのスローガンや、スレイヤー、モトリー・クルー、パブリック・エネミー、ターミネイターXといったミュージック・グループの名前を書くことが多い。この事件での落書きのひとつに「カント」というのがあったが、いまはティーンエージャーの間ではこの言葉のかわりに「プシー」が使われるようになっている。さらに、私がとりわけ興味を引かれたのは、「ファック・ミー」という文句だった。怒りを抱いた傲慢な若い男なら、「ファック・ユー」のほうが自然だ。

こうした点をすべて考慮に入れて、私は犯人のプロファイルを作成した。まず、犯行が十代の少年グループによるものという考えを否定した。そう考えるには破壊の仕方がおとなしすぎるし、慎重すぎる。あらゆる手がかりから見て、この犯行は男性の集団ではなく、別の人物によるものと思われた。この家の内部を荒らし、傷つけたのは、一人の白人女性だろうと私は考えた。年齢は四十以上で五十以下。ティーンエージャーとの接触があまりない人物だ。おそらくこの女性は自己愛がきわめて強く、家の中の損傷を受けていない物品に対して愛着を持っているのだろう。人間関係のトラブルが多く、これまでに数回の離婚を経験している。彼女はこの家の所有者または借り主の家族だと思われる。無差別に破壊せず、かけがえのないものは無傷のまま残したのは、自分にとってそうすることが利益になるからだ。

この女性は、これが十代の少年による破壊行為に見えるように偽装したのだろう。しかし、若者らしい落書きをしようと試みたことによって、かえって女性であることと年齢がばれてしまった。若い男の無法者が「ファック・ミー」などと書くはずがない。犯行は中年の、混乱した女性の手によるものに違いなかった。彼女はわいせつな言葉に慣れておらず、社会に敵意を抱いている若い男が使うだろうと思われる言葉を落書きしたのだろう。だが、彼女が選んだ言葉は、いまの若者からすると時代遅れだった。

もしこの女性に子供がいるとしたら、ティーンエージャーではなく、男の子でもないだろう。おそらく子供は娘が一人だけで、その娘は現在母親と一緒に暮らしてはいない。こう考えたのは、彼女がティーンエージャーや男の子に慣れていないらしいことに加えて、家の中に幼い女の子の絵があり、それが損傷を受けていなかったからだ。こうした肖像は、愛情を抱いているが現在はいない肉親の存在を暗示することが多い。

この女性は、ある一つの出来事をきっかけにこうした行動に出たのではないかと思われた。つまり、彼女は犯行の数日から数週間前にストレスとなるような経験をしており、そのためにこのような破壊行為を行なったのだろう。引き金となった出来事は金銭あるいは男性にかかわることや職を失うといった、近い将来に対する不安を呼び起こすようなものだったのではないか。

結論として、犯行の動機は次の三つの要因のうちの一つ、あるいは組み合わせであると私は述べた。すなわち、怒りを抱いた女性が家族のだれかに仕返しをするために破壊行為に及んだというのが一つ。二つ目は、レイプされたと虚偽の申し立てをする女性によく見られるように、注意を引きたいためにこうした行動に出た。三つ目は、家の改装を始めたがそのための費用をまかないきれなくなり、保険金をあてにしたというものだ。

私はこの結論とそう考えた理由を文書にして、西海岸の心理学者のもとへ送った。彼はそれを読んだあと電話してきて、プロファイルが家の持ち主、すなわち被害を警察に届け出て保険金の請求をしている女性にほぼ完全にあてはまると話した。彼女は四十代の白人でボーイフレンドと別れたばかりで、金の問題を抱えている。娘が一人いるが、その子は前夫と一緒に住んでいる。その他さまざまな点で、この女性は私の推測した人物像と一致していた。心理学者は私の洞察力の鋭さに感心していたが、私にとってはこれは何ら驚くに値しなかった。過去十七年間、苦労して未知の、凶悪な反社会的犯罪者のプロファイルに取り組んできた者としては、こんな事件はいわば子供だましだったのだ。

9 殺人はくり返されるか？

一九八〇年に、オレゴン州の警察アカデミーで教えていたときのこと。講義に出席していたマコーイという警察官から、ある殺人事件のファイルを見てくれと頼まれた。一九七五年にデュエイン・サンプルズというベトナム帰還兵が犯した殺人で、サンプルズは服役中ということだった。私たちは犯罪者性格調査プロジェクトのために殺人犯を面接していたが、サンプルズは調査の対象として最適ではないかというのがマコーイの意見だった。サンプルズは連続殺人犯ではなかったが——一人を殺したかどで有罪になっている——大学出で心理学の学位を持っており、自分の考えをはっきり表現することができ、連続殺人犯特有の暴力的な空想を抱いているように見えるからだ。

サンプルズが殺人を犯したのは一九七五年の十二月九日。場所はオレゴン州の小さな町、シルヴァートンだ。フラン・ステファンズと生後十八カ月になる彼女の娘と友人のダイアン・ロスがフランのアパートにいたところ、知人のデュエイン・サンプルズが訪ねてきた。彼は女性たちと話をして、ビールとマリファナを楽しんだ。サンプルズはベトナム帰りの三十代前半の男で、地元の麻薬クリニックのカウンセラーを務めていた。女性に関しては積極的で、その地域の何人かの女性と関係があったが、いずれも長続きはしていなかった。サンプルズはフランに関心があったが、フランのほうは彼のはたらきかけに応じようとはしなかった。だがその晩、フランは彼を追い返しはしなかった。夜がふけるにつれ、女性たちは疲れてきた。フランは娘が寝ているベッドに横になり、ダイアンはカウチに座ってサンプルズの話を聞いていた。彼が語るベトナムの話にあきあきしたダイアンはしまいに、疲れたのでもう帰ってくれとサンプルズに言った。

サンプルズは出て行った。ダイアンはそのままカウチで寝こんだが、やがて生暖かいねばねばした感触に目をさますと、自分がひどい傷を負っているのに気がついた。首、それから乳房の下を横に、そしてへそから上を縦一文字に切られているのだ。腸が五、六十センチ分外にはみだしていた。だが彼女が目をさましたのは傷のためではなく、フランの叫び声のためだった。ナイフを振りかざしたサンプルズが、フランを寝室へ引きずりこもうとしていたのだ。ダイアンは両腕を体に巻き付けて外へ走り出ると、よろめきながら通りを走って隣の家へ行き、医者を呼んでくれと頼んだ。救急車が来ると、だれかがこう言うのが聞こえた。

「急ぐ必要ないよ。どうせ助からないから」

しかしダイアン・ロスはなんとか一命をとりとめ、デュエイン・サンプルズがフラン・ステファンズを殺そうとしていたことを警察に告げた。

警察はフランの家に急行したが、フランはすでに死んでいた。ダイアンと同じように、首のまわりと胴体を切られており、娘と一緒に寝ていたベッドの上に血と内臓が飛び散っていた。犯行の間娘は目をさまさなかったらしく、サンプルズの手にかかるのをまぬがれていた。フランの腿に血がこすりつけられていたことは、被害者の死後に遺体に対して損傷が加えられたことを物語っていた。また遺体の両手に防御創があったことから、フランが抵抗しようとしたことがわかった。サンプルズはカウンセリングの仕事を通じて、また警官たちとよくソフトボールをしていたために、地域の警察にはよく知られていた。緊急連絡を受けた二人の警官が、サンプルズが二人の男性と共同で住んでいる近くの町のアパートに行った。サンプルズはそこにはいなかったがまもなく見つかり、抵抗せずにつかまった。彼はポケットに、フランに宛てた「十二月八日月曜日」の日付の手紙を入れていた。それには、フランが彼を殺した罪からまぬがれるようこの手紙を警察に見せてくれと書かれていた。手紙によると彼は、「言われたとおりにしなければ殺す」とフランを脅して、「私の内臓を取りだし、去勢するように」フランに命じ、彼女が命令にしたがわなければ、「彼女と子供をめった切りにしてはらわたを抜いてやる」つもりだったという。手紙にはまた、美しい女に殺されることは「長年の夢」であり、ナイフの刃が「容赦なく」自分を切り裂いていくのを「見るのが待ち遠しい」と書かれていた。

サンプルズは、この手紙をフランに見せたがフランは彼を殺すことを拒否したので、彼女を殺したのだと主張した。

その晩とそれに続く数日間にサンプルズを面接した警察官や心理学者の話では、彼は自分が何者で現在どこにいるかをきちんと把握しており、善悪の判断もつき、弁護士をつけてくれと頼むほど事態を十分にのみこんでいた。犯行が精神病によるものだと考える根拠はなく、それが前もって計画され、考えられたものであることはあきらかだった。サンプルズは被害者の家を出て自分の車へ行き、魚おろし用のナイフを取りだし、二人の女性を殺す目的で家に戻ったのだ。ダイアンは、隣人の家まで行こうと苦闘しているとき、サンプルズが追いかけてくるのが聞こえたと言っている。サンプルズは殺人罪と殺人未遂罪に問われた。

事前審理に際してサンプルズと弁護士はどうするべきかを協議したが、サンプルズは選択肢を紙に箇条書きにするなど、非常に秩序だったやりかたで事にあたった。この紙はのちに検察当局によって没収された。サンプルズがこの問題にきわめて冷静に対処したことは、当時彼の精神が正常に機能していたことを示している。サンプルズは三つの選択肢のどれか一つを選ぶことを迫られた。無罪を申し立てて裁判を受けるのが一つ。その場合はダイアン・ロスが彼にとって圧倒的に不利な証言をすることが考えられる。心神喪失による無罪を申し立てるのが二つ目。この場合もダイアン・ロスが証人として喚問され、犯行時には正気を失っていたというサンプルズの主張（「十二月八日月曜日」の手紙によって裏付けられるとする）をくつがえすような証言をするかもしれない。サンプルズと弁護士は心神喪失による無罪を主張することを真剣に考え、その主張を裏付けるために、サンプルズが長年にわたってはらわたを抜くというイメージにとらわれてきたことを示す日記などの証拠を捜し出した。「十二月八日月曜日」の手紙も、この主張を証拠だてる上で重要な役割をはたすはずだった。これは、犯行が前もって計画されていたこと以上に、サンプルズにあきらかな精神障害があることを示していると見ることができるというのだ（私の見解では、この手紙は精神障害者が書いたものにしてはあまりにうまくまとまっているし、考え抜かれている。これはセミプロの心理学者が、アリバイをつくろうとして懸命につくりあげたものだ）。三つ目の選択肢は基本的には答弁取引をすることで、サンプルズは結局これを選んだ。彼はダイアン・ロスに対する殺人未遂の容疑を取り下げてもらうことと引き換えに、フラン殺害に対しては罪を認めた。これによって、ダイアンが証言するチャンスは永久に失われてしまった。サンプルズはオレゴン州で決められている最高の刑罰、すなわち十五年から終身にいたる刑を宣告された。しかし刑務所での素行がよければ、場合によっては七、八年で出所できるだろうとサンプルズは考えたようだ。

サンプルズが有罪答弁をして刑を宣告され、服役しはじめると、マスコミはこの事件への興味を失った。ダイアン・ロスは傷が癒えたあとカリフォルニアへ移り、フランの娘は親戚に育てられることになった。検察当局は、有罪答弁が行なわれたためにサンプルズの経歴をあまり詳しく調べなかったことをのちに認めている。だがある程度の証拠は集められた。十二月八日の手紙には、美しい裸の女にはらわたを抜かれることが長年の夢だったと書かれている。確かに、これは昔からサンプルズの空想のテーマだった。五歳のとき、サンプルズは母親と、妊娠している叔母と一緒のベッドで、二人にはさまれて寝ていた。叔母が流産し、ベッドの中で多量に出血した。内臓が飛び出すというイメージにサンプルズがとりつかれるようになったのは、これがきっかけだったと思われる。それから少し大きくなったころ、彼は腹の上にアリがいるのを見て興奮し、アリが自分の体に穴をあけてくれればいいと思ったという。十三歳のとき、ロシアンルーレットをする真似をして誤って自分の腹を撃ってしまった。ベトナムでの経験ののちに書いた日記で彼はこの出来事に触れ、子供のころからの「はらわたに鉄がくいこむ感触を味わいたいという強烈な欲求」がこれによって満たされたと述べている。初めのうち、空想のテーマは自分自身が殺されることだった。セックスの最中に「アマゾン（ギリシャ神話に出てくる勇猛な女武人）」に槍で突き刺されて死ぬのだ。フラン・ステファンズは比較的背が高く、大柄な女性だった。思春期のころ、彼は「こうした空想にふけりながら自分の体をピンやナイフでちくちく刺すことによってエロティックな刺激を得た」と精神科医に語っている。その後、相手の女を殺すことも空想にふくまれるようになった。フラン・ステファンズ殺害のはるか前に、元恋人に宛てた脅迫的な手紙で彼は殺害の手口を詳しく述べている。これは「十二月八日」の手紙と似たような言葉で書かれていた。この手紙でサンプルズは、元恋人が新しいパートナーとベッドにいるとき、自分が「闇の奥から姿を現わして、かみそりで男ののどをかき切ってやる」と脅している。さらにサンプルズが元恋人と彼女の新しい恋人の内臓を取り出し、サディスティックに二人を拷問し、彼らと一緒にセックスし、オーガズムと死の瞬間に精液と血と体液が混じりあうさまが生々しく描写されている。これは全員にとって最高のセックスであり、同時にサンプルズ自身にとっても最後のセックスとなる。二人に致命傷を与えたあと、「一緒に死ねるように」自分も腹にナイフを突きたてるつもりだから、とサンプルズは書いていた。

サンプルズの経歴から、知能検査の結果が上位五パーセントに入る聡明な男の像が浮かび上がった。彼はスタンフォード大学の奨学生として一九六四年に心理学の学位を取得し、その後軍隊に入った。そしてベトナムでは、ベトコンの位置を砲兵隊に知らせる「砲撃観測班員」を務めたという。帰国するとアメリカでの生活は一変しており、それまで抱いていた理想主義的な考えが打ち砕かれた、と彼はのちに語っている。一九六六年から一九六七年にベトナムで軍務についたのち、サンプルズは麻薬とアルコールに依存するようになり、転職をくり返しながら各地を放浪しはじめた。バーテンをやったりソーシャルワーカーの仕事をしたかと思うと、その後は何カ月も職につかない時期が続くという具合で、その間町から町へと渡り歩き、北西へ向かって移動していった。やがて自分の経験を生かして、オレゴン州セーレムの近くで、麻薬やアルコールの問題を抱える大学生やティーンエージャーのためにカウンセリングを行なう仕事についた。これは彼が初めて長期にわたって続けることのできた仕事だった。友人や同僚はサンプルズを優秀なカウンセラーとみなし、彼を賞賛するカウンセラーも多かった。サンプルズの経歴から見ると、殺人を犯すなどありえないことに思えた。彼を知る人はみな、これが麻薬によって引きおこされた、異常な犯行だと考えた。しかし、彼らはサンプルズの表にあらわれた部分しか見ておらず、彼の心の奥底にひそんでいるものや、彼の複雑な性格は理解していなかったのだ。

所用でオレゴンに行ったとき、私はサンプルズに会ってみようと思いたった。彼は快く面接に応じた。サンプルズは髪の薄くなった、四十近いやせた男で、ワイヤー縁の眼鏡をかけていた。聡明そうなまなざしの、思慮に富んだ穏やかな人物という印象だった。彼は刑務所の心理学部門の事務員を務め、攻撃的な気持ちをどのように処理するかを囚人に教える生体自己制御のような実験的なプログラムに参加するなど、積極的に仕事をしていた。当時私たちは殺人犯の統計的分析をするために五十七ページから成る質問票を使っており、面接でそれを記入するのに協力してくれるかと私は尋ねた。サンプルズは、それはできないと言った。自分は私がこれまで面接してきた連続殺人犯や大量殺人犯と同類ではないから、そのプログラムにふくめてほしくないというのだ。それでも彼は非公式に一時間ほど私と話をした。自分は刑務所の心理学部門で働いているだけでなく勉強もしており、仮釈放になったら心理学の博士号を取るつもりだとサンプルズは話し、博士コースを修了したらFBIの行動科学課で雇ってもらえないだろうかと聞いた。私はあっけにとられ、FBIはたぶん前科のある者は雇わないだろうと答えた。おそらくサンプルズは私と話すことで自尊心を満足させ、退屈を紛らそうとしていたのだろう。

犯罪現場の写真やその他の資料、専門家の話、私自身の印象などから、サンプルズが典型的なサディスティックで性的な精神病質者であることははっきりしていた。彼は自分をそのような人間とみなしたり、他の殺人犯と同じ範疇に入れられることを拒否した。だが物腰が穏やかなこと、長年抱いてきた空想に駆り立てられて殺人を犯したことなど、あらゆる点でサンプルズはこうした殺人犯の特徴を備えていた。彼が犯した殺人はいわゆる「混合型」の犯罪で、秩序型と無秩序型の犯行の両方のパターンを示していた。遺体がめった切りにされ、内臓が引きずり出されていたこと、血がなすりつけられていたこと、性的暴行が行なわれなかったことなどから見て、犯罪現場は無秩序型の犯行を思わせた。しかし殺人が計画的に行なわれた点で、犯行は秩序型と言える。サンプルズは考えた上で車へ戻ってナイフを取り、それから二人の女性を殺そうとした。犯行後は、上着を脱いで現場の血を拭き取るほどの冷静さを見せた。殺人を犯しているときは、残忍な性的空想にとらわれていた。麻薬とアルコールによって彼は空想を実現できるような気分になり、しかもそのチャンスもあった。被害者はどちらもか弱い女性だったからだ。「十二月八日」の手紙も犯行の前ではなく、のちに書いたのではないかと思われる。精神障害による無罪の申し立てをするための証拠をつくろうとしたのだろう。これはあきらかに先のことを考えてとった行動だ。犯行の最中ではないだろうが、犯行後、ダイアンが逃げたことで自分が犯人だとわかってしまうと気づいて、どうすべきか考えたのだ。

次にデュエイン・サンプルズのことを聞いたのは、一九八一年の初めだった。オレゴンのアティエ知事がサンプルズの減刑に応じ、彼はまもなくオレゴンの刑務所から出所するということだった。サンプルズは実は一九七九年から減刑の請願を始めていたのだが、私は彼と面接したときにはそのことを知らなかった。知事は最初の請願は却下したが、二回目の請願を受け入れたという。私は地方検事から、オレゴンに来て検察当局とともにサンプルズの釈放に反対する証言をしてくれと頼まれた。そこで私は求めに応じ、証言するためにオレゴンへ行った。

サンプルズは二つの理由によって減刑を申請していた。自分がすでに更生しているというのが一つ。もう一つは、犯行時に精神を病んでいたが、当時はそれが認められなかったというものだ。一九七五年に自分がかかっていた病気は最近やっと精神医学によって理解され、認められるようになったが、当時はそれにもとづく公正な弁護を受けることができなかったというのだ。更生という点については、サンプルズと話をした人はみな彼が悔い改め、模範囚として過ごしてきたことを認めた。彼は更生した人物にふさわしい態度を示した。事件のことを話すときは涙を流し、おそろしいことをしてしまったと言い、いまは自分の攻撃的な感情を抑えられるようになったから二度とあのようなことはしないと誓った。米国では、犯罪を犯す前に人を裁いてはいけないと決められている。したがってサンプルズが将来また犯罪を犯すと決めつけるのではなく、彼に人生をやり直すチャンスを与えるべき、というのが弁護人の主張だった。

更生したという主張は、特に珍しいものではなかった。ユニークなのは、フラン・ステファンズを殺したのは自分が心的外傷後ストレス障害（PTSD）にかかっていたためであるから、殺人についての責任はないというサンプルズの主張だった。一九七五年にはアメリカ精神医学協会発行の『精神障害の分類と診断の手引』の改訂第二版（DSM―II）が精神障害の診断の基準になっていたが、これにはPTSDがまだ病気として認められていなかった。したがって、これを弁護の材料に使うことができなかったというのだ。サンプルズの主張はある程度真実だった。DSM―IIでは「環境反応」についての記述しかなかった。これは戦闘に参加するなどのストレスにさらされることによって、眠れない、いらいらする、一つの職にとどまっていられない、セックスがうまくいかないなどのさまざまなトラブルに悩まされるという精神障害で、復員軍人によく見られる。一九八〇年に発行された改訂第三版、DSM―Ⅲでは、PTSDがかなり詳しく取りあげられている。説明の多くは戦争と関係ないストレスについてだったが、ともかくこの病気についての定義は提示されていた。サンプルズはわらをもつかむ思いでこれにすがったわけだ。自分はベトナムでの経験によって精神に深い傷を負い、そのために何年も苦しみ、その心的外傷《トラウマ》がついにフラン・ステファンズ殺害というかたちで表面化したというのが、サンプルズの主張だった。だが刑務所でのカウンセリングのおかげで、いまはその障害を克服している。一九七五年に犯した殺人はPTSDのせいだからそれに対する責任はなく、現在はその病気も癒え、更生もしているのだから釈放されるべき、というのだ。

二人の心理学者がサンプルズの主張を支持した。一人は復員軍人庁から資金を受けて定期的にサンプルズと会っている医師で、もう一人は、当時ベトナム後症候群として世間に認められだした障害に悩む復員兵の研究をしている学者だった。私自身は、サンプルズの事件をこうした精神障害によって説明することには無理があると思った。PTSDの例であるベトナム後症候群の患者の大半は、職を維持することができない、性生活がうまくいかない、眠れないなどのトラブルを訴えるベトナム帰還兵である。私の知っているかぎりでは、二人の女性の内臓を抜きだしたというような事件がPTSDによって説明された例はない。ベトナムでの戦闘に参加したことによって、サンプルズが何らかのストレスに悩まされているというのはありえないことではない。しかしサンプルズが一人の女性を殺し、もう一人に重傷を負わせたのは自分自身の空想に駆り立てられたためであり、その空想はベトナムでの経験のはるか前から始まっていた。殺人の最大の原動力はこの空想だった。PTSDの症状は、精神的な打撃となるような出来事の数週間から数カ月後に現われるのがふつうだ。だがサンプルズが殺人を犯したのは、ベトナムから帰って十年もたってからだ。

サンプルズは、ベトナムで仲間の将校が二人、内臓がとびだすようなひどい傷を負って死ぬのを目の当たりにしたことを、減刑の根拠として挙げていた。彼はヒュー・ハナとランディ・イングラムという二人の名前まで挙げ、彼らの死によって自分は精神的に深い傷を負ったと主張した。心理学者の報告書によると、サンプルズはイングラムという「親友がクレイモア地雷（小金属片が広範囲にとび散る人員殺傷用の地雷）により、文字どおりずたずたにされる」のを目撃した。そして「救急ヘリにのせるため、血みどろのちぎれた体の部分を拾い集めてかごに入れ、ヘリコプターに吊り上げられるかごから血がしたたるのを見守った」という。サンプルズはまた、自分はベトナムでの勇敢な行為のために勲章を受けているが、いま夢の中に出てくるその勲章は「乾いた血の色」をしている、と述べた。

サンプルズは服役中に、オレゴンの政界とつながりのある、有名な広告宣伝会社に勤めている女性と結婚し、この女性が減刑の実現のために力を貸していた。アティエ知事が減刑に応じたのは、彼らしくなかった。元実業家で州議会議員だったアティエは、法執行機関に協力的で、法執行機関の側に立った言動が多かった。知事を務めている数年間に百件近くにのぼる減刑の申請が出されていたが、アティエは四件をのぞいてすべて却下しており、サンプルズの事件以外の三件は、だれの目にも減刑するのが当然と思われるものだった。アティエ知事はサンプルズについて誤った情報を与えられたか、あるいはサンプルズを釈放することがベトナム帰還兵たちに好意的に迎えられると考えたのだろうと私は思った。

オレゴンへ行くまでに、私はいくつかの調査を行なった。陸軍に頼んで一九六六年か一九六七年にハナ、およびイングラムという名前の将校が戦死しているかどうか調べてもらい、サンプルズの除隊証明書のコピーを手にいれた。除隊証明書には軍務についていた間に受けた勲章や表彰の記録が載っているが、サンプルズのそれには勇敢な行為によって勲章を授けられたという記載はなかった。また軍当局の説明によると、ハナとイングラムという兵士がその期間に負傷しているがどちらも死亡してはいないし、戦死した将校で似たような名前の者はいないということだった。

興味深いことに、サンプルズの側に立って証言しようという二人の精神医療の専門家は、戦争の体験についてのサンプルズの話が真実かどうかを調べていないようだった。だがおそらくサンプルズは自分の軍務の記録を軍に請求し、受け取っているだろうと思った。彼は記録や資料に非常にこだわるのだ。オレゴンの刑務所で法心理学者として定期的に仕事をしているジョン・コクランは、刑務所の心理学部門の事務員として働いている間にサンプルズは、自分が更生したように見せかけるため自分自身の服役中の記録を改竄《かいざん》したのではないかと考えている。だが記録の一部がなくなってしまったため、これを証明することはできない。これまでに多くの囚人を研究対象にしているコクランは、サンプルズを性的サディストの典型と考え、当局や報道機関に対して、このような性向は基本的には変わらないとくり返し述べている。つまり表面的にはどう見えようと、サンプルズは更生していない、なぜならそれは不可能だからということだ。サンプルズは釈放されたら再び殺人を犯す可能性があるとしてコクランは減刑に反対したが、専門家としての彼の意見は無視された。

私が知事に会いにオレゴンへおもむくころには、デュエイン・サンプルズについての論争はマスコミに大きく取りあげられるようになっていた。減刑をめぐる闘いは、政治的な色彩を帯びてきていた。オレゴン州議会が、減刑に関する知事の権限を削減する法案について検討しはじめたのだ。オレゴンの新聞やテレビは、減刑を支持する側と反対する側の両方の意見を報道した。前者はサンプルズが更生しているという見解をとり、囚人の更生が可能で精神障害も治療によって治ると米国社会が考えている以上、刑務所の外で新たな生活を始めるチャンスをサンプルズに与えるべきだと主張した。多くの心理学者や精神科医がこの意見に賛成し——ただし刑務所で定期的に仕事をしている専門家は反対の立場をとった——ベトナム帰還兵と彼らの政治的支援者、自由主義者らもそれに同調した。これは確かに魅力的な考えだった。人間には成長し変化する可能性があり、精神医学は精神病を治すことができると信じ、更生した人間の将来について楽天的な見方をするのだから。

一方反対する側は、サンプルズが性的サディストであり、これまでのところ犯行をくり返していないのは監禁されていたからにすぎず、釈放されたらふたたび殺人を犯す可能性がある。したがって釈放すべきではないという見解だった。これは、精神医学は精神病について理解はできるが、ある種の状態は治療が不可能だとする、ある意味で悲観的な考えだった。こうした考えは囚人の多くが常習犯であり、釈放されたあとに犯行をくり返して再度逮捕され、投獄されているという事実にもとづいている。

どちらの論拠もあまり実がないように私には思えた。私は事実にもとづいて推論するのを好む。そしてそれまでに知った事実はすべてサンプルズが、それまでに私が観察した多くの殺人犯のパターンにあてはまっていることを示唆していた。すなわち、こうした殺人犯は子供のころから抱いていた暴力的な空想を現実化して、ついに殺人を犯すのだ。サンプルズが書いたものの内容、彼が各地を放浪していたこと、麻薬を常用していたこと、殺人を犯す前の何年か女性との関係がうまくいっていなかったこと、殺害の模様、軍隊の記録や犯行の原因についてうそをついたことはすべて、サンプルズが精神病質者であることを示していた。オレゴンの刑務所にはすでに、同じパターンにあてはまる連続殺人犯が何人か収容されていた。そのうちの二人は最初の殺人を犯したのち早い時期に釈放され、その後比較的短期間のうちに再び人を殺している。この二人、ジェローム・ブルードスとリチャード・マーケットは再びオレゴンでとらえられ、有罪となっていた。カリフォルニアでは、ティーンエージャーのときに祖父母を殺して精神病院に収容されたエド・ケンパーが、やはり早い時期にそこから出されたあと、大勢の人を殺している。刑に服したあとも、殺人の原動力である彼らの空想は消えていなかった。三人とも拘禁されている間はおさまっていたが、そのことは彼らが自由の身になったとき、犯行をくり返さないという保証にはならなかったのだ。

一九八一年六月の末、地方検事と法心理学者のジョン・コクラン、逮捕の直後にサンプルズを鑑定した心理学者らとともに、私はアティエ知事の前で減刑に反対する意見を述べた。私はブルードス、マーケット、ケンパーらの例を挙げ、これらの男たちが初期の殺人ののち、早い時期に刑務所を出所したが、子供のときから続いている抑え難い暴力的な空想のため、釈放後まもなく再び殺人を犯したことを話した。続いて精神医学の専門家が、デュエイン・サンプルズが社会にとって危険な人物であり、将来もそうあり続ける可能性が強いことを説明した。

これで論争にも決着がつくだろうと思って、私はクワンティコへ戻った。私たちは知事に新たな情報を与え、事態は彼の手にゆだねられたのだ。サンプルズの減刑についての知事の決定をみな待ち受けたが、結論はなかなか出なかった。翌月、私はランディ・イングラムの居所を突きとめた。彼はイリノイ州で保険会社のセールスマンをしていた。イングラムはベトナム戦には将校ではなく下士官兵として参加して負傷したと話し、サンプルズのいた砲兵隊に所属していたがサンプルズのことはおぼえていないと語った。このことが検察当局に伝えられ、公表されると、サンプルズは反撃に出た。戦死したのはイングラムではなくイングラハムという男だった、と訂正したのだ。軍は、確かにその名前の男が一九六六年か一九六七年にベトナムで戦死しているが、彼はサンプルズがいた隊とは何ら関係がないことを確認した。

サンプルズのもう一つの反撃は、検察側の主張がおかしいと公に非難することだった。検察側は自分の犯行を性犯罪とみなしているが、殺害の間に性的暴行は行なわれなかったのだから、これは性犯罪ではないというのだ。しかし読者がすでにご存知のように、被害者に対して性的暴行が行なわれないことが、ある種の無秩序型殺人犯の犯行の特徴である。性的な接触がなくても、相手を殺すことによって彼らは性的な空想を実現しているのだ。けれどもこのことを世間に理解してもらうには長々とした説明がいる。マスコミが相手の場合は、サンプルズの言い分のほうがわかりやすく、説得力があった。

その後、サンプルズのかつての指揮官、コートニー・プリスク大佐がある新聞記者にサンプルズのことを語った。それによるとサンプルズは「どこか妙だった――変わっているというより、妙だった。ほかの連中にとっては何でもないようなことに動揺した」という。プリスクはイングラムとハナは負傷しただけで死んではいないことを指摘し、彼の部隊でクレイモア地雷による死者が一人出たが、爆発はサンプルズから三百ヤードも離れたところで起こっており、そのことが部隊内で話題にはなったがサンプルズは直接それを見てはいないはずだと話した。最後にプリスクはこのように述べた。「たぶんサンプルズは自分が見たり聞いたりしたことをつなぎあわせて、話をつくりあげたんだろう……（デュエイン・サンプルズは）優秀な兵士で、ベトナムでよく戦った。それについては疑問の余地がない。だから、ストレスがどうのこうのというあの話は、まったくばかげているとしか言いようがないね」

最終的にアティエが動かされたのは、この元指揮官の話のためだったのかもしれないし、私や検察側の他のメンバーの説得力ある主張のためだったのかもしれない。減刑に関する知事の決定権を制限する法律を制定しようとする州議会の動きや、危機感にかられて市民たちが新聞に宛てた投書などに見られる世論の高まりも影響を与えただろう。いずれにしても一九八一年の末に、アティエは減刑の決定を撤回し、サンプルズは仮釈放委員会が出獄を許可するときまで、残りの刑期を勤め上げることになった。

デュエイン・サンプルズは一九九一年に釈放された。彼が真に更生し、以前のような犯罪をくり返さないことを切に望む。言うまでもなく、彼が正しい行ないを続けることによってのみ、それが証明されるのだ。

10　二人のショー

　一九八八年の六月二十日、私はアメリカで最も悪名高い、凶悪な連続殺人犯二人が出演するユニークなライヴの有線ビデオショーの司会者を務めた。このショーは、ＦＢＩのＶＩＣＡＰ（凶悪犯逮捕プログラム）をより多くの人に受け入れてもらうことを目的に、クワンティコで初めて開催された国際殺人シンポジウムのために企画されたものだ。シンポジウムにはアメリカ各地および外国から三百人の法執行関係者が参加した。私たちの目標は、各国の殺人事件の捜査の方法を統一することだった。それまでは各々の国が——米国では管轄区ごとに——違った方法で犯罪現場の分析や容疑者の尋問、殺人犯の追跡を行なっていた。私はＶＩＣＡＰの責任者の一人として、ＦＢＩが行なっている凶悪犯逮捕のための全国的プログラムを、一人でも多くの人に知ってもらいたかった。そのために関係者をワシントンＤＣに呼ぶことが、計画の第一部だった。そして第二部は、集まった人たちにほかでは決して得られない、話の種になるような経験をしてもらうことだった。二人の悪名高き連続殺人犯のインタヴューをライヴで見るというのがそれだ。私はどちらの殺人犯とも、十年近くにわたって何度も面接を行なっている。そのため、それぞれイリノイ州とカリフォルニア州の刑務所にいるジョン・ウェイン・ゲイシーとエドモンド・ケンパーを説得して、「出演」を承諾させることができた。

以前にあるテレビ局が、カリフォルニアの刑務所にいるチャールズ・マンソンをインタヴューして、その模様を放映したことがある。私たちが行なった有線テレビのプログラムはこれとは違って、「対話式」だった。二人の殺人犯がビデオカメラの前に立ち、その像が衛星によってクワンティコへ送られ、大きなスクリーンに映し出された。私はまず二人の事件をスライドで観客に見せ、それから観客の質問を彼らに伝えた。こちらからは二人の姿が見えるが、向こうは声が聞こえるだけでこちらの様子は見えない。ゲイシーとケンパーはそれぞれ九十分にわたって質問に答えた。二人とも凶悪な連続殺人犯だが、非常に頭がよく考えを明確に言い表わすことができるから、これはなかなか興味深いショーとなった。

一九七八年の末、クリスマス休暇のために家族と一緒に車でシカゴへ向かっているとき、イリノイ州デス・プレーンズの近くにある小さな家の敷地で、いくつかの遺体が発見されたというニュースをラジオで聞いた。デス・プレーンズはシカゴの郊外にある町でオヘア空港に近く、私が育ったところからも遠くない。すでに数体の遺体が発見されており、あと何体あるかわからないということだった。

大量殺人に興味を持っている人間として、これは放っておくことができない。親戚の家に家族を送り届けると、私はカメラをつかんで犯罪現場へ急いだ。現場には大勢の人が群がっていた。その多くは、行方不明の肉親の消息を知ろうとする人たちだった。私は担当の捜査官から事の次第を聞いた。

事件はこのようにして始まった。一九七八年の十二月十一日、エリザベス・ピーストはデス・プレーンズにあるドラッグストアでアルバイトをしている十五歳になる息子のロバートを車で家に連れて帰ろうと、彼が仕事を終えるのを待っていた。ロバートは、夏の建設工事のアルバイトのことで、請負業者と駐車場で会うことになっていると母親に告げて、出て行った。しばらくたってもロバートが戻ってこないのでミセス・ピーストは不安になり、家へ帰って警察に電話した。警察は、思春期の子供は帰るべきときに帰らないことがよくあるから心配しないようにと彼女に言った。その夜十一時半まで待って、ミセス・ピーストは息子の捜索を始めるよう警察に要請した。

シカゴ周辺では行方不明者として警察に届けられる人は年間約二万人にのぼるが、そのほとんどは数時間から一年までの間に見つかる。したがって捜索願いが出されても、警察はもっと時間がたってからでないと捜索を始めたがらないことが多い。しかしこの事件では刑事部長のジョー・コゼンチャックがただちに本格的な捜索を開始するよう指示した。コゼンチャックの十五歳の息子がロバート・ピーストと同じ学校に行っており、ロバートが明るく活発な体操選手だということを知っていたからだ。ロバートは家に連絡もせずにふらりとどこかへ行ってしまうような子ではない。何かが起こったに違いないと思われた。ドラッグストアにいた人たちに話を聞いたところ、十二月十一日に地元の請負業者のジョン・ウェイン・ゲイシーが店にいたことがわかった。店の改装の見積をするため、写真を撮ったり寸法を計ったりしていたという。

コゼンチャックはすぐにゲイシーの前科を調べはじめた。だが十三日の朝、警察の求めに応じてゲイシーが警察署に出頭してきたときには、まだ何の前科も見つかっていなかった。ゲイシーは三十六歳で、黒っぽい口ひげをはやした二重あごのずんぐりした男だった。表向きは公徳心のある実直なビジネスマンで、インテリアデザインや補修の仕事も手がける請負業者だった。地元の政治活動にも参加し——ポーランド憲法記念日にはパレードの先頭に立ち、主賓のロザリン・カーター大統領夫人と一緒の写真におさまった——慈善的な催しでは子供たちを喜ばせるため、道化の扮装をしたこともある。一九七二年からずっと同じ家に住んでおり、地域ではよく知られた存在だった。

コゼンチャックの質問に対して、ゲイシーはロバート・ピーストという子供は知らないし接触を持ったこともないと述べた。ゲイシーの答え方があまりになめらかだったので、コゼンチャックは彼がうそをついていると感じた。捜索令状を手にいれてゲイシーの自宅をざっと捜索したところ、若い男性の衣類と、フィルムの受領証が見つかった。フィルムはピーストが働いていたドラッグストアで現像中で、受領証にはゲイシーとは別の名前が記されていた。調べたところ、ピーストが自分のジャケットを店で一緒に働いている女の子に貸し、その子がフィルムを現像に出して、その受領証をポケットに入れたままジャケットをピーストに返していたことがわかった。

ゲイシーを逮捕するだけの証拠はまだなかったが――ロバート・ピーストは公式にはまだ「行方不明」だった――これまでに手に入った情報から彼を公然と、しかも徹底的に監視し、友人や知人、同僚に質問することは可能だった。監視は厳重に行なわれた。刑事たちがあとをつけ、ゲイシーが車に乗ると彼を刺激して何らかの行動を起こさせようと、ぶつかりそうなほど接近することもあった。ゲイシーは最初は冷静だった。しかし五日ほどすると態度に変化が見られ、ひげも剃らなくなり、酒を飲みドラッグをやり、人をどなりつけるようになった。

ゲイシーは警察につきまとわれて仕事ができないとして、二人の弁護士に頼んで警察を訴えるという手段に出た。

訴訟が始まった翌日の十二月二十日、ゲイシーが思春期の少年を相手に男色行為をしたかどで一九六八年にアイオワで有罪を宣告されていることを示す書類がようやくコゼンチャックのもとに届いた。ゲイシーはその罪状のため数年間服役したが、模範囚として過ごし、刑務所内に青年会議所の支部をつくるほど有意義な活動をした。刑期は十年だったが、素行がよいため一九七〇年には仮釈放になった。ゲイシーはその後イリノイ州へ移ったが、一九七二年の半ばにある青年から訴えられた。同性愛者の集まる地域でゲイシーが彼を誘って家へ連れて帰り、危害を加えようとしたというのだ。逮捕されてから数日後、ゲイシーはこの青年が訴えを取り下げることと引き換えに金を要求しているとして、彼を逮捕するよう警察に訴えた。だが結局どちらの訴えも本格的な訴訟には至らなかった。誘拐の件を申し立てるために出頭するはずだった青年が法廷に姿を現わさなかったため、ゲイシーに対する訴えは取り下げられたのだ。

この新たな情報に力を得たコゼンチャックは本格的な捜索令状を手に入れ、十二月二十一日に大勢の部下とともにゲイシーの家へ行き、徹底的な捜索を始めた。刑事たちは、ロバート・ピーストを家のどこかに隠しているのだろうとゲイシーを問いつめた。ゲイシーはそれは否定したが、一九七二年に自己防衛のため同性愛の相手を殺し、遺体をガレージのコンクリートの床の下に埋めたと話した。刑事たちが見守る中、ゲイシーは床にペンキをスプレーして、遺体が埋まっている場所を示した。その後、床下にもぐりこむための落とし戸が家の中にあるのが発見され、床下に入ると腐乱死体が三体と、体の一部がいくつか見つかった。ゲイシーは逮捕され、殺人罪で起訴された。五、六人の刑事の立ち会いのもとで行なわれた最初の自白で、ゲイシーはロバート・ピーストのほか二十七人の若い男性を殺したことを自供した。遺体の大部分は床下に埋めたが、ピーストをふくめた最後の数体はデス・プレーンズ川に投げ捨てたという。警察はゲイシーの家と敷地をくまなく調べた。捜索は徹底したもので、終了したときには家の外壁と屋根と梁しか残っていないほどだった。検死官が記者たちに語ったところによると、警察は「被害者の身元を特定する助けとなる証拠品——指輪、ベルトのバックル、ボタンなど」を捜していた。なぜなら、ゲイシーは被害者の名前を二、三人しかおぼえていなかったからだ。遺体の捜索が終了すると、被害者は三十三人（家の中と床下で二十九人、川の中で四人の遺体が発見）にのぼっていることが判明した。一人の人間が殺害した数としては、これはアメリカの犯罪史上最高だった。ほとんどの被害者は十五歳から二十歳までの若い男性だった。殺害した人間の数はテッド・バンディのほうが多いかもしれないが、遺体が発見されていなかったり彼の犯行だと証明されていないものもある。したがって公式には、ジョン・ゲイシーが現代において最も多くの人間を殺した殺人犯ということになる。

最初のうちゲイシーは殺害についてある程度詳しく自供していたが、その後弁護士にアドバイスされて、口を閉ざしてしまった。自供によると、初めて殺人を犯したのは一九七二年一月のある晩だった。シカゴの中心地区のそばにあるグレイハウンド・バスの停留所のあたりをうろついてセックスの相手を捜し、一人の若者を家に連れて帰って性交渉を持った。翌朝、若者がナイフをかざして彼を襲ってきて、もみあった末彼は相手の胸をナイフで刺した。若者の遺体は床下の空間に隠した。同じ年にゲイシーは二度目の結婚をした（最初の結婚では子供が二人生まれていたが、彼の服役中に離婚が成立していた）。二番目の妻は、ゲイシーが家の中にいくつもしまっている若者の財布について彼に尋ねた。だがゲイシーはおまえの知ったことではないと妻をどなりつけ、彼女はそのまま財布のことは忘れてしまった。やがて妻は家の中で妙なにおいがすると言い出し、ゲイシーはにおいを消すため彼女が休暇で家を離れている間に、最初の遺体の上にコンクリートをかけた。その後数年間、妻の母親と妻の連れ子が夫婦と一緒に住んでいたが、義母によると「死んだネズミのにおい」がずっと消えなかったという。ゲイシーはその間殺人を続けていたのだ。

二回目の殺人を犯したのがいつかはっきりおぼえていないが、一九七二年から一九七五年の間だと思うとゲイシーは語っている。法医学的証拠により、これが事実であることがのちに判明した。若い男を絞殺し、遺体を埋める前にクローゼットに入れておいたところ、遺体の口から体液が流れ出てじゅうたんにしみがついた。これに懲りて、それからは口から液体がもれるのを防ぐために、被害者の口に布などを詰めるようになったという。

この最初の自供によると、一九七五年の半ばごろゲイシーに雇われていた二十歳の建設作業員、ジョン・バトコヴィッチが数人の友人とともにゲイシーの家を訪れ、未払いの賃金を払うように要求した。押し問答のすえ、バトコヴィッチは帰って行った。その夜、ゲイシーは車で「流している」ときにバトコヴィッチを見つけ、彼を誘って家へ連れて帰り、酒を飲ませた。それから「手錠の手品」をやってみせてやろうと言ってバトコヴィッチに手錠をかけた。こうして自由を奪っておいて、二番目の恐ろしいわざ「なわの手品」にとりかかった。バトコヴィッチの首に輪にしたなわをかけ、輪の中に棒を入れてゆっくりなわをしめていくのだ。こうしてバトコヴィッチを絞殺した。

その後、数人の若い男性がゲイシーのこの手錠となわの手品のことを警察に話した。彼らはゲイシーに誘われて彼の家に行ったが、この「手品」に参加することは拒否したので死なずにすんだのだ。バトコヴィッチの遺体はガレージのそばの道具小屋の端にある溝に埋められ、コンクリートでおおわれた。

その後、ゲイシーがどのようにして被害者をおびき寄せ、相手をコントロールしたか、またどのようなサディスティックな行為を行なったかがさらにはっきりした。彼は同性愛者がたむろする地域を車でゆっくり走って被害者を捜すことが多かった。そうした被害者の多くは短期的な滞在者で、姿が見えなくなってもしばらくは気づかれる心配がないからだ。自宅の近くで、未払いの賃金を払うという名目でパートタイムの雇い人を自宅に呼ぶこともあった。家に誘いこむと酒やドラッグを勧め、映画を見せてやると持ちかける。まずふつうのポルノを見せ、ついでホモセクシュアルのものを紹介する。相手があまり嫌がらなければ、手錠となわを持ち出す。それらを使って被害者の自由を奪ってから、性的暴行を加える。それから被害者の頭にビニール袋をかぶせてバスタブに漬ける。そしておぼれる寸前でひき上げて息を吹き返させ、さらに性的暴行と拷問を加える。

ゲイシーは高い知能を持つ頭のよい男だったが、さらに重要なのは口がうまく、言葉によって相手を操り、被害者の恐怖心や彼についての好奇心を取り除くことができた点だ。彼はクモのように被害者をまずがんじがらめにして、それから命を奪った。テッド・バンディはかなてこで被害者の顔を殴りつけたが、ゲイシーは銃もナイフも鈍器も使わず、策略とぺてんで相手の自由を奪った。

犯行を重ねるごとに、手口や被害者に苦痛を与える方法は手のこんだものになっていった。ゲイシーは自信を持ち、警察やすべての人間をばかにしつつ、熟練した経験豊かな殺人犯となっていったのだ。

一九七六年の二月に二番目の妻と子供たちが家を出て行くとゲイシーの犯行はエスカレートし、ほぼ月に一件の割合で殺人を犯すようになった。自分は無敵だとゲイシーは考えるようになったに違いない。これだけ人を殺しても、あやしまれることすらなかったのだから。彼はますます大胆で傲慢になり、身元の割れにくい同性愛者の地区だけでなく、ふつうの通りからも被害者を連れ去るようになった。乗馬のレッスンから帰宅する途中の若者や、自分が雇っているパートタイムの作業員などだ。十五歳から二十歳までの若い男性が忽然と姿を消したが、その多くが単に家出をしたものと思われていた。ゲイシーは殺人を続けながら、地域社会や仕事の世界では大いに活躍していた。自分の住むブロックのリーダーとなり、手づくりの道化の衣装を着て病院の小児病棟を慰問し、四百人の隣人のために毎年パーティーを主催した。「どんな雑用でも進んで引き受けてくれました。窓を拭いたり、集会のために椅子を並べたり。どこかの家の水のもれる蛇口を直したこともあります」地元のある民主党幹部は新聞記者にこのように話し、「彼はだれからも好かれていました」と締めくくった。

最初のころに事件を報道した新聞記事は、ゲイシーがジキルとハイドのような二重人格者であるという考えを強調していた。しかし本書の他の章で述べたように、この種の殺人犯を二重人格者だと考えるのは正しくない。凶悪な面はつねに存在しているのだが、殺人犯はしばしばそれをうまく隠してまわりに知られないようにするのだ。ゲイシーの過去を調べると、残忍な恐ろしい面が十五年前からときおり顔を出していたことがわかる。一九六〇年代にアイオワにいたころ、彼は最初の義父のもとでフライドチキンのチェーン店を三軒経営していたが、そのときに自分の地位を利用して若い男性従業員を誘い、セックスの相手を務めさせていた。ゲイシーとオーラルセックスをすると、相手の若者はほうびとしてゲイシーの最初の妻とセックスすることが許されたという。さらに、同性愛行為を強いられた被害者が当局に訴えると、ゲイシーは別の若者に金をやって、被害者を殴って証言させないようにと依頼した。最終的にゲイシーが同性愛行為を強制したかどで起訴され、有罪となって刑務所に送られたのは、有力な縁故に恵まれたある被害者がようやく訴え出たからだった。

クラスリング、免許証など被害者のさまざまな所持品がゲイシーの家で発見された。ほとんどの被害者についても、何らかの記念品が残っていた。一九七八年の初めには、床下の空間など敷地内の隠し場所が一杯になってきたため、ゲイシーは遺体を橋の上からデス・プレーンズ川に投げこみはじめた。

一九七八年の十二月十二日にコゼンチャックたちがゲイシーの自宅で彼を尋問したとき、ロバート・ピーストの遺体はまだ屋根裏に置かれていた。警察の厳しい監視が始まる前に、ゲイシーはこっそり遺体を家から運び出して、川に投げ捨てたのだ。遺体がようやく発見されたのは、ゲイシーの裁判が終わってからだった。その時点でも、はっきり身元がわかった被害者は約半分にすぎなかった。

裁判では、ゲイシーの弁護人は彼が多重人格者であり、殺人を行なったのは「ジャック・ハンドリー」という人物だと主張した（ゲイシーは、自分の中の「ジャック」と「ジョン」は正反対の性格だと説明していた。実際のジャック・ハンドリーはシカゴの警察官で、ゲイシーは彼の名前を拝借したのだ）。その後、ゲイシーはさらに別の主張も行なった。

仕事の性質上、少なくとも十人の男が彼の家の鍵を持っており、何人かの仲間はそこに住んでいたこともある。したがって彼らも殺人にかかわっていた可能性があるというのだ。彼は自供の内容を変更し、殺したのは三十三人ではなく数人にすぎず、むろんセックスの相手をした若者をすべて殺したわけではないと言いだした。

実際、ゲイシーの家に住んでいたことがある二人の仲間が殺人にかかわっていた可能性を示す証拠が多少あったが、検察はそれを無視してゲイシー一人を追及した。

裁判では、ゲイシーと弁護人は心神喪失により責任能力がないとして無罪を主張した。これに対して検察側は、ゲイシーが被害者を家に誘いこみ、自由を奪って殺し、その後意識的に死体を隠していることは犯行が計画的なものであることを示しており、ゲイシーは犯行時に善悪の判断がついたはず、と反論した。六週間近い裁判のあと、陪審は三十三人を殺害したかどでゲイシーに有罪を宣告し、彼は電気椅子による死刑を申し渡された。

ゲイシーが有罪を宣告されたあと、彼に会いたいと申し入れたところ承諾を得たので、行動科学課の同僚数人とともにゲイシーに会った。ゲイシーは子供のころの私を知っていると言った。私たちの家は互いに四ブロックほど離れたところにあり、ゲイシーは私の家に食料品を届けたことがあるという。近所のことをいろいろ話しているうちに、ある種の親しみが生まれた。私は殺人犯と話をすることに慣れていたので、ゲイシーがやったことによって彼を非難するのではなく、ある程度客観的に彼と接することができた。このころには、ゲイシーは警察や精神科医や裁判官はみな無能で彼を理解せず、彼より知的に劣っていると思いこんでいた。だが私は頭のよい殺人犯を相手にする訓練ができているので、私には自分のことをまともに話せると思ったようだ。ゲイシーは、かつての雇い人で殺人にかかわった者が何人かいると話した。警察はゲイシーの家に住んでいたことのある雇い人を、もっと真剣に取り調べるべきだったという点について私も同意した。これは私の本心だった。この一連の事件には未知の部分が残っており、そこを捜査することによって殺人に他の人間がかかわっていたことがあきらかになるかもしれない、と私は今でも思っている。

その後も私はゲイシーと連絡を取り続けた。彼が自作の絵を送ってくれたこともある。ゲイシーが使っていたのと同じ衣装をつけた道化が、風船に囲まれて常緑樹の木立の中に立っている絵だ。キャプションには「まず畑で汗を流して働かなければ収穫は得られない」と書かれている。これを私に対する賛辞だと考える人もいる。つまり、私が大勢の殺人犯と会って十分に経験を積み、ゲイシーと話をする準備ができていたからこそ、彼と心を通じ合わせることができたという意味だ。そうではなく、ゲイシーの被害者でまだ発見されていない者がいるという意味だと解釈する人もいる。ゲイシー自身は説明しようとしない。

有名になった犯罪者はしばしば人を引きつける。ゲイシーの場合もそうだった。一九八六年、二回の離婚歴がある八人の子持ちの女性が刑務所にいるゲイシーに会いに来て、二人はその後文通を始めた。二年後、ゲイシーからの手紙が四十一通におよんだとき、シカゴ・サンタイムズ紙が女性を説得して手紙の抜粋を新聞に載せた。その中には次のようなくだりがあった。

私はだまされやすい人間です。あなたもそうですね。でもこれは克服することができます。その際、教育はまったく関係ありません。私は学位を三つ持っています。でも、常識というものがなければ、学位など無意味です。世智にたけた人から学ぶことは大いにあります。でも、だまされないように警戒することも必要です。検察は私が人を操るのがうまい、ごまかし屋だと言います。そのとおりかもしれません。でもそうでなかったらいろいろなことがうまくいかなかったでしょう。ときにはごまかさないと物事はうまくいかないのです。

ゲイシーが服役している刑務所の主任精神科医を務めていた法精神科医のズィポリン博士は新聞社の依頼でこれらの手紙を分析した。博士によると、ほとんどどの手紙のどの段落にも、ゲイシーの考えかたの二つの大きな特徴が見られるという。一つは、ゲイシーが自分を「いいやつ」とみなしている点。つまりホモではなく、「親切でフレンドリーで気前がよく、愛情細やかで男らしく、勇気がある」というイメージだ。同時にゲイシーは「気が弱く臆病で卑劣、しかもホモであるいやな自分」が存在することを否定しようと躍起になっている。殺人を犯したのはこの「いやな自分」だ。「いやな自分」を否定することにより、彼は自分が本質的によい人間であると考えることができる。ゲイシーは典型的な社会病質者であり、自我が強く、その自我は「自分自身を満足させるためにのみ存在している。『人は何をすることが許されるか?』という問いに対する彼の答えは『罰せられずにすむことなら何でも』であり、『善とは何か?』の答えは、『自分にとって都合のよいこと』である」と、ズィポリン博士は言う。手紙でもゲイシーは相手をコントロールしようとし、「何をすべきか、何を考えるべきか、家族にどう対応すべきか、どうやってさまざまなことに対処すべきか」を女性に指示している。相手を支配し、コントロールしたいというゲイシーの欲求がここに表われている。彼が被害者の自由を奪って殺害したのも、この欲求につき動かされてのことだった。

何年かたつと、ゲイシーは自分の異常性が子供のころに芽生えたものであると考えるようになった。ゲイシーはポーランドとデンマークからの移民である両親の間に生まれた。家庭でのしつけは厳しく、父親は酒を飲んで家族に威張りちらした。彼は五歳のときに十代の女の子に、また八歳のとき男性の請負業者に性的ないたずらをされたという。十歳のころからてんかんの発作を起こすようになり、そのためハイスクールではスポーツなどの活動に参加することができなかった。職についてからも、持病のため三日に一度は休まざるをえなかった。彼はまたアルコールとドラッグによって精神をむしばまれたとも語っている。その後ゲイシーはそれまでの供述を変え、遺体が発見されたころ自分はその家に住んでおらず、殺人はすべて別の人間の仕業だと主張するようになった。

一九七二年の末には、カリフォルニア州サンタ・クルーズはさながらアメリカにおける殺人の中心地のごとき様相を呈していた。毎月のように凶悪な犯罪の発生が報告され、遺体が発見された、ヒッチハイカーが姿を消したといった話があちこちで聞かれた。人口一人あたりに対する殺人の発生率は、全国のどの都市よりも高かった。市民は不安に襲われ、多くの人が銃を手に入れ、数人の女性が行方不明になったカリフォルニア大学サンタ・クルーズ校では、警備が強化された。当時その地域で、ジョン・リンリー・フレイジャー、ハーバート・マリン、エドモンド・エミル・ケンパーの三人の連続殺人犯がほぼ同時期に犯行を犯していたことが、のちに判明した。

フレイジャーとマリンはつかまったが、殺人は一九七三年の復活祭《イースター》の週末まで続いた。復活祭週間の次の火曜日にあたる四月二十四日、カリフォルニア州プエブロの公衆電話からサンタ・クルーズの警察署に電話がかかった。かけてきた男はエド・ケンパーと名乗った。彼は道路局の職員で、裁判所のそばのバーや町の銃砲店で警官たちと一緒に過ごすことが多いため、警察にはよく知られていた。ケンパーは、サンタ・クルーズ校の女子学生数人と自分の母親、およびその友達を殺害したことを自供したいと話し、だれかがプエブロまで自分を迎えに来てくれれば、遺体のありかを教えると言った。

サンタ・クルーズ署の警官は最初は半信半疑で、ケンパーが冗談を言っていると思った者もいた。しかし女子学生殺人について尋ねると、彼は犯人しか知り得ない詳細をあきらかにした。警察がプエブロの公衆電話へ行くと、最初電話ボックスに人が二人いると思った。身長二百六センチ、体重百三十五キロのケンパーは、そのような印象を与えたのだ。

五年後に私が初めてケンパーと話をしたときにも、その体の大きさにまず度肝を抜かれた。むろん彼が大きいことは知っていたが、あれほどばかでかいと圧倒されずにはいられない。ケンパーは手をさしだして握手すると、面接に応じるかわりに自分のために何らかの特典を手に入れてもらえるか、また通信するための切手をもらえるかと聞いてきた。私は切手はあげられるがそれ以外はだめだと答えた。それでも彼は進んで話をした。長期にわたって精神医学の専門家によるカウンセリングを受け、刑務所の心理学部門の事務員として働いたことがあったので、自分の犯行についてよく理解していた。犯行の引き金になったのは母親に対する憎しみである、と彼は考えていた。母親から不当な仕打ちを受けて苦しんでいたが、その悩みのもとを除いたおかげで、ようやく犯行に終止符を打つことができたというのだ。非常に複雑な事柄に対してこれはあまりに単純な説明だと思ったので、では自分は『精神障害の分類と診断の手引』改訂第二版の記述のどれに当てはまると思うか、と尋ねた。ケンパーは、その本を読んだことがあるし項目もおぼえているが、自分に当てはまる説明はなかったと言った。自分のような人間を理解するための十分な情報を精神医学者が手に入れるまで、おそらくないだろうというのだ。いつになったら彼にあてはまる説明が載ると思うかと聞くと、この本の改訂第六版か第七版が出版されてからで、それは次の世紀にならないと実現しないだろう、と答えた。

このように答えることで、ケンパーは自分がいかに特異な存在であるかを私に知らせようとしていた。これは、ケンパーと長時間にわたって話をして彼についての本を書いた、ある著名な精神科医の意見でもあった。このような犯罪者は二百年に一度しか出現しない、というのがこの精神科医の考えだった。だが私はこの考えには同意できない。エド・ケンパーは確かにユニークではあるが、さほど珍しい存在ではない。彼と同じような犯罪者はほかにもいる。ただし他の連中と違うのは、ケンパーが想像を絶するほどの残虐性を示したことと、きわめて過酷な子供時代を過ごしていることだ。

体が異様に大きいことが、昔から彼にとって悩みの種だった。彼は大きくなるのが早すぎた。体が大きいせいでまわりが大人扱いするため、子供でいられるときがあまりなかった。同じ年頃の友達はおらず、体の大きさが同じ友達は精神的に彼よりずっと大人びていた。もっとも、大きいからといって実り豊かな人生への道がとざされていたわけではない。プロスポーツの世界を見ると、並外れて大きな選手がわんさといる。彼らはみなかつては並外れて大きな少年だったわけだが、連続殺人犯になった者は一人もいない。だがケンパーの場合には、体の大きさに加えて劣悪な家庭環境という問題があった。母親はアル中で横暴、父親は不在、姉と妹は偏愛されており、多くの点で母親よりさらに保護者として不適格な祖母もいた。母親は絶えずケンパーをけなし、彼が自分の悩みの種だとこぼし、精神的に彼を虐待した。ケンパーが十歳のときのある出来事は、きわめて多くを物語っている。母親と姉妹たちが、ケンパーに知らせずに彼の部屋を二階から薄暗い地下室の、暖房炉のそばへ移してしまったのだ。ケンパーの図体があまりに大きいので、十三歳になる姉のそばに置いておくのはあぶないし、妹と寝室を共有させるのも問題だという理由からだった。姉妹たちにとって彼が性的な脅威であると母親はみなしたのだ。ケンパーはショックを受け、これをきっかけに性的なことに目を向けるようになった。それ以前から始まっていた性的な空想はこの一件以来異常性を帯びるようになり、彼は姉妹たちや母親に対して変態的な性行為を行ない、自分を苦しめるこの女性たちを殺すことを空想するようになった。ときおり、ケンパーはナイフとハンマーを持って夜こっそり母親の部屋に入りこみ、彼女を殺すところを想像した。

地下室に移されたのはちょうど母親が最初の離婚をしたころで、これにより彼女はケンパーの実の父親と別れた。ケンパーが十歳から十四歳になるまでの間に、母親は再婚と離婚を二回くり返している。結婚生活がうまくいかなくなるたびに、母親はケンパーを農場に住む祖父母のもとに送った。ケンパーはこれが嫌でたまらなかった。農場で、また母親のもとで、ケンパーは銃と親しむようになった。継父の一人が射撃の名手で、ケンパーが射撃の腕を上げ、銃や安全装置や弾薬について詳しくなることを要求した。しかしケンパーが——おそらく継父の勧めにしたがって——銃で小動物を殺すと、祖父母は彼から銃を取りあげた。このことに象徴されるように、ケンパーはさまざまな矛盾したメッセージを与えられることに耐えねばならなかった。

一九六五年、ケンパーが十五歳のときに母親がまた再婚することになり、彼は農場へ送られた。ケンパーは祖母に利用され、学校では仲間はずれにされているような気がして、みじめだった。ある日、ケンパーは机に向かって手紙をタイプしている祖母に後ろから忍び寄った。ケンパーは祖母より祖父のほうが好きで、その日は祖父と一緒に畑へ出たかったのだが、家に残って仕事を手伝うよう祖母に命令されていた。彼はライフルで祖母を撃ったあと、ナイフで刺した。犯行のあと、この凄惨な光景を祖父に見せたくないと思い、祖父が家に近づくのを待って、祖父が家に足を踏み入れる前に彼を撃ち殺した。それからこの殺人と、それをもたらしたものとの因果関係をあきらかにしようとするかのように、家の中に入ってリゾート地のコテージに泊まっている母親を呼び出し、たった今彼女の両親を殺したから新婚旅行を切り上げて帰ったほうがいいかもしれないと告げた。

ケンパーは次の四年間を、アタスカデロ州立精神病院で過ごした。この間に何十回となくメンタルテストを受けたが、テストの結果はいずれも良好だった。おそらく精神医療の専門家が要求している答えがわかったからだろう。彼は二十八種のテストの正しい答えをすべて暗記していた、とのちに語っている。一九六九年、アタスカデロの精神科医や矯正官らは、ケンパーを社会復帰させても大丈夫と判断した。厳密に言えば彼はまだ未成年者でもあった。州検事の反対にもかかわらず、ケンパーは精神病院からカリフォルニア青少年公共キャンプへ送られた。そして翌年には母親の願いにより、仮釈放されて母親の保護を受けることになった。仮釈放委員会やアタスカデロの精神科医の何人かはそれに反対したが、反対意見は無視された。

いま思うと、ケンパーが仮釈放されたあと、そもそものトラブルの原因となった女性に身をゆだねることになったのは、なんとも皮肉な話だ。彼は母親と一緒に住み、缶詰製造工場の工員として働いた。ケンパーが成年に近づくにつれ、母親は少年犯罪の前科を彼の記録から削除するよう、司法当局に働きかけた。母親はケンパーを救ったが、精神的に彼を虐待することはやめなかった。「おまえみたいな人殺しの息子がいるおかげで、あたしはもう五年も男と寝てないのよ。おまえがこわいから、だれもあたしに寄りつかないんだ」アタスカデロから帰ったケンパーに、母親はこう言い続けた。

ケンパー自身はまだ性経験がなく、その後も童貞のままだった。ふつうの若者が性的な接触を試みる時期に彼は精神病院に収容されており、いっそう自分の空想にとらわれるようになった。母親と一緒に住まないときのために借りていたアパートの一室で、彼はポルノを見たり探偵雑誌を読むことによって性的な、そして暴力的な刺激を得た。人殺しの空想は弱まるどころか、より過激で詳細をきわめたものになっていった。アタスカデロにいる間、人を殺したあとの死体の処理方法についてじっくり考えた、とケンパーはのちに語っている。未成年の犯罪者として精神病院に監禁されていたときに、ケンパーからこのような話を聞きだした心理学者はいない。おそらくケンパーは、そうした空想のことを話したら精神病院から出ることが認められないと考えて、故意にそれを伏せておいたのだろう。

一九七一年にケンパーは州道路局に勤めるようになり、やがて州警察官に志願した。体の大きさのせいで法執行機関には断られたが、それ以後サンタ・クルーズの警察官たちと一緒に過ごすことが多くなった。彼は友人の警官から訓練学校のバッジと手錠をもらい、別の知り合いから銃を借りた。一九七一年の二月に、ケンパーはバイクに乗っていて車にぶつけられ、腕を負傷した。けがで何カ月もギプスをはめなければならなくなったため、民事訴訟を起こし、示談により一万五千ドルを獲得した。ギプスのため道路局の仕事ができなくなり、彼は金と時間とを手に入れたかたちになった。

ケンパーの母親はカリフォルニア大学サンタ・クルーズ校に勤めており、仕事が終わったあとケンパーがキャンパスに迎えに来られるよう、車につけるステッカーを彼のために手に入れた。彼女はキャンパスでは学生にも職員にも親切でだれからも好かれていたが、自分のフラストレーションをすべてケンパーにぶつけたようだ。二人の関係はますます険悪なものになっていった。一九七二年の春、とりわけすさまじいけんかのあと、ケンパーは母親の家のドアをたたきつけて出て行きながら、その夜最初に出会った器量のよい女を殺そうと決めた。

その被害者の遺体は発見されず、その殺人についてはケンパーは起訴されずに終わった。犯行がどのように行なわれたのか、彼は何も語ろうとしない。だが一九七二年の五月七日にケンパーが殺害した二人の若い女性は、のちに身元が確認された。どちらもカリフォルニア州立大学フレスノ校の学生で、スタンフォード大学にいる友達に会うため、ヒッチハイクしてパロ・アルトへ向かっていた。ケンパーはジーンズをはいて旅行かばんを持ったこの二人のティーンエージャーを、ハイウェイで車に乗せた。彼は手錠とバッジ、それにナイフと借りた銃を用意していた。彼は少女たちに銃をつきつけ、おまえたちをレイプしてやると言って、ハイウェイをそれてわき道に入った。二人は殺されるとは思わず、抵抗しないほうがいいと考えたらしい。ケンパーは片方の少女にトランクにもぐりこむように命じ、それから車のバックシートに乗りこんでもう一人の少女に手錠をかけて縛りあげ、ナイフで刺し、首を締めて殺した。弾丸から足がつくのを恐れて、銃は使わなかった。次にトランクを開け、二人目の少女を刺し殺した。それから二人の遺体を車にのせてアパートへ帰り、遺体の首と手を切り落とした。

被害者をナイフで殺し、後始末に苦労したケンパーは、次からはこんなに血を流さないように殺そうと決めた。その夜、彼は被害者の衣服をはぎとって、遺体と性交した。翌日、彼はアタスカデロでの空想を実行に移し、遺体の頭と胴体と手をそれぞれ違う場所に埋めた。胴体が見つかっても、顔も歯も指紋もなければ身元を特定できないわけだ。埋める場所は、少女たちを車に乗せたところとは別の郡にした。被害者の衣服は、サンタ・クルーズ山脈の奥深い谷に捨てた。少女たちは行方不明として警察に届けられたが、その後数カ月間発見されなかった。八月にようやく片方の少女の頭部が見つかり、身元は判明したが、死因については何の手がかりもなかった。

そのころケンパーの母親は、ケンパーが未成年のときの祖父母殺害の前科を正式に彼の記録から削除するよう、裁判所に訴えていた。地方検事はこれに反対し、少なくともあと十年は記録を残しておくべきだと主張した。九月半ばに、ケンパーの精神鑑定が行なわれることになった。検査の四日前、ケンパーは再び獲物を捜しに出かけた。彼は十二歳の息子と二人でヒッチハイクをしていた魅力的な女性を車に乗せた。だが走り去るとき、二人を見送っていた友達が車のナンバーを書きとめているのに気づき、そのまま母と息子を目的地まで送った。それから、別の被害者を見つけようと、バークレーの郊外へ戻った。このことはケンパーがきわめて秩序だった犯罪者で、殺人の衝動を理性でコントロールできることを示している。その後彼は十五歳のアジア系の少女がヒッチハイクしているのを見つけ、彼女を車に乗せた。

誘拐されたことを知ると少女は騒ぎはじめたが、ケンパーが銃を取り出すと静かになった。彼は自分には悩みがあってそのことを話したいのだと言って、少女をおとなしくさせた。そしてサンタ・クルーズのそばで車を止め、少女を窒息させて意識を失わせてレイプし、それから彼女のスカーフで首を締めて殺し、遺体と性交した。犯行後、ケンパーは遺体を車のトランクに乗せたまま母親に会いに行くことにした。車に死んだ少女を入れたまま母親と話すことに、彼は奇妙な満足感をおぼえたのだ。

ほんの数メートル離れたところに、自分が殺した被害者の遺体があるのを知りながら母親と話して快感を得ることが、それ以後ケンパーの空想の重要な要素となった。殺人の儀式にこれを加えることで、空想の楽しみを長引かせることができた。どんなときでも現実より空想のほうがよかったとケンパーはのちに語っているが、それでも彼はなんとか殺人のやりかたに改良を加え、空想をより手の込んだものにしようと努めたのだ。

その晩ケンパーが母親と話した話題の一つは、数日後に迫った精神鑑定のことだったかもしれない。前科の記録が抹消されてしまえば過去とは縁が切れる、と母親はくり返し彼に言っていた。自分のアパートに帰ってからケンパーは遺体をベッドに置いて再び性交し、翌朝数時間かけて遺体を切断した。そしてばらばらにした遺体を車に積みこみ、手と胴体を別々の郡に埋め、頭はトランクに入れたままにしておいた。裁判所が任命した精神科医に会いに行ったとき、それはまだトランクに入っていた。そのことも彼にスリルを与えたのだ。

一九七二年にケンパーの精神鑑定をした二人の精神科医は、アタスカデロでの治療とリハビリテーションによって彼の精神障害はほぼ完治したという結論を出した。どちらの精神科医も、ケンパーが人生を出直せるように未成年のときの前科を記録から削除するよう勧告し、一九七二年十一月二十九日、それらは正式に抹消された。

アジア系の少女を殺したあと、前科が抹消される前後の数カ月間ケンパーは殺人の衝動を抑えていたが、年が明けると再びその欲求が頭をもたげた。彼は友人から借りていた銃を返し、自分の銃を手に入れることにした。前科が消えたので、銃を所有することができるようになったのだ。かつて働いていた缶詰工場のある町へ行き、銃身の長い二二口径銃と、命中と同時に爆発するホローポイントの弾丸を購入した。同じ日の午後、白昼に彼はまたヒッチハイクをしていた若い女性を車に乗せた。話をしたいと言うとその女性は彼に同情したようだった。だがケンパーは買ったばかりの銃で彼女を殺し、そのまま母親の家へ行った。母親が留守だったので遺体を車から自分の部屋へ運び、クローゼットの中に隠した。翌朝、母親が仕事に出かけたあと、遺体をばらばらにした。頭を切断した理由の一つは、弾を取り出すためだった。弾が見つからなければ、彼を犯行と結びつける証拠がなくなるからだ。ばらばらにした遺体は崖から海へ投げ捨て、頭部は母親の部屋の窓の下に埋めた。

ヒッチハイカーを殺してから一カ月足らずの一九七三年二月、母親と激しく言い争ったあと、ケンパーはカリフォルニア大学サンタ・クルーズ校のキャンパスで二人の女子学生を車に乗せ、大学の構内を出る前に二人を撃った。車がキャンパスの門に近づいたとき、どちらもまだ息があり、一人はうめき声をあげていた。門のところには武装した警備員が二人おり、車の中をのぞきこんだが瀕死の女性たちには気づかなかった。車のインテリアが黒だったため、見にくかったのだ。フロントシートにいた女性は黒い服を来て座席の下に半ばくずおれ、バックシートの女性はこうした目的のためにケンパーが用意していた毛布をかけられていた。警備員たちは車内のあやしげな包みより窓に貼られたキャンパスのステッカーのほうに注目したらしい。ケンパーにとってそれは勝利の瞬間だった。

ケンパーは、母親に見つかるかもしれないと思うことで興奮するかのように、これらの遺体も母親のそばで大胆に処理した。母親の家の私道にとめた車のトランクの中で頭を切断し、自分の部屋で眺められるようにそれらを家に持ちこんだ。その後の陰惨な儀式には、マスターベーションもふくまれていた。翌朝彼は頭を車に戻し、遺体の他の部分も車の中に入れたままその車で友人の家に行き、一緒に食事をした。そしてその夜、頭から弾を取りだしたあと、遺体の各部分をそれぞれ違う場所に捨てた。

しかし車に弾丸による穴が開いたほか、トランクの血痕など完全には消すことのできない痕跡が残った。ケンパーはそうした点に気づき、多少用心深くなった。四月の初めに、彼は新たに四四口径銃を購入した。保安官は銃の売買の記録を見てケンパーの前科のことを思い出し、ケンパーのアパートへ行った。そしてケンパーが銃を所持することが合法か否かを裁判所が判定するまで、銃を預かると告げた。ケンパーは車のトランクを開けて素直に銃を保安官に渡した。保安官はそれに満足し、それ以上車の中を捜そうとしなかった。そのため、シートの下に隠してあった犯行に使われた二二口径銃は見過ごしてしまった。

しかし保安官が帰ったあと、ケンパーは不安になりだした。保安官がトランクの中の血痕や髪の毛に気づいていたらどうしよう？　保安官が四四口径のことだけでなく二二口径のことも知ってしまったら？　警察が戻ってきて彼の車やアパート、母親の家を捜索したら？　自分はすでに監視されているのではないか？

母親を殺して自首しようと決意したのはこのときだ、と彼はのちに警察に語っている。保安官が四四口径銃を取りに来た二週間後の四月二十日、ケンパーは母親の家に行った。母親が仕事から帰って来ると、二人は少し話をした。母親は相変わらずケンパーに皮肉を言った。午前五時ごろ、母親が寝ているときにケンパーは空想の中で何度もしたようにハンマーを持って彼女の寝室に忍びこんだ。そして今度は実際に渾身の力をこめて母親の右のこめかみを殴りつけ、ポケットナイフでのどをかき切った。まだ血が噴き出しているとき、他の被害者にやったように遺体の頭を切断した。それから血に染まったシーツに遺体を包み、それをクローゼットに隠した。

犯行後、ケンパーは警官がたむろするバーと銃砲店へ行き、何人かの友人と落ち着いて話をした。だが午後になると、母親の親戚か大学の同僚が家に訪ねてきて遺体を発見するのではないかと心配になった。そこで母親の同僚のサラ・ハレットという女性に彼のほうから声をかけ、母のために内緒でパーティーを開きたいので手伝いに来てくれと誘った。サラが家に来ると、彼女の首の骨を折って殺した。それからサラの遺体を自分のベッドに寝かせ、自分は母親のベッドで寝た。翌朝、ケンパーは遺体を別のクローゼットに隠し、銃と二人の女性のクレジットカードと金を持ち、自首するためにサラの車で出かけた。

警察に拘留されてから、ケンパーは自分を有罪にするのに必要な証拠を警察につかませようと躍起になった。警察は自分の協力がなければ絶対に証拠を見つけられないと彼は確信していた。もし自白しただけで証拠を提示しなければ、腕のよい弁護士があとで自白を取り消して、彼が有罪になるのをはばんでしまうかもしれないと思ったらしい。そこで、犯行を自供しただけでなく、母親の家のどこに遺体が隠してあるかを警察に告げ、殺人が行なわれたことにまだ世間が気づかないうちに、他の数人の被害者の遺体を捨てたり埋めたりした場所を教えた。母親の家やケンパーのアパートと車の中から、スカーフ、教科書など、被害者の所持品が見つかった。これらの証拠品の一部は、警察の巧みな尋問によって得られたものだ。係官がケンパーの頭のよさや記憶力の確かさをほめそやし、それにつられてケンパーは血染めの毛布などのありかを警察に教えたのだ。

裁判を待つ間に、ケンパーは二度にわたって手首を切って自殺を計ったため、独房に移された。裁判そのものはあっさり終わった。証拠はすべて揃っていたし、犯行が計画的だったことはあきらかだった。証人として喚問された精神科医はみな、犯行時にケンパーは正気であったと証言した。裁判中に、なぜヒッチハイクをしていた女性たちを殺したのかと聞かれると、ケンパーは、「彼女たちを自分のものにするにはそれしか方法がなかったから」と答え、さらに「俺はあの女たちの魂を手に入れた。いまでもそれは俺のものだ」と言い添えた。自分の犯した犯行にはどんな刑罰がふさわしいと思うかと聞かれると、彼は「拷問」と答えた。だがケンパーが宣告されたのは死刑でも拷問でもなく、彼は刑務所に収容された。カリフォルニアは原則としては死刑を採用しているが、当時この州で実際に処刑された者はいなかった。服役するとケンパーはしだいに落ち着いてきて模範的な囚人となり、他の収監者にも受け入れられた。そして徐々に刑務所内でさまざまな特典を与えられるようになった。

犯行の五年後から始まった私たちとの面接では、最初のうちケンパーはもっぱら殺人のことを話した。彼の話の中には、警察にとって参考になる事実がいくつかあった。たとえば、ケンパーが自分の車を警察の車に似せていたことや、被害者の身元をわかりにくくするため、遺体の歯を折ったことなどだ。ケンパーは殺人についてこともなげに話したが、それはこちらにショックを与えるためではなく、そのことについてすでに何回となく考えており、それが自分とはかけはなれた事柄のように感じているからのようだった。自分以上に死体のことをよく知っているのは、病理学者くらいだろう、と彼は言った。たとえば、彼の被害者の検死をしたある検死官は、ケンパーがアキレス腱を切断したのは奇妙な殺人の儀式のためだと考えた。だが実際の理由は、死体硬直がそれ以上進んで遺体との性行為がやりにくくなるのを防ぐためで、ケンパーは検死官がそう考えたことを面白がっていた。

ケンパーは子供時代のことも話した。自分がこのような犯罪を犯したことの言い訳としてではなく、なんという過酷な経験をしたのだろうという驚嘆の気持ちをこめてだ。母親を中心とする自分の家庭の雰囲気が異常だと初めて気づいたのは、彼がアタスカデロに収容されてからだった。ようやく立ち直りはじめたときに当局が仮釈放を決定し、彼は再び劣悪な環境に投げこまれることになった。母親を殺害してから彼女の遺体と性行為を行なったかと尋ねると、ケンパーは私をにらみつけて、「死体を辱《はずかし》めてやった」と答えた。自分のトラブルの原因となった人物は殺したがトラブルそのものはなくなっておらず、自分が刑務所の外でまともに生きられるようになることは永久にないとケンパーは自覚していた。ケンパーの話で重要なのは、彼を殺人へと駆り立てたのが空想であること、殺人を犯すようになってから、日がたつにつれ空想がますます強烈で手の込んだものになっていったことだ。だが実際の犯行では計画どおりにいかなかったり、こうすればより完璧になると思われる事が必ずあった。何かが欠けているという思いが、次の殺人へと彼を駆り立てたのだ。しかし実際の殺人行為では空想ほどの満足感は得られなかったし、永久に得られることはないだろう、というのがケンパーの結論だった。

一九八八年に行なわれた衛星による放映では、ケンパーもゲイシーもほぼ私が予想したとおりの態度を示した。ケンパーは自分の犯行について何の隠し立てもせず、すべてを認め、ときには血なまぐさい細部の事柄についても詳しく話し、自分の犯行に空想がどんな役割をはたしたかについての心理学的洞察も披露した。聞いていた多くの人にとって、彼の見方は目新しいものだった。ケンパーが自分の犯行について抜群の記憶力を示し、それを詳細に説明したことは、ある意味でこのような恐ろしい殺人犯でも生かしておいたほうがよいことの証明になるのではないかと思う。彼らを処刑せず、監禁してカウンセリングを行なうことで、同じような殺人を防ぐにはどうすればよいかを学ぶことができる。このような犯罪者を処刑することは、社会にとって何の役にもたたない。連続殺人犯は自分自身の空想にとらわれており、自分がつかまって処刑されるかもしれないということで犯行を思いとどまることはありえないからだ。

ジョン・ゲイシーのほうは自分の持ち時間の九十分を使って、テレビを見ている法執行関係者に自分が無実であることを訴えた。そして、警察官として彼らが事件の不明な部分を調べ、見過ごされていた証人に話を聞くなどして再度捜査を行ない、有罪判決をくつがえして自分を自由の身にしてほしいと要求した。ゲイシーは実際に上訴しており、まもなく裁定が下される予定だ。テレビを見た人の何人かは、放映中に私がゲイシーを問いつめて犯行を認めさせなかったことを不満に思ったようだ。そんなことをしても何の意味もないことを私は説明しようとした。私の目的は二人の殺人犯にそれぞれの性格を披露させることだった。それによって観客はゲイシーの考え方に直接触れ、彼が人を操ることにかけては天才的な才能を持っていることを実感できるからだ。それでも私の言いたいことがよく理解できない人もいたが、だからこそ私たちはもっとセミナーを開き、殺人と連続殺人犯についての知識を広めていかねばならないのだろう。

11　プロファイリングの未来

ＦＢＩの行動科学課で私が開拓したことの一つは、精神医学の専門家に呼びかけて、彼らとの協力関係を築くことだった。一九七〇年代半ばに開始して以来、今日までそれを続けている。精神科医や心理学者、その他精神医療や法医学の専門家、刑務所のカウンセラーなどからわれわれが学ぶことは多い。一方、精神医学関係者は自分たちの会合にＦＢＩ捜査官が参加することを喜んだ。私がＦＢＩの代表として講演を行なうときは、いつも大勢の聴衆が集まった。

精神医学界への働きかけを始めてまもないころ、精神科医の集まりでモンティ・リセルの犯罪について発表したときに、ある重要な出来事が起こった。私はリセルの事件には最初から強い興味を持っていた。事件が発生したときに私がこのレイプ殺人犯のプロファイルを作成していたら、間違った推測をしていたに違いないからだ。犯行の数とその凶暴さから、犯人は二十代から三十代の初めだと思った。リセルがまだつかまっていないときに当地の警察にそう伝えていたら、警察は見当違いの容疑者を追っていたところだ。それまでに得た殺人犯の心理についての知識からすると、十代の少年が十数件ものレイプを犯し、最後の五件では被害者を殺害するといった凶悪な犯罪をやってのけるとは思えなかった。だがリセルは実際にそれをやったのだ。

研究者として私は既成概念に反するような情報もじっくり検討すべきであることを学んだが、モンティ・リセルに関するデータもそのようなものだった。多くの犯罪者と同様リセルも幼いころから問題を抱えており、やはり崩壊家庭に育っていたが、それ以外のすべてのことが彼の場合、より早い時期に始まっている。十四歳のときに女性をレイプし、有罪判決を言い渡されてフロリダにある精神病施設へ送られた。その後この施設にいる間にさらに五件のレイプを犯した。休暇中に一度、逃亡を計ったときに一度、そして残りは施設に収容されている間にそこの駐車場や公共プールなどで犯行におよんだ。

施設から帰って三週間後にリセルは武装強盗罪で起訴されたが、これは実際には強姦未遂だった。この罪が法廷で裁かれるまでに一年かかり、その間定期的に精神科医のもとに通うよう判事は言い渡した。残念ながらこの精神科医は凶悪な未成年犯罪者を治療した経験がなかった。

リセルは定期的に精神科医に会い、精神科医の報告によると精神状態は目立ってよくなった。しかしこれは見せかけにすぎなかった。治療を受けた年に、リセルは初めてレイプした相手を殺害している。犯行は彼が住んでいたアパートの近くで行なわれた。一年前の武装強盗事件が裁判にかけられると、リセルは有罪になったが保護観察に付され、精神科医のカウンセリングを受け続けた。強盗罪で有罪になったとき、先のレイプ殺人と彼を結びつけた者はだれもいなかった。

保護観察期間中、精神科医のもとに通いながら、リセルはアパートの近くでさらに四件のレイプ殺人を犯した。彼の犯行には決まったパターンがなかった。レイプの被害者は若い女性、三十代の女性、白人、黒人、独身、既婚とさまざまだった。警察は別の方面を捜し続けた。これらの犯行のためにリセルが逮捕されたのは捜査の結果ではなく、偶然彼の車が捜索されたからだった。リセルは殺人を認め、有罪になり五回の終身刑を宣告された。精神病施設にいる間にレイプを行なったことを彼が自白したのは、服役後二年たってからだ。

刑務所にいるリセルを面接したところ、彼は犯行について積極的に話した。そして自分の動機や心理状態を詳しく説明し、その根源が幼少期にあると語った。彼は犯罪者性格調査プロジェクトに協力することに同意し、有益なデータを提供した。たとえば、レイプの被害者の一人を殺さずに逃がしたことがあったが、それはがんをわずらっている家族を養わなければならないとその女性が言ったからだ、という話をした。リセルの家族にもがん患者がいた。彼は被害者と個人的にかかわってしまったので、もはや彼女を非人格化して殺すことができなかったのだ。

一九八〇年代の初めにシカゴで催された法精神科医の集まりで話したのは、リセルに関するこのような情報だった。私はリセルの顔写真をスクリーンに映して、八十人ほどの聴衆を前に講演を行なっていた。一人の男が部屋の外を通りかかり、中をのぞきこんでそのまま行き過ぎようとした。だがはっとしたように再びスクリーンを見つめ、部屋に入ってきて前のほうの席に座った。そして私の話を熱心に聞きはじめた。私はリセルがレイプ殺人を犯していた時期に精神科医の治療を受けていたことを話した。順調に進歩していると いう診断をさせるためにリセルがうそをついていたのを、この精神科医は見抜けなかった。これは秩序型殺人犯がいかに人をだますことにたけているかを示すよい例だ。こうした問題は、従来の精神医学が患者の自己報告に頼っていること、つまり患者が医師に真実を語り、積極的に治療に参加すると想定していることから生じるのではないかと思う。法精神医学では患者の自己報告だけに頼らず、外部の報告や裁判記録なども参考にし、自分の生活や行動についての患者の話が真実かどうかをつねに疑うようにしている、と私は語った。

講演の途中に入ってきた男は汗をかきはじめ、しだいに青ざめていった。講演が終わり、人々が部屋を出て行きはじめると、真っ青な顔をしたその男が打ちのめされた様子でやってきて、私と話がしたいと言った。

「私は精神科医です」と彼は言った。

「あなた自身、精神科医を必要とされているようですね」と私は答えた。

「私はリチャード・ラトナーと言います。モンティ・リセルにだまされたのはこの私です。この事件のことで長年つらい思いをしてきました。あなたとお話ししたいのですが」

私たちは話をして、友達になった。彼はレイプ殺人の被害者と同じようにリセルにだまされたのであり、そのことであまり自分を責めるべきではない、と彼に言った。そして、今後法精神医学の仕事をする際には、患者である犯罪者の自己報告に全面的に頼らないことが大事だとアドバイスした。

近年、ラトナー医師はこの考えを積極的に支持し、広めるようになった。リセルに対してより的確な診断をしていれば数人の生命が犠牲にならずにすんだかもしれないという思いにいまだに胸を痛めながら、彼は講演を行ない、天才的なうそつきに操られた医師の例として自分の体験を語っている。私はラトナーの依頼によりワシントンDCのさまざまな病院で精神医学に関する講演を行なっているし、彼のほうもクワンティコで特別講演を行なうほか、犯罪者性格調査プロジェクトの顧問となっている。FBIと精神医学関係者のこのような絆が、犯罪者の心理を理解するための大きな助けになるだろう。

私はFBIの現職捜査官や、研修のためにクワンティコに来た警察官のために講義を行なったが、その際に外部から専門家を招いて特別に講演してもらうことがよくあった。ゲストの講演者は、法執行関係や法医学関係以外の分野からも広く求めた。『私という他人』は多重人格者を扱った有名な本で、ジョアン・ウッドワード主演の映画にもなったが、その主人公のクリス・サイズモアがこの精神障害を克服して、迫力ある講演をしていることを友人から聞いた。私はクリスに会い、ぜひクワンティコに来て話をしてもらいたいと頼み、承諾を得た。

多重人格という精神病を患い、それから回復した体験を語るクリスの講演は、大好評だった。被告が多重人格であることを理由に無罪を主張した裁判が新聞紙上を賑わしたことがあったが、クリスはこれについても言及した。クリスによると、多重人格の中の一つの人格が人を殺すことができれば、他の人格も人を殺す可能性があるし、一つの人格にそれができなければ他の人格にもその可能性はない。つまり、多重人格者であるからといって殺人犯が罪をまぬがれるわけではないということだった。

一風変わった講演者としてはこの他に超能力者のノリーン・レイニアがいる。彼女は以前に、遺体を発見する手助けをしたり事件の手がかりを教えるなどの点で地元の警察に協力したことがあり、面白い講演をしてくれるだろうということで推薦された。一九八一年の初めにクワンティコで行なった講演で、彼女は自分の能力を完全にコントロールできるわけではなく、予言が的中することもあるしはずれることもある、と話した。さらに彼女はその日、何人かの警察官を前に、レーガン大統領の暗殺未遂事件がその月が終わるまでに起こると予言した。大統領は左胸を撃たれるが回復し、国民の同情を集めさらに立派な仕事を成し遂げるだろうというのだ。レーガン大統領狙撃事件のあと、クワンティコで再度講演をしてくれるよう私はレイニアに頼んだ。今回彼女は、大統領が十一月に外国の軍服を着て機関銃を持った男たちに暗殺される、と予言した。この予言は半ば当たり、半ばはずれたと言える。機関銃を持った軍服姿の男たちに暗殺されたのはエジプトのサダト大統領で、時期は十一月ではなく十月だった。

雑誌記事や小説の作家は、プロファイリングによってＦＢＩが達成する仕事を誇張して書くことが多い。あたかもプロファイリングが魔法の杖で、警察がこれを利用するとたちどころに事件が解決するかのような書き方をする。しかし読者がすでにご存知のように、プロファイリングは魔法とは何の関係もない。確かな根拠のある行動科学の原則と、犯罪現場や証拠の検証や服役中の犯罪者との面接などにより長年にわたって獲得した経験を応用して、犯人に最も近いと思われるタイプの容疑者を警察に示すのがプロファイリングだ。犯人をつかまえるのはプロファイルではなく、警察である。

この点をどんなに強調しても、作家は小説の中でプロファイラーに現実離れした活躍をさせようとする。一九八〇年代の初め、ある作家に行動科学課を見学させるようＦＢＩ広報部から依頼された。作家の名前はトマス・ハリス。ベストセラーとなり映画化もされた『ブラックサンデー』という小説の著者だった。ハリスはそのとき連続殺人犯をテーマにした小説を書いているところで、ＦＢＩがどのように捜査に介入するのか、プロファイルはどのように作成するのか、どうやって警察を援助するのかといったことを知りたいということだった。私は数時間にわたって彼と話をし、ケンパーやチェイスなどの事件のスライドを見せた。また服役囚との面接を行なっていることや、近年精神科医などの精神医療の専門家にコンサルティングを依頼していることを話した。

のちにハリスは服役囚との面接と精神科医の起用というアイディアを一つにまとめて、『レッド・ドラゴン』という小説に使った。この小説では、ＦＢＩ捜査官が事件解明のために、服役中の連続殺人犯で精神科医のハンニバル・レクターに助けを借りる。もちろん主人公も筋もハリスの創作だが、彼の豊かな想像力をかきたてるような情報を提供したことを、私は誇りに思っている。

ハリスは別の小説を執筆中にもう一度クワンティコを訪れ、私は再び時間をさいて具体的な事件を紹介した。その一つがエド・ゲインの事件で、彼は『羊たちの沈黙』の犯人のモデルになった。さらに、当時行動科学課で働いていた唯一人の女性捜査官もハリスに紹介した。

ハリスの小説はどちらもフィクションとしては申し分ないが、連続殺人犯やＦＢＩの男性および女性捜査官の描き方は現実的ではない。たとえば最初の本に登場する連続殺人犯フランシス・ダラハイドはいくつかのタイプの殺人犯の特徴を合わせ持っているが、実際には一人の人間にこのような性格が共存することはありえない。また、FBI捜査官が自らこのような殺人犯を追跡することも現実にはない。われわれの仕事は犯罪現場を分析して犯人のプロファイルを作成し、それを警察に伝えることだ。地道な捜査を行なって最終的に犯人を逮捕するのは警察である。

近年プロファイリングに対する関心が高まるとともに、その実態とFBIの活動が誤って伝えられることが多くなった。マスコミは行動科学課の捜査官を、警察の失敗をしりめに困難な事件を解決する名探偵としてもてはやすようになった。残念なことにFBI自体もこの風潮に便乗しているように見える。映画「羊たちの沈黙」の製作にFBIが協力したこともその表われだ。引退する直前に私が目を通したものの一つが、この映画の脚本だった。私は脚本の中のいくつかの点に異議を唱えた。FBIが映画の撮影にかかわり、クワンティコをセットとして使用することまで許可するなら、映画をもっと現実に近いものにするよう交渉すべきだと思った。たとえば、ジョディ・フォスターが演じるヒロインは訓練生だが、脚本に書かれているような大きな責任を伴う危険な任務を、われわれが訓練生にやらせることは絶対にない。この点をふくめたさまざまな細部は、フィクションとしての構成を何ら損なうことなく変えることが可能だった。にもかかわらず、それらは変更されなかった。局の上層部は、この映画はＦＢＩの宣伝になるから、正確であろうとなかろうと構わないと思ったのだろうか。

ＦＢＩを引退してからも、私は専門家として証言を依頼されることがたびたびあり、ジェフリー・ダーマーの事件にもそのようなかたちでかかわった。一九九一年の夏、ウィスコンシン州ミルウォーキーで十七人を殺害したジェフリー・ダーマーという男が逮捕されたことを新聞で読んだ。記事には彼が犯した性的虐待、死体の切断、カニバリズム、死体性愛について詳細に書かれていた。ダーマーの事件は、過去二十五年間に起こった恐ろしい連続セックス殺人事件の集大成ともいうべきものだった。ダーマーが初めて人を殺したのは一九七八年、彼が十八歳のときだから、彼は二十五年近く散発的に殺人を犯していたことになる。最初の殺人はオハイオ州バースで起こった。彼は自宅のそばで男性ヒッチハイカーを拾って殺したのだ。犯行は無計画で衝動的なものだった。それから九年の間に異常な殺人の空想が徐々にふくらんでいき、再び殺人を犯すようになった。一九八七年に一回、一九八八年に二回、一九八九年に一回、一九九〇年に四回、そして一九九一年に八回だ。つかまる前の何件かの殺人は、わずか数日の間隔で行なわれた。

事件を客観的に見ると、ダーマーが連続殺人犯の典型的なパターンをたどっていることはあきらかだ。こうした殺人犯は最初はおそるおそる慎重に事を運ぶ。やがてペースが早くなり、機械的、効率的に殺しはじめる。そして最後はだれも自分をつかまえることはできないと確信し、傲慢で不注意になる。自分が絶対的な力を持つと思いこむのだ。

一九九一年の秋、私はダーマー事件の検察側と弁護側の両方から、専門家の証人として証言するよう求められた。結局私の友人が検察側の証人となり、私は弁護側に立って証言することになった。

元FBI捜査官が弁護側の証人になるのはきわめて異例なことであり、かつての同僚のみならず一般の人からも誤解を受ける恐れがあった。しかしFBIを引退してコンサルタントや専門家としての証人を務めるようになってから、真の専門家の意見は一つしかなく、どちらの側がその意見を要求してもかまわないと考えるようになった。なぜならその意見は事実と経験にもとづくもので、いずれか一方の側の戦術に合うように変えることはできないからだ。このような見解のもとに、私はダーマーの弁護を引き受けたミルウォーキーの弁護士ジェラルド・ボイルに協力することを承諾した。ダーマーがやったことに対して申し開きをしたり、十七人の人間を殺害するという極悪非道な行為を許すことはできない。だが彼の行動や精神状態を理解することはできる。私はダーマーの味方でも敵でもない。ただ公正な判決が下されるよう、自分の専門知識を活用して関係者が事の本質を理解する手助けをするだけだ。私が求めるのは、このような困難な事件を適切に扱うことのできる刑事裁判システムの確立である。

一九九二年一月十三日、十五件の殺人の容疑に対して心神喪失による無罪を申し立てていたダーマーが、有罪だが心神喪失に申し立てを変更するつもりであることをボイル弁護人が発表した。「有罪答弁の決定は私ではなくダーマー氏が下したものです」とボイルは記者たちに語った。「この事件の焦点は彼の精神状態です。ダーマー氏は罪を認めるつもりです」「有罪だが心神喪失」の抗弁は多くの州で認められていないが、ウィスコンシン州法では許可されている。私はこの抗弁に全面的に賛成した。有罪を認めれば裁判は短縮され、裁判の第二段階では彼の精神状態についてもっぱら審理されるだろう。そこでどのような結論が出されようと、ダーマーが精神病院あるいは州刑務所などの施設に監禁されて一生を過ごすことは間違いない。これがこの事件の適切な結末だと私は確信していた。

ダーマーの弁護のため、私は二日間にわたって彼を面接した。それに先立ち、事件についてより詳しく調べた。すぐに頭に浮かんだのは、一章で述べた吸血殺人鬼リチャード・トレントン・チェイスのことだ。ダーマーも血を飲み、人肉を食べているのだ。ただし彼はチェイスほど完全な無秩序型ではなかった。ダーマーは、自分の行動が警察の捜査にひっかかりやすいと知りながら、ミルウォーキーのゲイバーをまわって被害者を捜し、相手を自分のアパートに連れ帰った。この点ではジョン・ゲイシーに似ている。ダーマーはまた、見つかれば不利な証拠となるのを知りながら、体の骨や頭蓋骨などを保存していた。さらに私は、一般にはあまり知られていないが裁判記録にふくまれている情報も手に入れた。ダーマーが人の血を飲み、肉を食べ、殺してばらばらにした遺体と性的接触を持つことを好んだことだ。この最後の点では、テッド・バンディやエド・ケンパーと似ている。

驚いたことに、ダーマーの最後の被害者が襲われている最中にアパートから逃げだしたとき、ダーマーは警察が来るのを平然として待ち、部屋の中にある大量の証拠を隠滅しようとしなかった。それらは、何百枚にものぼる殺害前や後の被害者の写真や、冷蔵庫、ドラム缶、箱などに入れられた頭蓋骨や肉の一部などだった。被害者を拘束し殺害するのに使われた道具類もアパートに散乱していた。逮捕される数カ月前に、これらの道具類が居間やドアを開けはなした隣の部屋に丸見えになっているにもかかわらず、ダーマーが自分のアパートに家主や警官など外部の人を入れたことがあるのを知り、私は残念に思った。殺人の証拠がすべて揃っているのに、だれもそれに注意を向けなかったのだ。

ダーマーは秩序型犯罪者の特徴を数多く示していた。被害者を捜し、金やさまざまな恩恵を約束してアパートに連れこみ、殺害後に犯行の証拠を隠すといった点だ。しかし彼は同時に無秩序型犯罪者の特徴も備えていた。殺害後に被害者と性交渉を持つ、人肉を食べる、遺体をばらばらにする、遺体の一部を記念として取っておくなどだ。犯罪学の言葉を使うと、ダーマーは「混合型」犯罪者だと言える。実際、彼はふつうは関連性のない特徴をいくつも合わせ持っているので、まったく新たなタイプの連続殺人犯と考える必要があるかもしれない。

ダーマーは正気なのかそれとも狂気なのか？　二日にわたって彼を面接したあと、私は目の前に座っている混乱し苦悩に満ちた男に、同情の念しか感じなかった。ダーマーはそれまでに面接した連続殺人犯のだれよりも率直で協力的だったが、なぜ自分があのような残虐行為を行なったのか、理解できずにいた。管理された刑務所という環境の中で初めて彼は、強迫的欲求と空想が理性を圧倒して殺人から殺人へと自分を駆り立てていたことを認識した。面接の間、彼はたて続けにたばこを吸い、肺がんになれば自分の問題も解決するかもしれないと言った。苦悩にさいなまれているこの男が犯行時に正気だったとはとうてい思えなかった。裁判の結果がどうであろうと、彼が一生監禁生活を送ることになると思うとほっとした。

私はウィスコンシン州で死刑が廃止されていることにも感謝した。州が彼の命を奪っても何の役にも立たないからだ。フロリダ州はテッド・バンディを処刑するのに七、八百万ドルを費やしたが、この金を使ってバンディやケンパー、ゲイシー、バーコウィッツ、ダーマーのような反社会的人間を調査し研究するための法刑罰施設を設立したほうが有意義だったのではないか。死刑は凶悪犯罪を抑止するものではないという点で、犯罪学者の意見は一致している。それは単に被害者の遺族や一般社会の復讐心を満足させるだけだ。ダーマーの場合のように、これらの凶悪犯が数年を刑務所で過ごすだけで社会に復帰することはありえず、死ぬまで監禁生活を送ることになると国民に保証することができれば、大きな進歩である。どこでどのように監禁されるかは問題ではない。

ジェフリー・ダーマーのような人間の存在によって、私はさらに研究を続けなければという思いにかられる。これまでに私が手がけてきた殺人犯に関する仕事が、凶悪犯罪の発生を減らすことにいくらかでも貢献していれば、これ以上うれしいことはない。しかし定期的に新聞に載る恐ろしい殺人事件や毎晩のテレビニュースで報道される暴力行為を見るにつけ、凶悪犯罪者との戦いはこの先も続いていき、私も引き続きそれに参加せねばならないことを痛感する。

解　説

上智大学教授・精神医学
福島　章

あらゆる犯罪の中で、人が人を殺す行為である殺人こそが最も危険で重大な行為であることはいうまでもない。そして同じ殺人犯の中でも、一度に複数の人が犠牲になったり、一人ずつ連続して多くの犠牲者が出たりする行為が、犯罪学では〈大量殺人〉と呼ばれている類型である。これは人間の行為として最も危険で異常な犯罪といえるだろう。

殺人のような重大な結果をもたらす行為も、たまたま偶発的に犯されることがたしかにあることはある。しかし、ことが〈連続殺人〉となると、その場の状況や成り行きだけから殺人が起こったとはとても言えない。そこに、犯人のパーソナリティの異常性という問題が大きく浮かび上がってくる。

この本は、その〈連続殺人犯〉たちの心理を、多数のケース研究から科学的に解明しようとした報告である。著者はＦＢＩ（アメリカ連邦捜査局）の元捜査官で、この種の連続殺人者・大量殺人者についてのエキスパートである。実際家であるとともに、アカデミックな業績のある学者でもあるようである。『羊たちの沈黙』は、この種の専門家の卵の女性訓練生の姿をフィクションとして描いたものだが、本書に出てくるケースは作りものではなく、この数十年間にアメリカ合衆国で起こった実際の連続殺人事件である。ここには、事件解決までの過程がリアルに描かれている。

著者の方法は、〈行動科学的〉と標榜されているが、〈行動科学〉とは心理学の別の呼び名であるから、日本の精神医学者や犯罪心理学者が行っている方法とそれほどの違いはない。異常な殺人事件が起こると、〈心理分析官〉たちはまず現場に赴いて資料を集め、そこから犯人像を推定しようと試みる。

すなわち、犯人の人種、年齢、性別、性格、精神科受診歴、家族の有無、生活態度などを、かなり高い確率で推定し、捜査の対象を絞りこむのに貢献する。この種の連続殺人事件は、殺人者と被害者との間に人間関係がない〈通り魔〉的な犯罪がほとんどなので、捜査が難航することが多い。そのため、犯人像を描き出すことが、捜査を方向づけるために欠かすことのできない作業となる。

犯人像の絞りこみのこの作業を、著者は〈心理的プロファイリング〉と呼んでいる。「横顔」「輪郭」を意味する〈プロフィル〉から造語した動名詞なのであろう。例えば、女性を被害者として死体に異常な行為を加えたり、子供を誘拐して殺害したりする犯人は、性的に異常な嗜好を持った白人の若い男性に多い、などと推定する。

さらに、現場の状況を分析して、犯行が綿密な計画性を持ったものか、行きあたりばったりのものかなどを判断し、犯人を〈秩序型〉と〈無秩序型〉に分ける。これは犯人の精神的な健康度、単身生活か家族と住んでいるか、生活状態はきちんとしているか、だらしないかなどを推定する重要なポイントとなる。

このようなプロファイリングをするために、心理分析官には過去の同種の連続殺人者についての豊富な知識が要求される。それにはまず、ＦＢＩ捜査官として直接・間接に知り得たデータが役に立つ。さらに著者らは、過去に大量殺人や連続殺人を犯して拘禁されている犯人たちをアメリカ各地の刑務所や拘置所に出向いてインタビューし、その心理や性格を研究する努力もしている。本書の後半に肉声で登場する過去の犯人たちの中には、犯罪史に残るような有名なヒーローが多く、圧巻である。

一方本書の前半は、現在進行形で、事件の発生から現場や被害者の状況の分析、犯人像を心理的に推定するプロファイリング、次の事件の発生、犯人の逮捕といった経過が、臨場感にあふれた筆致で次々と描かれている。こちらの方も、推理小説に匹敵する迫力がある。

殺人について読んだり聞いたりすることは、たしかにショッキングであり、不快である。特に本書で多数取りあげられているような、性的な暴行やサディスティックな行為を受けた死体の描写、さらには逮捕後に明らかになった無惨な犯行経過などを読むことは、人間の感情として、けっして気持ちの良いものではない。

しかし、その不快感にもかかわらず、この種の描写は人を引きつけ、ぞくぞくさせ、さらに知りたいという気持ちを起こさせる。「恐いもの見たさ」という言葉があるが、異常な犯罪の中に、自分の無意識の中にうごめく衝動と響きあうものを感じるからかも知れない。人が犯罪についての読み物に引かれたり、ある種の人々が犯罪捜査官や犯罪学者になったりするのは、おそらくは、犯罪の持つこの魔力のせいではないかと考えられる。

ともあれ、多数のケースの分析から、著者は連続殺人者・大量殺人者についての精密な肖像を描き出すことに成功した。ただし、心理学的・行動科学的な研究の解説の形をとってはいるものの、本書の書き方は非常に具体的・具象的なので、小説を読むような感じで、生き生きとした犯人像が目の前に浮かぶ。

著者によると、連続殺人の犯人は、ほとんどが〈性的異常者〉である。したがって、連続殺人はほとんどが〈性的な衝動〉に駆られての行為である。ドイツや日本の犯罪学では、この種の「殺人そのものが性的な興奮や満足を与えるような殺人」を〈快楽殺人〉と定義して、殺人の一類型と位置づけている。しかし、ＦＢＩの経験によれば、ほとんどすべての連続殺人者は性的殺人者であり、〈快楽殺人者〉であるということになる。従来の犯罪学の常識では、殺人累犯者の中にも、利欲によるもの、情動の葛藤によるものなど、多くの類型があると言われているが、著者があつかった異常な連続殺人では、性的動機が群を抜いて突出していたということになるのだろう。

日本では、この種の〈快楽殺人〉は比較的少なく、精神鑑定でもすれば専門誌に一例報告が出来るほどであるが、アメリカではそれが主流であるということは、〈文化の病〉の一つとしても興味深い。特に、この性的な連続殺人の犯人がたいていは、他の犯罪で圧倒的なシェアを占める有色民族ではなく、白人だということが注目される。吸血鬼やドラキュラの伝説をもつ血の流れなどを連想させて、西欧文明がその影（シャドウ）として持ち合わせている〈業《ごう》〉のようなものを感じさせるのである。

ＦＢＩの方法では、犯人の生活の歴史と心理的な発達の歴史を詳細に分析しようとする。そこでまず明らかになったことは、連続殺人の犯人の幼児期は不幸であるという事実である。まず両親の離婚などによる家庭の崩壊が多い。また、拒絶的で愛情に乏しい母親との、恵まれない母子関係も多い。しかしこれは、犯罪・非行者一般に共通する特徴といえる。

異常な連続殺人者に特徴的なのは、思春期以後の〈空想生活〉である。男の子は思春期を迎えるころから性的な空想に耽ることが多く、またそれが自然でもあるが、将来に連続殺人者となる少年たちの空想の内容は特異である。つまり、血腥《なまぐさ》くサディスティックで、将来の犯行を予言するような種類のものだという。このような空想が、彼らのマスターベーションの際に強い刺激となって、しだいに強化（習慣化）されて行く。動物の虐待や虐殺が試みられることもある。

アメリカの精神医学では、多重人格や人格障害などを示す人々には、幼少時に他殺、自殺、事故死などの暴力的な死を目撃した体験が非常に多いという説が有力だが、それはこの連続殺人犯についてもあてはまる。〈暴力的な死〉のイメージが一種の〈インプリンティング（刻印付け）〉となるのであろうか。

彼らの異常な殺人は、けっして偶然のなりゆきによって起こるものではない。彼らの長年にわたる空想生活の中のイメージが、ついに現実の世界で実現されたものにすぎない。「始めにファンタジーありき」なのである。

殺人犯のこのような空想は、犯罪が行われ、逮捕され、受刑生活を送っている間も、後悔や罪悪感によって消えるということはない。むしろ、殺人の時の興奮を思い出すことが刺激となって、性的な興奮や満足が起こることすらある。サディスティックなファンタジーやイメージは、いわば第二の天性のようなものであり、生涯にわたって彼らに〈取り付いて〉離れない。

このようなファンタジーを取りあげ、これを犯行の動機として重視するのは、まさに精神分析学がさかんなアメリカらしい研究である。

ドイツや日本における〈快楽殺人〉の伝統的な研究は、人間の内面や空想生活にあまり目を向けてこなかった。しかし、こうした犯罪者を、ドイツ流に〈情性欠如〉〈爆発〉型の〈精神病質者〉とか〈性的精神病質者〉などと名付けて片付けてしまうのではなく、その心理力動に立ち入って、彼らの精神生活を明らかにする方が、学問的にもずっと実り多い成果をもたらすものであろう。

私は、この本を読みながら、自分が数年前に精神鑑定をしたある連続殺人犯のことを思い出していた。最後の事件で、この犯人は若い女性と一緒にラブ・ホテルに入ったが、被害者を鼻骨が骨折するほどひどく殴りつけたり首を絞めたりして殺害した。そして、被害者の全裸の死体をバスルームに運び込んで、そこで乳首をかじって歯型を残した。また、陰部にリンスのケースを押し込むという凄惨な暴行を加えて、その後に逃走していた。

逮捕後の裁判で問題となったのは、この殺人に「合理的と考えられる動機」がないことだった。被告人の側では、事件前に五〇〇〇ミリリットルものビールを飲んでいたので、飲酒酩酊のために記憶がないと主張していた。心神喪失の主張をしていたわけである。

ところが調べてみると、本件の前にも、この犯人には殺人の前科が一件、殺人未遂の前科が一件あった。そして、殺人の方では、やはり被害者の女性の乳首を嚙み切っていた。これは明らかに性的な動機による殺人と考えられるものである。しかし、この前件が病的酩酊を理由に無罪となったこともあって、彼は今度の事件でも飲酒酩酊による心神喪失を主張し、動機についてまったく語ろうとしなかったのである。「動機が自分でも分からないから頭がおかしかったのだろう」という論理で裁判に臨んでいたのだ。

精神鑑定でも、彼は私に犯罪の動機も、内面の空想生活も語ろうとしなかった。しかし、投影法テストでは、病的なほど被害的な心性と、加虐的なファンタジーの存在がうかがわれた。そこで私は、心理テスト所見と、被害者の死体の状況などを総合して、殺人の行為は被告人がサディスティックな心理に駆り立てられたものという結論を導いた。また、刑事責任能力については、第三者の供述する本件犯行前後の行動からみて喪失していなかったと結論した。第一審の判決は、私の鑑定の結論を容れ、懲役十三年の実刑であった。

鑑定が終わった後でも私は、「合理的な理由のない殺人」「殺人のための殺人」、つまり学問的にいう〈快楽殺人〉というものが本当にあり得るのかどうかという疑念を抱いていた。しかし、今回この本を読んで、私の被告人が、海の向こうの性的犯罪者たちの系譜に属する一人であることを確信するにいたったのである。

ちなみにこの事件も、数カ月間は犯人が捕まらなかったが、日本の科学警察研究所の心理部門のスタッフは、FBIの〈プロファイリング〉とまったく同じような分析をし、犯人像の推定をして、捜査当局にその資料を提供していたことが、後になってある専門書に発表されていた。しかし、日本ではまだまだ心理技官の数も少なく、捜査に決定的な役割を果たすところまでは行っていないようである。

先にも述べたように、快楽殺人者・性的連続殺人者の系譜は、ドイツのキュルテン、フランスのジル・ド・レ公、イギリスの切り裂きジャックなど、ヨーロッパにその例が多い。

彼らの子孫であるアメリカの白人たちにその系譜を継ぐ者が多いことは、本書の豊富なケース報告が物語るとおりである。一方、快楽殺人者は日本には比較的少ない。また捕まっても、アメリカの殺人者のようには雄弁に喋らない。内的なファンタジーも豊富でない、という傾向がある。

精神医学的に診断すれば、大量殺人者のほとんどは、昔なら〈精神病質者〉、今なら〈人格障害者〉というカテゴリーに入るのであろう。アメリカでは昔、犯罪者などを〈社会病質者〉と呼んでいた時代もあったが、一九八〇年に診断分類基準の改訂（DSM-III）があり、それ以後は〈社会病質〉の言葉は廃止され、〈人格障害〉と名前が変わった。そしてこの〈人格障害〉という大分類の中に、〈反社会的人格障害〉と呼ばれる早発・進行・累犯型の犯罪者や、〈分裂病質人格障害〉〈分裂病型人格障害〉と呼ばれる、奇妙で対人的な冷淡さや引きこもりが目立つ犯罪者がサブカテゴリーとして設定されているのである。

しかし、このような分類やラベリングよりも大切なことは、犯人たちの内面のファンタジーがいかにして現実に実行されるにいたるかということであろう。心の中でこの種のサディズム的な幻想を抱き、自慰やセックスの場面でそのイメージを活性化させて満足や興奮を得ている人はけっして少なくない。このことは、世にSM雑誌やホラービデオなどが大量に流通していることからも明らかであろう。しかし、〈性的殺人者〉はその割に少ない。それは何故だろうか。

本書の中で触れられている〈無秩序型〉の殺人者の中には、精神病質・人格障害のレベルを超えて、明らかに精神分裂病が発病していると考えられるケースが見られる。精神病の発病が人格的な抑制を取り除き、残虐なファンタジーを実行に移させてしまうという図式は、一つの重要なルートとして考えられる。このような〈無秩序型〉の、つまり〈精神病〉の犯罪者は、医学的な意味での病気を治すことが犯罪性の治療にもなるから、問題はむしろ単純である。

しかし、連続殺人者には、〈秩序型〉の典型に見られるように、一見〈正気の仮面〉をかぶった者も多い。彼らが、内面のファンタジーだけで満足せず、実際に人を殺して、その死体を引き裂いたり解体したりする動機はいったい何であろうか。多くの事件の分析や、犯罪者とのインタビューを通しても、その謎は相変わらず謎として残されているように思われる。だからこそ、彼らは〈怪物〉なのだろう。しかしその〈怪物〉とは、殺人を犯さない人間も誰しも無意識の深みには抱いている〈影（シャドウ）〉をたまたま目に見える形で明るみに出した人々だともいえるのである。

つまり、殺人者を研究することは、人間性の一番奥深くにひそんでいる〈シャドウ〉を研究することにもなる。その意味で、本書はどんな哲学書にもないような事実の厚みと迫力をもってわれわれに迫ってくる。したがって、彼らに対して有効な〈治療方法〉などはありえない。出来ることは、われわれも一緒になって、わが内なる〈怪物〉と向き合うことだけである。

本書は、一九九四年四月に早川書房より単行本
として刊行された作品を文庫化したものです。

滅亡へのカウントダウン（上・下）

――人口危機と地球の未来

COUNTDOWN

アラン・ワイズマン

鬼澤　忍訳

ハヤカワ文庫ＮＦ

地球では人口爆発による問題が深刻化している。イギリスでは移民の激増により人種排斥が起き、パキスタンでは職を失った若者による暴動が頻発。一方、他国に先駆け人口減少社会を迎えた日本に著者は可能性を見出す。精緻な調査と大胆な構想力で将来を展望する予言の書。　解説／藻谷浩介

人の心は読めるか？

Mindwise

——本音と誤解の心理学

ニコラス・エプリー

波多野理彩子訳

ハヤカワ文庫ＮＦ

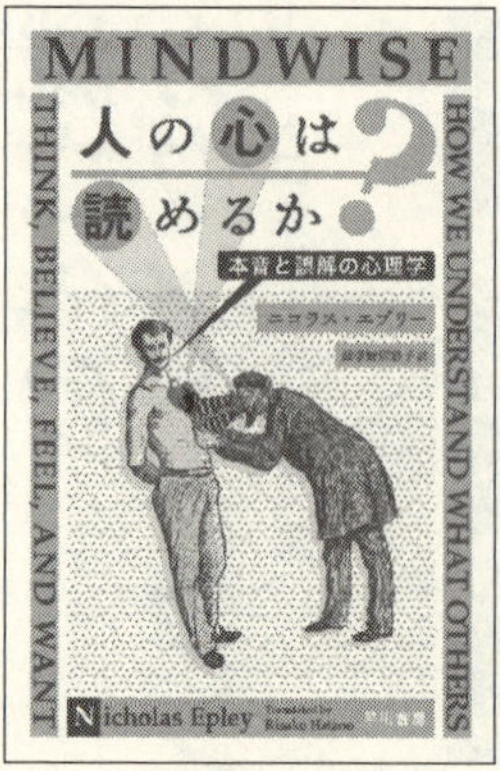

相手の気持ちを理解しているつもりでいたら、それは大きな勘違い。人は思う以上に他人の心が読めていないのだ。不必要な誤解や対立はなぜ起きてしまうのか？　人間の偉大な能力「第六感」が犯すミスを認識し、対人関係を向上させる方法を、シカゴ大学ビジネススクール教授が解き明かす。

ファスト&スロー（上・下）

――あなたの意思はどのように決まるか？

Thinking, Fast and Slow

ダニエル・カーネマン

村井章子　訳

友野典男　解説

ハヤカワ文庫NF

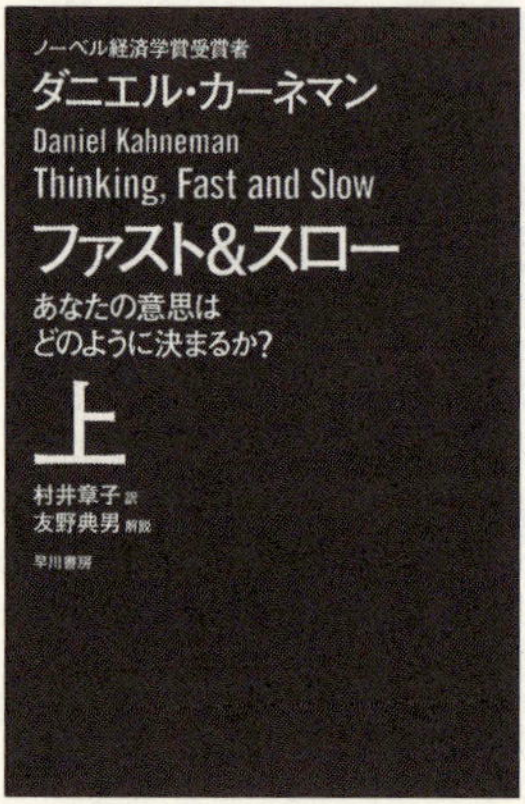

心理学者にしてノーベル経済学賞に輝くカーネマンの代表的著作！

直感的、感情的な「速い思考」と意識的、論理的な「遅い思考」の比喩を使いながら、人間の「意思決定」の仕組みを解き明かす。私たちの意思はどれほど「認知的錯覚」の影響を受けるのか？　あなたの人間観、世界観を一変させる傑作ノンフィクション。

予想どおりに不合理
――行動経済学が明かす「あなたがそれを選ぶわけ」

Predictably Irrational
ダン・アリエリー
熊谷淳子訳
ハヤカワ文庫NF

行動経済学ブームに火をつけたベストセラー！

「現金は盗まないが鉛筆なら平気で失敬する」「頼まれごとならがんばるが安い報酬ではやる気が失せる」「同じプラセボ薬でも高額なほうが利く」――。どこまでも滑稽で「不合理」な人間の習性を、行動経済学の第一人者が楽しい実験で解き明かす！